# CAVALE MEURTRIÈRE

G.M. FORD

# CAVALE MEURTRIÈRE

*Traduit de l'américain*
*par Dany Osborne*

EDITIONS V.D.B.

*Vous désirez recevoir notre catalogue…*
*Vous pouvez nous joindre à l'adresse ci-dessous :*

EDITIONS V.D.B.
Les Restanques
F.-84210 LA ROQUE-SUR-PERNES
e-mail : editions.vdb@wanadoo.fr

*Vous pouvez également visiter notre site :*

http://www.editionsvdb.fr



Titre original :
*No Man's land*
publié par HarperCollins Publishers Inc., New York

« Tirage réservé aux Bibliothèques et Collectivités avec
l'aimable autorisation des Editions Belfond,
un département de Place des Editeurs. »

« Mieux vaut sombrer dans les
profondeurs en cherchant avec ardeur
plutôt que flotter sur un banc de sable. »

Herman MELVILLE, *Mardi*

# 1

« En cet instant même, nous retenons cent soixante-trois otages. À partir de 18 heures, j'en descends un toutes les six heures tant qu'on ne m'aura pas livré Frank Corso. »

Les images enregistrées tremblaient mais la voix ne perdait rien de son autorité et les yeux sombres aux paupières tombantes ne cillaient pas. Le film s'arrêta et l'écran devint blanc.

Le gouverneur James Blaine se tourna vers Elias Romero, le directeur de la prison. Une question informulée restait suspendue en l'air comme une fumée noire. Romero la perçut et y répondit :

— Il s'appelle Timothy Driver. Transféré depuis l'État de Washington. Condamné à perpétuité, sans circonstances atténuantes, pour un double meurtre.

Driver ? Ce nom disait quelque chose au

gouverneur, dont les traits bouffis se crispèrent quand il se souvint.

— Le type de la marine ? Le capitaine ?

— C'est ça. Driver était capitaine sur un sous-marin Trident. Il est rentré plus tôt que prévu d'une mission, et…

Romero s'éclaircit la gorge avant de continuer :

— Il a trouvé sa femme en pleine partie de jambes en l'air avec un gars du coin et il a vu rouge. Il a pris un flingue et les a descendus dans leur lit. Au cours de sa première semaine à la prison d'État de Washington, il a crevé les yeux de son compagnon de cellule, un membre de la Fraternité aryenne, et poignardé un gardien, un vieux de la vieille très apprécié dans l'équipe. Alors là-bas, ils ont pensé que ce ne serait pas prudent de garder Driver et ils nous l'ont expédié.

Le gouverneur enfonça avec rage ses mains dans ses poches.

— Mais bon sang, comment une chose pareille a-t-elle pu se produire ? s'exclama-t-il. Meza Azul est censée être la prison la plus sûre de toutes. Si j'ai bonne mémoire, elle a été construite précisément pour empêcher ce genre de pépins.

— Oui, monsieur. C'était bien l'idée, répondit Romero en désignant le mur recouvert de moniteurs de surveillance, dont les écrans étaient soit tout blancs, soit tout noirs.

— Nous avons les dernières soixante minutes et quarante-cinq secondes avant que Driver fiche en l'air le système de sécurité. C'est plutôt...

— Montrez-moi, le coupa Blaine.

Romero traversa la pièce, enfonça quelques boutons et s'écarta pour laisser la place au gouverneur. L'écran principal se remplit des lignes blanches de l'électricité statique.

— C'est très réaliste, le prévint Romero.

— Je suis un grand garçon, répliqua le gouverneur.

Les images apparurent, prises du dessus. Un homme en uniforme de gardien insérait une clé électronique dans ce qui semblait être une porte d'ascenseur, la rangeait ensuite dans sa poche et balayait la pièce du regard avant de sortir quelque chose de sous sa veste. Puis il tournait le dos à la caméra.

— C'est Driver en tenue de gardien, dit Romero.

L'homme appuyait son index sur le clavier encastré dans le mur.

— Il a tout simplement mis une clé de sécurité dans le module de contrôle, et après il s'est débrouillé pour désactiver la reconnaissance par empreinte digitale, commenta Romero en levant les mains d'un air encore incrédule.

— Répétez-moi ça ?

Romero pressa le bouton « pause ».

— En temps normal, cinq personnes seulement ont accès à l'ascenseur central : le contrôleur de sécurité, que vous allez voir dans un instant, et quatre officiers haut gradés. Driver a trouvé le moyen de les court-circuiter.

Il se rapprocha de la console et l'image s'anima de nouveau.

— Regardez, il tape le code.

Sur l'écran, la porte coulissait, Driver entrait dans la cabine et disparaissait. Écarlate, Blaine bredouilla :

— Nom de Dieu, comment un prisonnier a-t-il réussi à se procurer tout ça ? Un uniforme, les codes... C'est incroyable !

Il ponctua sa tirade en agitant sa main marquée de taches de vieillesse. Romero se contenta de secouer la tête, refusant d'extrapoler. Il préférait s'en tenir aux faits.

On voyait à présent l'intérieur de l'ascenseur. L'homme en bleu se tenait tranquillement debout au centre de la cabine, les mains croisées devant lui, l'air de s'ennuyer.

— Driver avait rendez-vous pour une visite

médicale, dit Romero en haussant les épaules. Nous pensons que, d'une manière ou d'une autre, il s'est débarrassé de l'escorte qu'on lui avait envoyée. Il a, comment dire ? Il a dû... persuader l'un des gardes de lui donner le code.

— Et la reconnaissance par empreinte digitale, comment l'expliquez-vous ?

— Aucune idée.

Les deux hommes fixaient nerveusement l'écran. La prise de vue provenait à présent du bureau de contrôle devant lequel s'arrêtait l'ascenseur. Un Noir en chemise blanche amidonnée faisait pivoter sa chaise à l'instant où Driver sortait de la cabine et pénétrait dans le bureau en pointant du doigt les écrans.

« Vérifiez le soixante-trois », ordonna-t-il.

Le Noir s'exécuta en silence, tournant le dos à la porte de l'ascenseur qui se refermait, et commença à pianoter sur son clavier. Ce que le moniteur soixante-trois aurait dû montrer resterait à jamais un mystère car Driver venait de passer un fil de fer autour du cou du technicien et le tordait en tirant si fort que l'homme décolla de sa chaise en portant les mains à sa gorge, les yeux exorbités. Des gouttes de sang se mirent à couler sur sa chemise blanche au logo de la Randall Corporation. Pris de convulsions, il battit des jambes, ses talons frappèrent le carrelage et de la bave s'échappa de sa bouche ouverte.

Le gouverneur se détourna en s'efforçant de ne pas vomir son déjeuner. Romero arrêta la vidéo et le silence envahit la pièce comme de l'eau croupie.

— Une telle chose n'aurait pas dû arriver, bredouilla Blaine.

Elias Romero demeura impavide.

— Non, monsieur.

Le gouverneur avait raison. Depuis le tout début, la prison de Meza Azul, Arizona, avait été conçue pour détenir les pires criminels des États-Unis. En outre, l'établissement pénitentiaire était la pièce maîtresse de tout un ensemble fondé sur deux postulats : Meza Azul serait sécurisée à cent pour cent contre toute tentative d'évasion, et elle représenterait une excellente source de profits.

À la différence des autres prisons, MA, ainsi que se plaisaient à l'appeler les détenus, n'était pas née dans le sillage des bourgades minières coincées entre les crêtes dentelées des montagnes de San Cristobal, ni dans celui des petites agglomérations poussiéreuses de la vallée, déguisées à présent en villes fantômes. La privatisation du système pénitentiaire de l'Arizona avait conduit à repenser de A à Z le recrutement et la formation du personnel des nouveaux établissements. L'État aurait préféré saisir l'opportunité de redynamiser l'une de ces villes moribondes, mais les investisseurs privés avaient rapidement pointé l'inanité d'une telle approche. S'installer sur une commune existante impliquait d'embaucher ses résidents dont la plupart, c'était triste à dire, ne possédaient pas les qualités requises pour travailler dans une prison de haute sécurité moderne. Le rapport préliminaire adressé au procureur général de l'État utilisait des termes tels que « inadaptabilité » ou « inadéquation technologique » pour décrire les problèmes posés par les locaux : autrement dit, ces gens-là appartenaient au genre d'iconoclastes qui refusent de se plier aux exigences du progrès et restent délibérément en queue de peloton, trop malins, trop stupides ou trop paresseux pour se rendre d'une quelconque utilité dans une entreprise aussi dynamique que la Randall Corporation.

Évidemment, les responsables ne pouvaient pas aller clamer cela et adoucirent les conclusions de leurs analyses en parlant de « cooptation familiale » et « d'esprit d'indépendance » à propos des autochtones. Le tour était joué ; Meza Azul, Arizona, fut créée.

Les camionneurs qui parcouraient la route I-506 juraient que tout était apparu du jour au lendemain, comme si maisons, école, poste, parcours de golf, cinéma, piscine, palmiers et tutti quanti, étaient tombés du ciel durant la nuit. La veille, il n'y avait rien, le lendemain, tout était là. Bienvenue dans le XXIe siècle.

Au cours des sept dernières années, pour l'Arizona, le bilan financier du pénitencier de Meza Azul avait fait la différence entre pertes et profits, bénéfice et déficit, et était régulièrement cité par le gouverneur comme le symbole de réussite de sa politique fiscale imaginative. Grâce à lui, l'État avait échappé à la banqueroute.

James Blaine ignorait le doute. Au diable les conseillers de mauvais augure, il ne renoncerait pas à Meza Azul, sa création. Mais si cette histoire avec Driver continuait, il pourrait dire adieu à sa réélection.

— Et maintenant ? demanda-t-il.

— Les négociateurs du FBI vont arriver, répondit Romero en consultant sa montre. Ils devraient être là à 18 heures.

Il considéra le gouverneur. Pas question que ce soit lui qui formule la question fatidique. Dix secondes s'écoulèrent et elle se posa d'elle-même.

— Vous croyez qu'on peut régler ça tout seuls ? demanda Blaine.

Romero haussa de nouveau les épaules.

— Probablement pas.

— On a quand même plus de quatre-vingts policiers sur place…

— Oui, mais Driver a ouvert deux cent quarante cellules, la plupart dans le bloc D. Les Bikers sont dehors, et sans doute quelques types de la mafia mexicaine. Il y avait trop d'Hispaniques, alors on en avait collé avec les Bikers.

Ceux-ci régnaient sur la moitié sud du bâtiment D, les Afro-Américains sur la moitié nord. Les Mexicains et les skinheads se partageaient le bloc B. Les Bikers auraient préféré cohabiter avec les Mexicains, mais il était impossible de mettre les nazis et les Noirs ensemble. Les Mexicains haïssaient les nazis qu'ils considéraient comme la pire engeance de la planète. À la rigueur, ils auraient supporté les Noirs ou les Bikers, mais pas question de garder ces derniers et les nazis dans le même bâtiment : non contents de voir en eux des mutants, la honte de la race blanche, les Bikers ne supportaient pas qu'ils se mêlent de leur trafic d'amphétamines, ni à l'intérieur ni à l'extérieur de la prison. Pour couronner le tout, la vénération des skinheads pour l'emblème nazi rendait les autres fous de rage.

Le gouverneur fit la grimace et se passa la main sur le visage. Il s'apprêtait à parler quand Romero le devança :

— Ils tiennent l'arsenal.

— C'est-à-dire ?

— Qu'ils ont accès à toutes les armes automatiques possibles et imaginables.

Il prit une inspiration :

— Et à environ trois millions de cartouches.

En se détournant, James Blaine enfonça ses doigts dans ses cheveux qui commençaient à se clairsemer. Autrefois, il était doté d'une épaisse chevelure qui lui avait précisément valu le surnom de « Tignasse présidentielle ».

La porte s'ouvrit après qu'on eut frappé. Ni Romero ni Blaine n'avaient répondu mais Iris Cruz, l'assistante de Romero, entra. Son regard fit l'aller-retour entre le gouverneur et son supérieur. À trente ans, douze de moins que Romero, sa silhouette autrefois en forme de sablier commençait à s'empâter. Ils étaient amants depuis un an et demi, après que le mari d'Iris, Esteban, las des États-Unis, était retourné vivre au Mexique. Son souvenir était encore très présent quand Romero s'était déclaré. Il en avait eu envie depuis longtemps, mais avait résisté. Iris l'avait deviné dès le début, les femmes sentent ces choses-là. Exactement comme elles savent qu'un homme ne quittera jamais sa maigre épouse, même s'il l'affirme depuis des mois. Peut-être y croient-elles un moment, mais au fond d'elles-mêmes, elles le savent.

— J'ai le livre que vous avez demandé, annonça-t-elle sans regarder Romero.

Il traversa la pièce en quatre enjambées, prit le volume des mains d'Iris et referma la porte. Il en examina la couverture, le retourna et jeta un coup d'œil à la photo au dos, puis ouvrit la jaquette et lut le résumé sur le revers.

— Qu'est-ce que c'est ? s'enquit le gouverneur.

— Le bouquin de Frank Corso sur Driver, répondit Romero en lui montrant la couverture. *La Rose rouge : histoire d'une passion*.

Blaine se dirigea vers la porte.

— Il paraît que ce type, Corso, vit sur un bateau, dans la région de Seattle.

— Téléphonez là-bas, dit Blaine, et faites-le venir.

Avec un profond soupir, il ajouta :

— Moi, j'appelle la garde nationale.

# 2

Avec sa décontraction souvent prise pour de l'arrogance, Melanie Harris suivit du regard la lumière de mise au point des caméras placées en hauteur sur un rail, et s'arrêta un instant sur la quatrième avant que le voyant passe au vert.

La caméra se mit à tourner.

— C'était Melanie Harris, pour « Chasse à l'homme ». Retrouvez-nous la semaine prochaine lorsque « Chasse à l'homme » reviendra, à chaud, vous parler de ce fléau qui mine notre pays : le crime.

Elle saisit un papier plié sur le bureau devant elle. Il aurait été plus efficace d'inclure le mémo sur le prompteur, mais elle préférait se servir du feuillet contenant sa conclusion comme d'un accessoire de théâtre. Elle pensait que cela donnait une apparence de spontanéité à une émission qui, faute de vigilance de sa part, aurait pu virer à l'autoparodie.

Elle tint la page du bout des doigts comme si elle était chauffée à blanc puis la tourna vers son auditoire.

— À ce jour, « Chasse à l'homme » et ses millions de téléspectateurs sont à l'origine de l'arrestation et de la mise en accusation de neuf cent soixante-dix-neuf dangereux criminels.

Elle eut un sourire ambigu.

— Neuf cent soixante-dix-neuf meurtriers, violeurs, chauffards et voleurs qui ne hanteront plus nos rues en quête de victimes innocentes… grâce à vos efforts à tous !

Elle pointa le doigt vers la caméra.

— À la semaine prochaine.

Le voyant rouge s'éteignit et Melanie se leva. Aussi rapides et précis que les équipiers d'une voiture de course, trois techniciens abaissèrent les manettes, éteignirent les projecteurs et tournèrent les boutons de commande, déconnectant la jeune femme de l'attirail électronique qu'elle portait pendant les enregistrements.

— C'est dans la boîte, lança l'un d'eux.

Melanie jeta un coup d'œil à la cabine de contrôle où se tenait Tommy Allenby, son metteur en scène de longue date. Il affichait un sourire artificiel et faisait le V de la victoire. Elle lui rendit son sourire et s'éloigna. Le geste de Tommy n'était guère plus qu'un réflexe. Au cours des sept années de diffusion de l'émission sur une chaîne de télévision nationale, Melanie avait peu à peu assumé les responsabilités qui incombaient à Tommy, ne lui laissant que le rôle de supporter. Un supporter fort bien rémunéré, comme elle avait dû le lui rappeler en début d'année lorsqu'il l'avait menacée de démissionner. Depuis, leur relation avait viré au froid polaire et était devenue strictement professionnelle. Elle avait entendu dire qu'il avait offert ses services à d'autres chaînes mais, après avoir envisagé une confrontation, elle avait décidé de le laisser réfléchir. Ce serait sans doute préférable, pour elle comme pour lui.

Alors qu'elle traversait le plateau, Leslie Hall, son assistante, lui souffla à l'oreille :

— On a un autre enregistrement demain à 9 h 15.

— Lequel ?

Leslie débita la liste des faits divers tragiques programmés pour la semaine suivante. Deux cambrioleurs de banque du Midwest qui, après neuf hold-up, couraient toujours. Un père en cavale, dont la famille avait été découverte massacrée dans la cave de leur maison.

Et une récapitulation des événements marquants de l'année écoulée. Chaque émission d'une demi-heure de « Chasse à l'homme » comportait trois parties. Quand la production manquait de sujets, on faisait du remplissage en reprenant des thèmes déjà traités.

— Ce n'est pas grand-chose, dit Melanie. Que du réchauffé. Dis à Martin qu'on a besoin de meilleures histoires !

Personne ne l'ignorait. Après sept ans de succès, l'intérêt du public, toujours versatile, commençait à s'émousser. L'excès de téléréalité en tuait le concept.

— Et que les producteurs qui ne produisent rien changent de métier, ajouta-t-elle.

Leslie lui assura que le message serait transmis à Martin Wells, le producteur exécutif de l'émission, et ajouta qu'il faisait certainement de son mieux, mais tout en marchant, ses talons claquant vivement sur le sol, Melanie lui coupa la parole d'un geste plein de mépris.

— Tommy veut réunir toute l'équipe..., poursuivit néanmoins Leslie.

— Inutile. Les sujets à couvrir, on les verra au briefing de vendredi.

Leslie griffonna des notes sur son bloc.

— Les gens de l'université de Beren aimeraient te parler de...

Un autre geste de la main, négatif cette fois.

— Adresse-les à Trudy.

Elles avaient quitté le plateau et traversaient le hall en direction de la loge de Melanie.

— Cet après-midi…

— Cet après-midi, je vais à la plage avec Brian, point final. Je lui ai posé un lapin à deux reprises la semaine dernière, pas question de recommencer aujourd'hui.

Elle ouvrit la porte de sa loge, son havre de paix, et ferma derrière elle. Assise à la table de maquillage éclairée, elle entreprit de se débarrasser des couches de fond de teint dont les maquilleurs lui plâtraient le visage avant chacun de ses passages à l'antenne.

Mis à part les cosmétiques, il n'y avait qu'une photographie encadrée sur la table. Celle de l'unique enfant de Melanie et Brian, Samantha, à l'âge de quatre ans, avec son sourire capable de réchauffer les cœurs les plus endurcis. Samantha, dont le corps décapité et amputé de ses bras avait été jeté derrière une station-service de Grand Rapids, Michigan, dix ans auparavant. Enlevée sous les yeux de sa baby-sitter, une fille de dix-neuf ans qui avait en vain hurlé à l'aide, Samantha avait disparu quatre jours avant que son petit cadavre mutilé soit découvert. Ni sa tête ni ses bras n'avaient été retrouvés, pas plus que son meurtrier.

Après les funérailles, une fois le choc initial et la douleur atténués, quand les coups de téléphone s'étaient raréfiés, la perte de Samantha avait commencé à affecter Melanie et Brian de façon totalement différente. Il s'était replié dans son dégoût de lui-même, se reprochant de n'avoir pas été là quand sa fille avait eu le plus besoin de lui, et avait négligé sa brillante carrière d'avocat spécialisé en droit criminel. Il s'était coupé de sa famille et de ses amis en sombrant trois ans durant dans un alcoolisme qui avait failli avoir raison de lui. Il n'avait retrouvé sa personnalité d'avant, chaleureuse et spontanée, qu'au cours des mois précédents, et semblait avoir tiré un trait sur le passé. Du moins tant qu'on ne le regardait pas au fond des yeux. Personne, excepté Melanie, ne s'y aventurait, aussi faisait-il illusion.

Melanie, de son côté, avait eu une sorte d'illumination. En proie à une rage contrôlée, déterminée à ce que plus aucun enfant ne subisse le martyre de sa fille, la femme au foyer du Michigan avait lancé une campagne pour la protection des mineurs, exigeant des autorités locales qu'elles renforcent les programmes d'information dans les écoles et édictent des lois destinées à empêcher les luttes d'influence entre les différentes juridictions. Elle estimait que ces luttes intestines avaient permis que sa petite fille soit kidnappée en plein jour dans un jardin public par un misérable qui l'avait séquestrée quatre jours durant avant de jeter son torse mutilé comme un simple déchet derrière une station-service : une tragédie qui résultait, dans une certaine mesure, de l'incapacité à coopérer des diverses autorités locales.

Trois ans plus tard, alors que sa rage s'apaisait, Melanie avait témoigné à plusieurs reprises devant le Congrès. Elle avait participé aux émissions de Larry King et de Jay Leno et était à l'origine, totalement ou en partie, de onze articles de loi visant à la protection de l'enfance, dont le système d'alerte Amber. De surcroît, on lui avait proposé d'animer sa propre émission télévisée, « Chasse à l'homme ». Durant sept ans, elle s'en était servi comme d'un exutoire à son propre sentiment de culpabilité et de colère.

Après avoir longtemps surfé dans le peloton des vingt-cinq meilleures audiences, cependant, le succès déclinait, ce qui n'avait rien d'étonnant. Ainsi que l'avaient noté nombre de critiques, « Chasse à l'homme » se trouvait à l'origine de tous les nouveaux concepts de téléréalité qui sévissaient à présent sur les écrans, depuis « FBI Files » jusqu'à « Survivor ». Non seulement l'émission avait engendré ses propres concurrentes mais, comme quelqu'un avait eu l'esprit de le remarquer, personne ne s'était jamais ruiné en sous-estimant le degré d'attention du public américain. Jusqu'à présent, Melanie avait bien manœuvré. Non seulement sa création avait connu le succès durant sept ans, mais la jeune femme était actuellement en négociation avec l'une des plus importantes chaînes pour obtenir son propre talk-show.

— Oprah [1], en plus incisif, disait-on.

Les dernières traces de maquillage effacées, Melanie appliqua sur son visage une crème solaire indice quarante-cinq puis une couche de poudre translucide. Un peu de rouge à lèvres Beach Coral et elle était prête. Il ne lui restait qu'à enfiler sa tenue de plage et des sandales.

La porte de la loge s'ouvrit alors sur Patricia Goodman, l'assistante de production. Patricia, une grosse femme d'une cinquantaine d'années, était la nièce, ou la cousine, enfin

***1. Oprah Winfrey, célébrissime présentatrice d'une émission télévisée depuis les années 1980. (N.d.T.)***

quelqu'un de la famille de Martin Wells, ce qui expliquait pourquoi, malgré un job aussi nébuleux, elle faisait toujours partie de l'équipe. En refermant derrière elle, elle annonça d'une voix pétrie d'ennui :

— Les filles sont prêtes.

Melanie s'immobilisa. Un vague souvenir venait de surgir dans son esprit.

— Quelles filles ?

— Les vingt-cinq candidates au poste de doublure.

Melanie se bornant à froncer les sourcils, Patricia ajouta :

— Les lycéennes à qui tu dois consacrer l'après-midi, faire visiter les studios, montrer comment on travaille. Tu es leur idole ! Tu te souviens ?

Oui, elle s'en souvenait à présent. Il y avait eu un concours dans les lycées locaux, des ventes d'abonnements de magazines, ou quelque chose comme ça. Les gagnantes devaient passer une demi-journée avec Melanie Harris.

Ellc revint en hâte vers la table en acajou qui lui servait de bureau et en repoussa les dossiers pour dégager son agenda fort chargé. Ah, voilà. C'était programmé de 13 à 17 heures, suivi d'un dîner à la cafétéria. Écrit là, noir sur blanc.

— Nom d'un chien ! s'écria-t-elle en frappant la table du plat de la main.

Patricia recula jusqu'à la porte.

— Un problème ?

— Oui, il y a un problème ! Je devais…

Melanie s'interrompit. Pas question de déballer son linge sale devant Patricia, ni de parler de la distance qui s'accroissait entre Brian et elle, de leurs dissensions, pire, de leurs silences. Elle congédia la femme d'un geste.

— J'arrive dans cinq minutes.

Elle attendit que l'autre soit sortie pour téléphoner. Leslie décrocha.

— Appelle Brian et dis-lui que je suis coincée. Dis-lui que je suis désolée, mais que… je suis coincée ici.

Elle reposa le combiné, prit une profonde inspiration et se dirigea vers la porte.

# 3

Cutter Kehoe était une rareté génétique : un Biker de la troisième génération, descendant en droite ligne de cette déviance de l'espèce humaine que le terme de « sale petit Blanc » décrit assez bien. Il faisait partie des scories recyclées d'une civilisation dépassée, les paumés, les marginaux, les propres à rien et les pleurnichards à la remorque des rudes pionniers fondateurs de la nation. Toujours en retard, en quête de dix cents pour faire un dollar, arrivés après que les autres se soient servis depuis longtemps. Sans racines, ils avaient poursuivi leur route vers l'Ouest, vers les terres non réclamées, jusqu'à ce que se déplacer soit devenu un mode de vie plutôt qu'une habitude, et la notion de travail honnête un dernier recours plutôt que la norme.

Sur la route, certains tombèrent dans des ornières : rustauds des collines du Kentucky, mineurs de charbon de Virginie, pauvres bouseux de l'Oklahoma et du Texas. Leurs descendants consanguins y sont toujours, vautrés sous leurs vérandas, grattant la terre ingrate pour survivre, hostiles aux étrangers et sujets à d'imprévisibles accès de violence.

Jimmy, le grand-père de Cutter Kehoe, avait poussé jusqu'en Californie avant que sa lourde hérédité prenne le dessus. Il s'était lancé dans une course suicidaire, aux commandes de sa moto, une Indian Superchief flamblant neuve, acquise avec son pécule de militaire. Ivre, armé, il était en train de surveiller par-dessus son épaule la voiture de police à ses trousses quand sa moto heurta un parapet à plus de cent soixante kilomètres-heure. Sa compagne, alors enceinte, l'identifia grâce aux initiales gravées dans ses bottes.

Cutter était l'unique prisonnier de la section de haute sécurité à occuper seul une cellule conçue pour deux. N'ayant pu prouver qu'il avait tué le skinhead, il s'était révélé impossible de lui appliquer la peine appropriée, et il n'avait donc pas été enfermé dans le secteur disciplinaire. Le temps que, dans la cour, les gardiens aient réussi à repousser la foule, le petit mec aux mains tatouées des symboles SS s'était vidé de ses tripes sur le béton. Sa figure maigre affichait une expression ahurie, comme s'il avait été stupéfait de la façon dont ses organes avaient glissé entre ses doigts poisseux pour s'étaler sur le sol, brillant et tremblotant comme des poissons éventrés.

Les vidéos de surveillance de la cour étant peu concluantes, Kehoe n'avait écopé que de quatre-vingt-dix jours d'isolement dans sa petite cellule du bloc A, aussi éloignée que possible de ses potes Bikers. C'est dans le bloc A qu'on gardait les déments et les tubards, les violeurs d'enfants et autres engeances tellement cinglées qu'il était hors de question de leur octroyer la moindre liberté, même dans une prison de haute sécurité. L'idée était que quelques mois passés parmi les dingues et les sadiques rendraient Kehoe un peu moins arrogant. Au bout d'une semaine, même les pires têtes brûlées se cantonnaient à un seul bout de la cour ; au bout de deux semaines, Kehoe l'avait pour lui tout seul.

Il fut le premier prisonnier libéré par Driver. Il émergea de sa cellule avec l'air avantageux des types prêts à en découdre dans les bars le samedi soir, silencieux, balançant la tête, marchant en traînant les pieds, tout en surveillant les deux extrémités du couloir désert.

— Kehoe !

La voix provenait d'un haut-parleur au-dessus de lui. Il leva la tête et détecta la petite caméra noire.

— Ouais ? Qui c'est qui cause ?

— Driver.

Kehoe fronça les sourcils.

— C'est vraiment toi, Capitaine ?

— Aussi vrai que Kurtz se passe des dessins animés à l'intérieur du crâne.

Kehoe se fendit d'un large sourire.

— Ils vont pas apprécier que tu te serves de leur interphone, Capitaine. Ils vont te balancer en sécurité maximale, sûr et certain.

— C'est pas demain la veille.

— T'es où, Capitaine ?

— Dans la salle de contrôle.

Kehoe s'immobilisa, regarda de nouveau la caméra.

— Tu te paies ma tête.

— Pourquoi tu monterais pas me rejoindre ?

Kehoe n'eut pas le temps de répondre : la grille de sécurité à l'extrémité du couloir commença à coulisser. Interloqué, il recula. La voix reprit :

— Il n'y a pas de peine de mort en Arizona, Cutter. Alors qu'est-ce qu'ils peuvent te faire de plus ? Te condamner à une deuxième perpétuité ?

Le sourire revint sur les lèvres de Kehoe et il pointa le doigt sur la caméra. Il se mouvait avec une souplesse surprenante, compte tenu de ses longs bras noueux et de ses mains énormes.

— Là, tu marques un point, Capitaine. À part nous foutre quatre-vingt-dix jours de plus en isolement, y a pas grand-chose que les matons puissent coller à des perpètes comme nous, pas vrai ?

— Pas grand-chose, pour sûr.

— Qu'est-ce que tu comptes faire, Capitaine ?

— Déclencher l'enfer, Cutter, un véritable enfer.

La réponse sembla plaire à Kehoe. Il suivit le corridor jusqu'à l'ascenseur tout en tapant sur les judas des cellules à mesure qu'il les longeait.

Driver actionna une demi-douzaine d'interrupteurs et se rassit dans le fauteuil. À regarder Kehoe, tout lui était revenu. Durant sa première semaine au pénitencier de Walla Walla, il avait deviné qu'il y avait quelqu'un d'autre dans le bloc, à la façon dont les détenus qui, bénéficiant d'un régime de faveur, étaient chargés d'apporter les repas, bavardaient avec lui mais n'échangeaient pas un mot avec celui qui se trouvait à l'autre bout du couloir et se hâtaient de revenir vers lui, l'air soulagé d'être encore en vie.

C'était sa cinquième nuit. Auparavant il avait subi les examens médicaux, les évaluations, vu les psy et les assistantes sociales. On n'allait pas tarder à le transférer dans une cellule avec la population carcérale ordinaire quand un soir, après l'extinction des feux, une voix nasillarde s'était élevée dans la pénombre blafarde du bloc :

— Hé ! T'es là ?

Driver avait quitté sa couchette pour s'avancer à la grille de sa cellule.

— Quoi ?

— Les Mexicains t'ont vendu aux skinheads, avait murmuré la voix avant de se taire, histoire de laisser les mots produire leur effet sur Driver.

— Et alors ?

— Les Mexicains n'enculent pas. C'est pas dans leurs idées de machos. Alors quand c'est leur tour, ils troquent le type contre des cigarettes. En principe, avec les nègres. Deux ou trois cartouches, à peu près.

Un rire épais avait déferlé contre les murs de béton comme une vague d'acier.

— J'ai entendu dire qu'on t'avait payé trente cartouches. Tu vaux donc si cher que ça ?

— Non.

— Non, t'as raison, avait pouffé l'autre avant d'éclater de rire.

— Merde ! T'étais peut-être le big boss dans ton sous-marin mais ici, t'es que du bifteck, mon vieux. Ce Kurtz, il doit peser dans les deux cents kilos. Un gros tas de lard, mais... je te le dis, mec, t'es dans la merde.

— Non, avait répété Driver avec force.

Un ruissellement dans la tuyauterie avait soudain empli le silence. Puis, au loin, un bruit de pas, et un cri.

— Demain, à la première heure, je te ferai passer quelque chose, avait repris la voix.

Ce fut tout. Plus tard dans la nuit, Driver avait fini par fermer les yeux et s'endormir.

Comme promis, une surprise était arrivée avant le petit déjeuner, tendue par le balayeur à travers les barreaux, enroulée dans une serviette en papier.

Une vieille brosse à dents, dont l'extrémité avait été perforée d'un petit trou dans lequel était glissée une mince cheville de bois, formant une poignée en forme de T. Driver l'avait retirée du trou et posée dans sa paume à côté de la brosse à dents.

La voix avait chuchoté :

— Tu mets ça dans ta godasse, monsieur le Capitaine, côté intérieur de ton pied, la partie utile vers l'avant. Tu peux passer à travers les détecteurs de métaux toute la journée avec cette saloperie dans ta chaussure et personne n'en saura rien. Le moment venu, assure-toi que c'est solidement fixé.

Driver avait voulu le remercier, mais sa gorge était trop nouée.

— Rappelle-toi, les Mexicains ne fileront pas le moindre coup de main à Kurtz. Ils détestent les nazis autant que moi. Ils veulent juste être sûrs qu'il obtienne ce qu'il a payé. Si tu t'en prends à lui, ils disparaîtront en un clin d'œil.

Les lumières du couloir, en s'allumant, avaient commencé à siffler et Kehoe avait accéléré son débit.

— Attaque-le au visage, rien d'autre n'arrêtera ce gros tas de merde.

Ces mots avaient frappé Driver aussi rudement qu'un doigt d'acier dans la poitrine.

Puis les grilles avaient coulissé et Cutter Kehoe était apparu avec cette même démarche souple que Driver lui voyait à présent.

Il s'était arrêté devant sa cellule.

— Tu viens ?

Driver avait secoué la tête et Kehoe avait souri.

— Nulle part où te tirer, nulle part où te cacher, monsieur le capitaine. Autant avaler ton petit déj'. Mieux vaut prendre des forces. Si tu manges pas, ça n'arrangera rien.

Il avait souri, et continué son chemin.

Devant sa cellule, Driver l'avait suivi du regard tandis qu'il franchissait la grille de sécurité et rejoignait les autres prisonniers en route pour le réfectoire. Leur flot s'était aussitôt fendu en deux, chacun essayant de se tenir le plus éloigné possible de Kehoe.

# 4

Lorsque Melanie pénétra dans le vestibule, il était voilé d'ombres. Le son de la télévision lui parvint depuis le bureau. Par instants, le hall carrelé s'illuminait de brusques éclats de lumière qui rebondissaient sur les murs et le plafond. Elle se déchaussa et se dirigea vers l'arrière de la maison. Le pavage frais massait ses pieds nus à chaque pas.

Brian était vautré dans l'énorme fauteuil Morris, un bol de pop-corn sur les genoux. Durant quelques instants, Melanie demeura debout à côté de lui, espérant qu'il se rendrait compte de sa présence ou, mieux, se pousserait pour lui faire une petite place et qu'elle se love contre lui, comme autrefois. Mais il gardait les yeux rivés sur l'écran.

— Salut !

— Salut, répondit-il sans se détourner.

— Désolée pour aujourd'hui.

— Ouais.

Pas d'autre commentaire. Elle attendit un peu, puis passa devant lui pour s'asseoir sur un canapé à l'autre bout de la pièce.

— Comment a été ta journée ? demanda-t-elle.

— Autre jour, même merde.

La tension était palpable. Melanie hésita. À aucun prix elle ne désirait entamer la dispute qu'ils avaient soigneusement évitée ces derniers mois.

— On pourra aller à la plage la semaine prochaine, dit-elle.

— Rien à fiche, de la plage. Je peux y aller quand ça me chante.

— J'ai dit que j'étais désolée. Que veux-tu de plus ?

Il éclata d'un rire sans gaieté.

— Depuis quand te soucies-tu de ce que je veux ?

— J'ai eu un imprévu. J'ai été très occupée. Que dire d'autre ?

— Ne t'en fais pas, tu n'as rien d'autre à me dire.

Elle soupira.

— Pas ce soir, d'accord ? La journée a été longue.

— Tes journées sont toujours longues.

— Qu'entends-tu par là ? demanda Melanie en haussant le ton.

— Rien de plus que ce que j'ai dit.

Il se redressa et posa si brusquement son bol de pop-corn sur la table basse qu'il rebondit avant de se stabiliser. Bras tendus, Brian balaya les côtés du fauteuil comme un arbitre de base-ball rappelant un joueur et annonça :

— Cette fois, ça y est, j'en ai assez.

— Assez de quoi ?

— De tout. De Los Angeles, des cocktails sponsorisés, des soirées avec les gens de la télé. De tout ce bazar. J'en ai marre à crever.

— De moi aussi ? demanda Melanie d'une voix rauque.

— Ne me fais pas dire ce que je n'ai pas dit.

Elle se leva.

— Des tas de gens aimeraient avoir ce que nous avons !

Elle serra les dents avant de lâcher qu'il pourrait être un peu reconnaissant pour la villa à deux millions de dollars sur Hollywood Hills, les BMW assorties, les employées de maison, le jardinier.

— Faut croire que je ne fais pas partie de ces gens-là, répondit Brian.

Melanie respira profondément pour se calmer, se rassit.

— J'aime à croire que j'ai accompli quelques bonnes actions. Tu sais… que peut-être ce qui est arrivé à Samantha…

Le prénom de sa fille l'arrêta un instant. Depuis quand ne l'avait-elle pas prononcé à haute voix ? Brian la prit de vitesse, parce qu'il savait ce qu'elle allait dire et ne le supporterait pas.

— C'est ce que tu te racontes ? Que tout cela est dû à Samantha ? Quelle blague !

— Vraiment ?

— Oui, vraiment. À qui essaies-tu de le faire croire ? Samantha n'a rien à voir là-dedans. C'est de toi qu'il s'agit.

— Comment oses-tu dire ça ?

— Parce que c'est la vérité. Tout ce qui était en ton pouvoir de faire pour les enfants, tu l'as fait. Aujourd'hui, ce qui t'intéresse c'est la course à l'audience. Au succès de la semaine. Quelle soirée, quelle tranche horaire pour ton émission, bref, n'importe quoi sauf ce qui nous avait poussés à nous installer ici.

Pour Melanie, les années dans le Michigan n'étaient qu'un souvenir flou. En ce qui la concernait, sa vie n'avait commencé que lors de ce terrible moment, lorsque le téléphone avait sonné et qu'on lui avait appris que le cadavre de sa fille avait été trouvé. Durant ces quelques instants, les vingt-sept années précédentes s'étaient évaporées. Il ne lui était resté que le présent.

Quant à Brian, c'était son séjour à Hollywood qu'il considérait comme un film de série B : production au rabais et dialogues mal ficelés. Un lieu où tout était géant mais faux. Il avait ouvert un cabinet d'avocats et s'en sortait plutôt bien, mais il n'avait jamais apprécié Los Angeles, et cela depuis les premiers jours, quand ils avaient loué une villa à West Hollywood. Ni au cours des sept années écoulées, alors que grandissait la popularité de l'émission de Melanie, qui était devenue membre à part entière de la plupart des foyers. Loin de l'intéresser, tout cela le laissait vide et insatisfait.

Et puis, il y avait le problème des enfants. Brian en voulait un autre, mais Melanie n'était pas prête. Elle ne le serait jamais, et tous deux le savaient sans se l'avouer. Une évidence qu'ils taisaient, comme tant d'autres, depuis quelques années.

Et soudain, la phrase fatidique jaillit, tel un chat hors d'un sac :

— J'en ai ma claque de cet endroit. Je veux rentrer chez nous.

— Chez nous ?

— Dans le Michigan.

— Tu n'es pas sérieux. C'est ici, chez nous.

— J'en ai parlé avec mon père ce soir. Il prend enfin sa retraite, je peux lui succéder. Nous vivrons bien. Mieux que bien, même. Nous pourrons…

— Je ne peux pas partir, Brian. Il n'y a rien pour moi dans le Michigan.

— Alors, nous avons un problème, dit-il en la fixant droit dans les yeux.

— Je suis en pleine négociation pour ma nouvelle émission. Je t'en prie, pas maintenant.

Elle se massa les tempes.

— Il n'y aura jamais de meilleur moment, répliqua Brian.

Melanie, prête à argumenter, se tut.

— Je n'y crois pas ! dit-elle enfin. Il m'est absolument impossible…

Le téléphone retentit, comme un étranger venu s'immiscer entre eux. Elle ne décrocha qu'à la troisième sonnerie.

— Oui ?

— Tu voulais du neuf, j'en ai, mon petit ! s'exclama Martin Wells, le producteur.

— Il est tard, Marty, et le moment est vraiment mal choisi.

— Pendant qu'on discute, une première équipe est en route pour l'Arizona. Elle sera sur place demain matin.

— Pourquoi l'Arizona ?

— Pour la plus grande mutinerie carcérale de toute l'histoire américaine ! Les détenus se sont emparés d'une taule dont il est soi-disant impossible de se faire la malle et ils ont mis la main sur des armes automatiques. Le gouverneur a appelé la garde nationale… une sacrée émeute est en train de couver.

— Tu parles de cette prison où on envoie les pires d'entre les pires ? Meza Machin-chose ?

— Meza Azul, c'est bien ça.

— Ils ont des otages ?

— Cent cinquante. Et voilà la cerise sur le gâteau : tu sais qui mène la danse ? Un type du nom de Timothy Driver. Ça te dit quelque chose ?

— Le capitaine de marine, celui qui a tué sa femme et l'amant de sa femme ?

— Exact. Et tu sais ce qu'il va faire ? Descendre un otage toutes les six heures jusqu'à ce qu'il obtienne ce qu'il veut.

— C'est-à-dire ?

— Frank Corso.

— L'écrivain ?

— En personne.

— Quand a commencé le compte à rebours ?

— Il y a moins de deux heures.

# 5

— Vous pouvez zoomer sur son numéro de badge ? demanda Elias Romero en se répétant qu'il devait garder son calme et ne pas haleter dans le micro.

— Non, il est trop à l'ombre, lança le cameraman de CNN par-dessus son épaule.

— Je n'arrive pas y croire, souffla quelqu'un à l'arrière du camion. À votre avis, il va le faire ?

— Prions pour que ce ne soit pas le cas, répondit le capitaine de police.

— Le voilà ! s'écria le cameraman.

Tous les regards se tournèrent vers l'écran. Un homme blond, en uniforme de gardien, était poussé sous l'arche centrale du bâtiment administratif, en plein dans la lumière crue des projecteurs. Il chancelait, les jambes raides. Sous l'effet de la peur, son visage était livide. Ses mains menottées étaient attachées à une ceinture de cuir serrée autour de sa taille. Lorsqu'il avança, la caméra se focalisa sur la crispation compulsive de ses doigts, puis, accroché à sa chemise bleue, son badge occupa tout l'écran. Le taux d'agrandissement, combiné au léger tremblement de la caméra, fit danser les chiffres devant les yeux dardés sur lui.

— Un, sept, trois, quatre, cinq !

Elias Romero les répéta dans son cellulaire et attendit qu'Iris Cruz, de retour au centre de commande, vérifie à qui appartenait ce matricule.

Sur la pelouse, à gauche de l'entrée principale comme l'avait exigé Driver, était garée une unique camionnette-relais qui envoyait les images vidéo à la multitude d'équipes de télévision cantonnées le long de Boundary Road, la route d'accès à la prison, cinq cents mètres à l'est. Seul le cameraman se trouvait hors du van, en train de filmer l'homme debout dans la cour, à une soixantaine de mètres. Il avait fermement appuyé sa caméra au grillage. Au-dessus de lui, aussi loin que portait le regard, la clôture se hérissait d'énormes barbelés hérissés de lames. L'air sentait la poussière et le métal.

Le gardien menotté ne bougeait pas. On

pouvait détecter un mouvement dans la profonde pénombre sous l'arche. Soudain, l'homme tourna la tête comme pour écouter, hocha la tête en signe d'agrément et tomba à genoux. Son expression montrait qu'il savait ce qui l'attendait.

— Wally A. Cartwright, annonça Iris en détournant l'attention de Romero. Blanc, célibataire. Travaille depuis seulement un mois et demi. Encore en période d'essai.

Son nom complet était Waldo Arens Cartwright. Il devait ses prénoms à son seul oncle estimable, un cultivateur de betterave au regard d'acier et à la mâchoire de requin, qui avait eu la malchance de sauter sur une mine le lendemain de son arrivée au Vietnam. Ce qui lui avait valu de figurer pour l'éternité au tableau d'honneur de la famille Cartwright, sur le mur de la salle à manger de tante Betty.

Le prénom de Waldo ayant l'art d'attirer les quolibets comme une fleur attire les abeilles, l'homonyme du héros de guerre s'était très vite arrangé pour se faire appeler Wally. La vie était bien assez compliquée sans qu'on en rajoute. C'était donc le nom qu'il avait écrit sur son formulaire d'embauche à Meza Azul.

Dix minutes plus tôt, Wally était au vestiaire, sur le banc devant son casier. À l'aide d'un morceau de pain, il ramassait le reste de sauce de son poulet dans l'assiette en plastique. Pas mal de gars n'avaient rien mangé. Nerfs fragiles, se disait-il. Être devenu otage en faisait craquer plus d'un. Pas lui. Un repas, c'était toujours bon à prendre.

Les vestiaires étaient bondés. La prise d'otages avait eu lieu lors du changement d'équipe, au moment où à peine deux douzaines de gardiens se trouvaient dans les bâtiments. Les autres étaient soit sur le départ, soit en train d'arriver. Les gars en service avaient été enfermés dans le vestiaire avec ceux des deux autres équipes. Le sergent de garde avait procédé à l'appel et tout le monde avait répondu présent. Un sacré soulagement pour la centaine de matons. Un espoir, aussi : peut-être, après tout, allaient-ils s'en sortir sans dommage. Peut-être les mutins se borneraient-ils à exprimer leurs revendications habituelles et tout se terminerait très vite. Le personnel reprendrait sa vie au point où il l'avait laissée. Oui, peut-être.

Quand la porte s'ouvrit à la volée et qu'une demi-douzaine de détenus chargés d'un arsenal hétéroclite, allant du Mac 10S à la machette, déboulèrent dans le vestiaire, un silence de mort s'abattit. Ceux qui mangeaient restèrent bouche bée, la cuillère en l'air, tandis que deux Bikers attrapaient Wally par les coudes et l'obligeaient à se lever. S'il avait songé une seule seconde que son nom irait rejoindre celui de son homonyme sur le tableau d'honneur de tante Betty, il ne se serait pas laissé faire aussi calmement.

Romero remercia Iris et replia son portable. L'œil rivé à l'écran de surveillance, il commentait le déroulement des opérations pour les gars de CNN entassés dans leur camionnette quand le crépitement d'une arme automatique déchira l'air. Il vit, horrifié, la salve foudroyer la silhouette agenouillée qui bascula face contre terre. Il vit les derniers soubresauts du corps sous la rafale qui continuait, et ne détourna pas les yeux quand l'arme se tut et que le corps s'immobilisa.

— Le fils de pute ! lança quelqu'un.

Un silence de plomb descendit sur la scène. Il n'y avait rien à ajouter. Deux détenus sortirent de l'ombre, saisirent le gardien par les chevilles et le traînèrent à l'intérieur. Ses dents heurtèrent le dallage dans un staccato répercuté par le micro même lorsque le malheureux fut hors de vue. Personne n'émit le moindre commentaire.

Dans la partie la plus reculée de l'arche, Driver considéra le cadavre, puis Kehoe, qui serrait l'arme dans ses bras comme un nourrisson.

— Mettez-le avec les autres, ordonna Driver.

À ce moment-là, on comptait dix-neuf morts. Des types en avaient profité pour régler leurs comptes, tel Guy Ferris qui avait passé ces onze dernières années à tenir le rôle de la femme d'un taulard surnommé le Boucher. Ferris s'était fait payer ses faveurs sexuelles en lui vidant un plein chargeur dans le ventre, blessant deux autres détenus dans la foulée. Des affaires de ce genre se déroulaient un peu partout dans la prison.

Driver connaissait bien la question. Il se souvint de son sixième jour à Walla Walla. Prévenu par Kehoe, il était resté sur sa couchette, caché sous sa couverture comme une femmelette, jusqu'à ce qu'une voix lui ordonne :

— On y va.

Deux gardiens, un gros et un chauve, attendaient dans le couloir. Ils l'avaient empoigné par les coudes et lui avaient fait descendre deux étages, passer par deux contrôles et deux détecteurs de métaux avant de le déposer dans le vestiaire du personnel. Driver avait bredouillé :

— Qu'est-ce que... Je ne...

— Stage d'orientation, avait répondu le gros.

— C'est ça, avait ajouté l'autre. Ton horizon va s'élargir !

La porte s'était refermée et Driver avait entendu le chauve ricaner en s'éloignant :

— Son horizon va s'élargir... elle est bien bonne, celle-là !

Puis le silence. Autour de Driver, ce n'étaient que casiers alignés le long du mur, sécurisés par des serrures identiques à combinaison. Chiffres blancs sur cadrans noirs. Un banc de bois usé occupait le centre de la salle. Son vernis n'était plus qu'un souvenir : de loin en loin, des îlots brillants sur une mer de bois terne.

Un bruit d'eau dans la pièce voisine attira son attention. Il s'assit sur le banc et se concentra. Il se mit à compter les gouttes qui tombaient avec une régularité de métronome. Au bout d'un moment, son ouïe s'affina, comme s'il venait de descendre d'une montagne, et, sous le clapotis, il perçut la façon dont elles se rassemblaient en ruisselets avant de s'évacuer dans la tuyauterie. Il ferma les yeux et suivit le parcours de l'eau. Il s'imagina en train de nager dans l'obscurité, s'agripper à deux mains pour franchir les coudes métalliques, plonger dans les conduits souterrains, glisser le long de cataractes paresseuses et distinguer enfin le cône de lumière du déversoir jusqu'à l'odeur de l'océan et les cris des oiseaux de mer.

Quand il ouvrit les yeux, deux Mexicains se tenaient devant lui, dans leur impeccable chemise bleue dont seul le bouton de col était attaché, laissant voir leur abdomen musclé. Celui de droite portait un bandana rouge autour de son crâne rasé. Quelque chose en lettres gothiques était tatoué sur sa poitrine. Celui de gauche avait les cheveux plaqués par une résille de nylon nouée sur le front, tel un effrayant troisième œil.

Le type au bandana se détourna et murmura quelque chose. Driver en profita pour atteindre sa chaussure.

— Non, non, mec, tu bouges pas tant qu'on n'est pas partis.

Ils se donnèrent des coups de coude en rigolant.

— Vise un peu ça, dit Résille. Tu vas virer ce truc, *cholo*.

— *¡ Madre de Dios !* s'exclama Bandana.

Résille, la main sur la bouche, se tourna juste à temps pour voir Driver ajuster la goupille dans le manche de la brosse à dents. Il murmura quelques mots à l'oreille de l'autre et tous deux regardèrent Driver qui croisait les bras sur sa poitrine en dissimulant sa main.

Kurtz était totalement glabre. L'absence de sourcils donnait l'impression que ses yeux bleus de poupée flottaient sur son visage et il était presque aussi large que haut. Son odeur de camphre et de rance avait envahi la pièce. Son ventre énorme ne dissimulait pas un pénis standard, mais un engin en érection de la taille d'un tuyau de plomb qu'il fit jaillir entre ses doigts épais.

— À quatre pattes, ordonna-t-il d'une curieuse voix haut perchée.

Driver ne bougeant pas, Kurtz se dirigea vers lui en traînant les pieds et leva soudain les bras à hauteur d'épaules.

— Va falloir que je te fasse plier, monsieur le marin.

À la dernière seconde, Driver tendit brusquement le poing en direction de Kurtz, qui réagit comme il le faisait toujours en parcil cas : il balança son énorme tête chauve en avant et attendit le bruit du craquement des os ; la rigolade commençait.

La pointe en plastique n'était pas de taille contre le crâne de Kurtz : elle avait plié sous l'impact et l'onde de choc engourdit le bras de Driver. L'extrémité aiguisée traça sur la peau en sueur une traînée sanglante puis glissa jusqu'à la joue plus tendre, où elle s'enfonça avant de pénétrer dans la bouche à un angle de quarante-cinq degrés et d'embrocher sa langue au passage en la clouant aux tissus mous de la mâchoire inférieure.

Kurtz vit rouge. Il se jeta tête la première contre Driver, le plaquant au mur avec tant de force qu'il lui fractura trois côtes.

Au cours du procès qui s'ensuivit, Driver apprit qu'il avait poignardé Kurtz une douzaine de fois, y compris dans les deux yeux, et agressé un gardien qui avait tenté de s'interposer. C'était du nouveau pour lui. Après que Kurtz l'avait expédié contre la cloison des douches, il ne se souvenait de rien.

Au terme de quatorze jours d'hôpital suivis de soixante jours d'isolement, on l'avait renvoyé à Meza Azul et il y avait retrouvé Cutter Kehoe. Au bout d'une semaine, il avait regagné le quartier disciplinaire.

Et à présent, ils en étaient là.

— Hé ! lui cria Kehoe.

Driver détourna les yeux du gardien mort que les autres traînaient sur l'asphalte, cilla à plusieurs reprises et regarda autour de lui.

— C'est pas le moment de perdre les pédales, Capitaine. Y a une flopée de gars là-dedans qui comptent sur toi pour les conduire à la Terre promise.

— La plupart y sont déjà.

— Combien de temps avant qu'on nous attaque, à ton avis ?

— Moins de vingt-quatre heures. Ils n'attendront pas davantage, ce serait mauvais pour leur moral.

Kehoe pencha la tête vers le cadavre du gardien.

— Ils laisseront pas passer ça, Capitaine. Ils vont me liquider. Sûr qu'ils trouveront une bonne raison.

— Peut-être. Peut-être pas.

Avec un demi-sourire, Kehoe fit demi-tour et s'approcha de Driver à le toucher.

— T'as un plan ?

— Juste une idée.

— Quel genre d'idée ?

— Du genre qui nous permettrait de filer avant que l'armée débarque.

— Ah ouais ?

— C'est pas gagné d'avance.

— Ça l'est jamais.

— Tu as fait ce que je t'ai demandé avec les chauffeurs ?

— J'ai chargé quelqu'un de s'en occuper. Pourquoi ?

— Libère celui du camion de blanchisserie.

Kehoe ouvrit la bouche mais Driver le coupa net.

— D'abord, vide tout ce qu'il y a dedans, puis donne-lui ses clés et colle-le à son volant. Quand c'est fait, appelle-moi et j'ouvrirai la grille principale.

# 6

Il détourna les yeux de l'eau frissonnante et se demanda pourquoi il ne pensait à Meg que le matin. Quelque chose de l'océan, si calme à l'aube, lui rappelait toujours son visage, comme si le premier éclat argenté du jour rendait hommage à son sourire.

Il hissa la ligne, bascula la bouée par-dessus la rambarde et la laissa tomber devant lui. Le plastique blanc portait encore l'inscription tracée de l'écriture enfantine de Meg : *SALTHEART, SEATTLE, WA 206-933-0881*. L'air froid du matin s'échappa en buée de ses lèvres tandis qu'il enroulait le filin autour du seau à ses pieds. Quand il leva les yeux elle était toujours là, rieuse, flottant telle une apparition sur la surface miroitante.

Il secoua la tête, se remit au travail. Il tira avec force sur le filin d'un jaune éclatant jusqu'à ce qu'il sente la nasse à crabes se décrocher du fond, et le remonta à deux mains.

Il les vit arriver à ce moment-là. Ils progressaient d'une anse à l'autre en fouillant chaque crique et chaque anse assez profonde pour abriter un dinghy. Ils avaient pris place sur deux bateaux de sauvetage construits à Port Orchard, les nouveaux joujoux des gardes-côtes. Coque en aluminium, insubmersibles, propulsés par deux moteurs Yamaha de 225 chevaux. Incroyablement stables, même à soixante nœuds. On disait que la police maritime avait commandé sept cents de ces petites merveilles – à cent quatre-vingt-cinq briques pièce.

Corso vida la nasse dans le dinghy en évitant soigneusement de renverser sur lui les crustacés glissants. Les six crabes Dungeness capturés avaient dévoré jusqu'à l'os la cuisse de dinde placée comme appât. Il les examina un à un. Quatre femelles et deux mâles. Prenant garde de les saisir par l'arrière pour ne pas se faire pincer, il rejeta les femelles à l'eau et déposa les mâles dans le seau posé près du poste de pilotage.

Le ciel comme l'océan étaient étales et gris ardoise, la surface de l'eau aussi lisse qu'un miroir. Des pans de brouillard dérivaient parfois comme des bateaux fantômes. Corso distinguait à peine la société d'ostréiculture de Wescott Bay, de l'autre côté de la baie. Depuis une semaine, il leur achetait quotidiennement deux douzaines d'huîtres qu'il jetait sur le barbecue et gobait avec de la sauce cocktail et une Heineken glacée.

Il jeta un coup d'œil aux bateaux des gardes-côtes qui, ainsi qu'il s'y attendait, avançaient vers lui. Il soupira et ramassa le seau de crabes.

Il était amarré à Garrison Bay depuis sept jours. À part vider ses nasses et acheter ses huîtres tous les matins, il n'avait fait qu'écrire, dormir et se nourrir. Omelette au crabe pour le petit déjeuner, *quesadillas* [1] au crabe au déjeuner, crêpes au crabe et huîtres au dîner.

Il prit place dans son siège, mit les gaz et augmenta la puissance du moteur. Sous la poussée de l'hélice, le nez du canot pneumatique se releva et Corso mit le cap sur le *Saltheart*, qu'il distinguait à peine dans la brume matinale, à un demi-mille, du côté est de la baie à quelques encablures de l'English Camp.

---

**1. Quesadillas :** ***tortillas fourrées aux pommes de terre, fromage, chorizo et divers légumes, très populaires au Mexique et vendues dans la rue. (N.d.T.)***

L'été, la baie grouillait de bateaux de plaisance, mais en cette pluvieuse matinée de novembre, avec les enfants à l'école et une température proche de zéro, le *Saltheart* était seul au mouillage.

Alors qu'il se trouvait au milieu de la baie, la coque orange vif du bateau des gardes-côtes fendit l'eau parallèlement au dinghy, à vingt mètres à bâbord. Un membre d'équipage monta sur le pont. Il approcha un mégaphone rouge de sa figure rouge, la base appuyée sur son gilet rouge. Sa voix amplifiée et déformée fracassa la quiétude.

— Coupez le moteur et mettez-vous à couple !

Corso secoua la tête en désignant le *Saltheart* à l'ancre. Le garde-côte répéta son ordre. Corso répéta son geste. L'homme descendit alors dans la cabine, sans doute pour s'enquérir des consignes à suivre. Le temps qu'ils aient décidé, Corso avait atteint son bateau, attaché le dinghy sous l'échelle de coupée et stoppé le moteur.

Les gardes-côtes se trouvaient à quelques encablures quand Corso monta à bord du *Saltheart*. Il posa le seau de crabes, ajusta les amarres du canot et retira ses gants de caoutchouc noir.

— Vous êtes bien Frank Corso ? cria quelqu'un.

Sans se soucier de répondre, il s'agenouilla sur le pont et transféra les crabes dans une vieille glacière dépourvue de couvercle et emplie d'eau de mer. Il observa les deux nouveaux venus s'y installer. Même dans un espace aussi neutre qu'un récipient en plastique, ils se battaient pour conquérir une portion de territoire. S'il y avait une vérité profonde à découvrir dans ce vain combat pour un peu d'espace vital, il n'aurait su dire laquelle.

Il ne se redressa qu'en sentant le *Saltheart* prendre de la gîte parce que quelqu'un s'accrochait à l'échelle de coupée. Il se leva et regarda par-dessus bord. Ce n'était pas le gosse au haut-parleur mais un gradé d'une quarantaine d'années, dont la casquette et l'épaulette arboraient une tresse dorée. Son visage anguleux aux épais sourcils noirs semblait avoir été composé à partir de pièces détachées. Il leva les sourcils jusqu'au milieu du front en voyant Corso.

— Vous êtes sourd, ou quoi ?

— Je ne me souviens pas vous avoir invité à bord, remarqua Corso.

Le type lui rit au nez.

— On est les gardes-côtes, mon gars ! Quand

on dit « Stop ! », on stoppe.

— Je devais m'occuper de mes crabes.

— Selon l'article premier du Patriot Act, je pourrais...

— Épargnez-moi ces conneries, l'interrompit Corso. Vous voulez contrôler mes papiers ou mon équipement, allez-y. C'est votre droit. Sinon, j'ai mes crabes à nettoyer.

Le gars était agile. Il sauta sur le pont d'un seul mouvement. Le premier réflexe de Corso fut de l'attraper par le bras et le balancer par-dessus bord, mais il se retint et prit une profonde inspiration.

— Bon, d'accord, je suis Frank Corso.

— Vous ne savez pas ce qui se passe, n'est-ce pas ?

Son intonation mit Corso en alerte.

— Quoi donc ?

— En Arizona.

— De quoi diable parlez-vous ?

Le garde-côte lui résuma la situation et conclut :

— Il a descendu le troisième il y a deux heures.

— Bon Dieu..., murmura Corso.

— Je sais que c'est une drôle de chose à demander à quelqu'un... se mettre en danger pour sauver des types qu'il ne connaît pas...

L'homme leva les mains en un geste de frustration.

— … mais ces gens, là-bas, ils espèrent qu'il renoncera s'il voit que vous êtes venu. Je suis chargé de vous dire que vous n'êtes pas censé entrer dans la prison. Ils veulent juste que vous vous montriez et, éventuellement, que vous lui parliez. Quelque chose comme ça.

— Et si j'estime que tout ça ne me regarde pas ?

L'homme réfléchit.

— Je suppose que c'est une affaire entre votre conscience et vous.

— La culpabilité n'est pas mon fort.

— D'après mes instructions, la décision vous appartient.

Corso passa la main dans ses épais cheveux noirs.

— Mon bateau…

— Je me charge personnellement de le ramener à son appontement.

Corso le remercia d'un signe de tête.

— Comment suis-je censé…

Un bruit dans le lointain l'interrompit. Syncopé, et qui se rapprochait. Davantage une succession de sons secs et saccadés qu'un grondement – le bruit familier d'un hélicoptère. Telle une sauterelle géante, il fut bientôt sur eux avant de se positionner sur l'ancien terrain de parade britannique, et atterrit en dispersant les derniers lambeaux de brouillard.

— Le jet du gouverneur de l'Arizona vous attend à l'aéroport Boeing Field.

Corso consulta sa montre.

— À quelle heure doit-il tuer un autre otage ?

— À 6 heures.

— Je dois me changer. Entrez.

L'homme le suivit dans le carré et l'y attendit pendant que Corso descendait les trois marches menant à la soute et aux couchettes avant.

— Drôlement bien agencé, votre bateau.

— Merci.

— Vous habitez là toute l'année ?

— Oui.

— Ça m'a toujours fait envie... vous savez, quelque chose comme ça. Mais bon, avec les gosses, ma femme... Aucune chance que ça m'arrive.

— Il y a pourtant des gens qui vivent en famille sur leur bateau.

L'homme se détourna et changea de sujet :

— Qu'est-ce que vous lui avez fait, à ce Driver, pour qu'il veuille vous voir à ce point ?

— J'ai écrit un livre sur lui.

L'autre le regarda troquer son ciré et son caleçon long contre un jean et une chemise de soie noire.

— Votre bouquin ne lui a pas plu, on dirait.

Corso attrapa une veste de cuir noire au portemanteau et l'enfila.

— Au contraire, il en a été enchanté.

— Alors pourquoi il veut votre peau ?

Corso eut un ricanement sinistre.

— Driver ne veut pas ma peau. Il veut seulement s'assurer que son histoire sera diffusée. C'est ça que je devrai faire.

— C'est une blague ?

— Parole de scout, répondit-il en levant deux doigts. C'est la pure vérité.

Il prit son portefeuille dans un tiroir, le glissa dans sa poche.

— Écoutez mon vieux, désolé de fiche en l'air votre chouette image de héros de western, mais sachez-le : si je pensais que Driver projetait de me plomber les fesses, je ne bougerais pas d'ici.

L'autre scruta son expression, en quête d'ironie, et n'en trouva pas trace.

— En mettant mon bateau à l'appontement, veillez à ne pas tendre les amarres. Il va y avoir de grandes marées très bientôt.

— J'y veillerai.

Corso balaya le carré d'un dernier regard en soupirant.

— Allons-y.

# 7

— Je croyais qu'il faisait chaud en Arizona, grogna Melanie.

Elle tournait en rond, les bras serrés autour de son buste, et frappait du pied pour se réchauffer. Le vent soufflait de tous côtés. Quelle que soit la direction où l'on se tournait, on l'avait en pleine figure. Elle remonta son col de manteau et enfonça la tête à l'intérieur comme une tortue.

Sur le toit du camion satellite, deux techniciens se livraient à un combat sans fin avec les paraboles pour capter et affiner la réception.

— À cette altitude il ne fait pas chaud, surtout à cette période de l'année, lui expliqua l'un d'eux. Dès que le soleil disparaît la température chute. Dans ce coin, on a les plus grands écarts du pays entre le jour et la nuit.

— Tu te prends pour le présentateur météo ? lui demanda son équipier.

Melanie contempla le paysage désolé. Des rampes de projecteurs avaient été installées pour éclairer le site, mais la prison demeurait dans l'obscurité et le silence. À l'horizon, les montagnes de San Cristobal se dressaient en sentinelle contre le ciel sombre et leurs crêtes dentelées dessinaient un sourire bancal. Une nouvelle rafale balaya le désert en soulevant des nuages de poussière. Melanie avait les lèvres gercées et du sable plein les yeux.

— Je rentre dans ma caravane, dit-elle.

Ce qu'elle appelait sa « caravane » était en fait un camping-car de quinze mètres de long destiné à la réception par satellite et aménagé en fonction de ses exigences. Son agent l'avait réclamé par contrat. Comme, ces derniers temps, elle avait de moins en moins souvent quitté le confort des studios, l'attribution du camping-car géant avait été incluse aux clauses afin d'avoir quelque chose à lâcher en cas de négociations serrées. Mais en fin de compte, la chaîne de télévision avait accédé à toutes ses exigences, y compris le camping-car. Elle ne s'en était servi qu'une dizaine de fois au cours des cinq années précédentes.

Ce soir-là, elle était bien contente de l'avoir à disposition en pénétrant dans sa douce chaleur. Elle se frictionna les mains et ouvrit le réfrigérateur. Comme d'habitude, il contenait une brique de lait pour son café, plein de bouteilles d'eau et pas grand-chose d'autre.

Elle saisit une bouteille et s'installa sur l'un des profonds sièges rembourrés qui entouraient la table. Elle souffla sur ses mains avant de décrocher le téléphone. Premier numéro en mémoire : la maison.

Il y eut des cliquètements, une dizaine de sonneries, et enfin sa propre voix sur le répondeur. Elle se préparait à obéir aux consignes quand elle se rendit compte après le bip qu'elle n'avait pas la moindre idée de ce qu'elle allait dire.

— Brian... Euh... C'est moi. Je voulais juste te... Bref, je suis arrivée. J'espère que tu as passé une bonne journée. Tu peux me joindre sur mon portable. Bon. À bientôt.

Elle s'adossa et respira un grand coup. Jamais, au cours de leurs treize années de vie commune, Brian et elle n'avaient laissé s'accumuler tant de non-dits. Tant de mots suspendus, de confidences et d'aveux inexprimés, laissés à pourrir comme des fruits. Il lui semblait avoir un trou dans la poitrine et un goût métallique dans la bouche.

Brian était déjà parti quand elle avait voulu lui dire au revoir après avoir posé son bagage sur le seuil. Elle avait à peine eu le temps de se demander ce que signifiait cette absence que son taxi klaxonnait devant la maison. Elle avait éteint la télévision et elle était sortie. En roulant vers l'aéroport de Los Angeles, elle avait tenté de le joindre sur son portable mais n'avait obtenu que sa messagerie.

Elle avait bu la moitié de la bouteille d'eau quand on frappa à la porte du camping-car.

— Entrez !

Martin Wells tendit la tête, gravit le marchepied et entra.

— Quinze minutes, Melanie.

— Qu'est-ce qu'il y a dans quinze minutes ?

— Ils vont tuer un autre otage.

— On ne devait pas rencontrer les responsables de la prison ?

— Ils ont des problèmes.

— De quel genre ?

— Avec la garde nationale.

— C'est-à-dire ?

— Presque toutes les troupes d'élite sont au Moyen-Orient. Il leur reste une flopée de cuisiniers, de chauffeurs et de gratte-papier, mais c'est tout.

— Alors, que vont-ils faire ?

— Ils ont tenté d'emprunter un régiment au

Nevada, mais le gouverneur ne semble guère disposé à envoyer ses hommes affronter des mutins armés jusqu'aux dents.

— Et nous, on est prêts ?

— On partage les images avec CNN. Pour l'instant, c'est tout ce qu'on a.

Melanie avala une longue gorgée d'eau.

— Personne ne va regarder l'émission, avec des images déjà vues aux infos, Marty. Il nous faut des trucs bien à nous.

— Je fais bosser mes gars sur ce Driver. C'est lui qui descend les otages. Apparemment, il est à la tête de toute l'affaire. On travaille sur son profil.

— Comme tout le monde. Quoi d'autre ?

— Le bruit court qu'ils ont une vidéo du moment où Timothy Driver a pris le contrôle du système de surveillance de la prison, l'équivalent du *macher* de tout l'établissement. On essaie d'en obtenir une copie.

Martin aimait bien lâcher un mot en yiddish de temps en temps. Sa façon de revendiquer son appartenance ethnique, d'après Melanie. Peu importait.

— Vous essayez comment ?

— En frappant à toutes les portes. On se sert de la loi sur le droit à l'information d'un côté, et de l'autre on a quelqu'un qui acceptera peut-être de coopérer en arrière-plan.

— Ça va marcher ?

— Trop tôt pour le dire.

Martin prit une mine de conspirateur.

— Notre source a de gros besoins d'argent. Nous pourrions être une vraie manne.

— Et on a une idée de ce qui pousse Driver à réclamer Frank Corso ?

— Non, excepté le fait que Corso a écrit un bouquin sur lui.

Il passa les doigts dans sa chevelure poivre et sel.

— Tu te souviens, quand il est venu sur le plateau... C'était quand, il y a cinq, six ans ?

— Une femme n'oublie pas un type comme Frank Corso.

L'intonation de Melanie alerta Martin.

— Tu vas bien ?

— Très bien. Seulement, ce serait mieux si on avait quelque chose que les autres n'ont pas déjà. Une info bien à nous.

— Chez toi, ça va ? insista Martin. Pas de problèmes avec Brian ?

Melanie se leva.

— Consacre autant de temps à nous trouver une info inédite qu'à enquêter sur ma vie privée et on se retrouvera en tête de l'Audimat en un clin d'œil.

Martin leva la main en un geste de reddition, puis regarda sa montre.

— Encore huit minutes. Le flic a dit que Corso arrivait, mais probablement pas assez vite pour sauver celui-là.

— On se croirait aux jeux du cirque chez les Romains. De quoi se demander si on est aussi civilisés qu'on se plaît à le dire.

— Civilisés, mon œil. On n'est pas civilisés du tout. On s'est fabriqué un petit monde à la Disneyland où on se trouve au sommet de la chaîne alimentaire. On a aménagé la loi de la jungle pour que les tueries se déroulent en coulisses. Tout bien propre, bien net, pour qu'on n'ait pas à regarder. Les vaches abattues nous arrivent en barquettes, nos poulets sans tête couraient joyeusement à l'air libre, nos saumons sont pêchés à l'hameçon et non pas dans de vieux filets pourris. Tous ces mensonges dans le but de nous donner bonne conscience…

Du placard sous le téléviseur, Melanie sortit une bouteille de scotch et s'en servit trois doigts, non sans remarquer l'expression de Martin.

— Je suis gelée, dit-elle. J'essaie de me réchauffer le sang.

Le visage de Martin Wells demeura impassible. Il poussa la porte et mit le pied sur la première marche.

— Prends ton verre et viens.

— Ne m'en veux pas, mais aujourd'hui je vais faire l'impasse sur le chrétien jeté aux lions.

— Allez, viens.

Melanie prit une poignée de glaçons dans le réfrigérateur et les déversa dans son verre.

— Ferme la porte, Marty, tu fais partir la chaleur.

Avec un dernier regard empreint de reproche et un haussement d'épaules, il disparut dans la nuit. Elle attendit un bon moment afin d'être sûre qu'il était parti, porta le verre à ses lèvres et but une longue gorgée. Elle frissonna tandis que l'alcool coulait dans sa gorge et diffusait sa tiédeur dans tout son corps. L'effet lui plut et elle eut envie de recommencer.

De sa main libre elle attrapa la télécommande et prit place face au téléviseur. Durant quelques instants, elle se contenta de siroter son scotch en regardant le ciel noir par la fenêtre. Elle dirigea la télécommande vers le récepteur, se ravisa, prit son portable dans sa poche et appuya sur la première touche, la maison.

Huit sonneries. Sa propre voix priant de laisser un message.

Elle soupira et enfouit de nouveau le portable dans sa poche. Cette fois, elle alluma la télévision sur la chaîne 44, CNN. Elle prit une nouvelle gorgée et augmenta le volume du son. « Un communiqué de Musket, Arizona »…

# 8

Le pilote de l'hélicoptère vérifia sa montre.

— D'habitude, on voit clairement le site d'ici, mais ils ont dû éteindre les lumières.

— Quelle heure est-il ? demanda Corso.

— Minuit moins cinq.

Corso leva les yeux vers le ciel constellé d'étoiles à travers le dôme transparent de l'appareil. Le pilote, dont le blouson monogrammé proclamait qu'il s'appelait Arnie, pointa l'index vers le sol.

— Bingo ! Ça doit être ici.

Corso scruta l'obscurité. Il n'entrevit qu'une vague rangée de lumières bizarrement espacées dans le lointain.

— Vous êtes sûr ?

Arnie consulta son GPS.

— Quasiment sûr. Il n'y a rien d'autre que des lièvres et cette fichue prison, dans le coin.

Le nez contre la paroi, Corso vit, à moins de deux kilomètres devant eux, un vaste espace s'illuminer soudain comme pour un match de football. Depuis cette altitude, les rangées de projecteurs formaient un anneau scintillant autour des bâtiments sévères de la prison, embrasaient les barbelés qui coiffaient la clôture grillagée de volutes d'acier… et permettaient aussi de distinguer la minuscule silhouette en chemise bleue qui zigzaguait sur le bitume.

— Ils vont en buter un autre, dit le pilote. Comme à la télé ce matin, bon sang !

— Posez-vous dans la cour.

— Quoi ?

— Posez-vous dans la cour !

Arnie émit un borborygme grossier.

— Vous êtes dingue.

— Entre le gardien et le bâtiment.

— Pas question. Si vous voulez vous suicider, mon vieux, c'est votre affaire, mais moi, j'ai une femme et trois gosses et envie de les revoir. J'ai fait le Vietnam et je me suis juré de ne plus jamais laisser à quiconque l'occasion de me trouer la peau.

— Posez-vous juste le temps de me laisser descendre. On a peut-être une chance de sauver ce type.

Le pilote fit signe que non.

— Ça ne marchera pas.

— Ce gars, là en bas, c'est le fils de quelqu'un, Arnie. Ce pourrait être le vôtre.

Comme le pilote continuait de secouer la tête, Corso poursuivit :

— Si c'était votre gamin, vous préféreriez qu'on se contente de voler en rond au-dessus de lui jusqu'à ce qu'il y passe ? C'est ce que vous seriez en train d'attendre ?

— Pas de ça avec moi, geignit Arnie. On croirait entendre ma femme, avec votre façon de culpabiliser le monde.

Les yeux rivés sur la silhouette en bleu qui marchait lentement avant de s'immobiliser, Corso reprit :

— Allez, Arnie, grouille-toi. Pose ce foutu engin !

— Vous êtes sacrément cinglé, vous !

Corso prit une mine résignée en hochant la tête, mais Arnie enchaîna :

— D'abord un malade décide de descendre des types tant que vous ne vous serez pas pointé dans cette satanée prison, et ensuite, non seulement vous êtes d'accord mais vous voulez atterrir en plein dans la ligne de tir ! Vous êtes dingo, mon vieux, vraiment dingo.

— Tu n'es pas le premier à le penser, Arnie. Mais quoi ? Tu veux vivre éternellement ? Je croyais que c'était un truc de bonne femme, ça.

Il se tut et on n'entendit plus que le claquement des rotors. Corso sourit. Son apparente indifférence à sa propre sécurité avait été l'un des plus gros points de dissension avec Meg Doughery, et l'une des raisons qui l'avaient amenée à mettre fin à leur tumultueuse liaison. Au cours des mois qui avaient suivi son départ, Corso en était venu à penser qu'elle n'avait sans doute pas eu tort dans son analyse. Il avait conclu qu'il tenait à sa survie autant que tout un chacun mais, pour lui, d'autres facteurs avaient la même importance. Il était d'accord pour vivre, mais selon ses propres critères : il voulait être capable de se regarder en face une fois l'épreuve terminée.

— Et merde ! lança Arnie dans le fracas.

L'hélicoptère entama sa descente en tournoyant doucement et survola de près la kyrielle de camions de télévision, soulevant poussière et gravillons dans tous les coins. Arnie descendit dans la cour en pivotant de façon à positionner la queue de l'appareil vers le mur pour offrir la plus étroite cible possible aux tireurs.

— Détache ta ceinture, mon vieux ! avait-il crié en approchant du sol. Je veux que tu sortes de là en quatrième vitesse !

Corso avait obéi et attrapé la poignée de la porte. Le gardien s'éloignait des pales en trébuchant et en protégeant son visage des tourbillons de poussière.

— Fais gaffe à ta tête ! cria Arnie.

Corso le salua de deux doigts, ouvrit d'un coup d'épaule et sauta au sol, à un mètre de là. Il se cacha la tête sous sa veste et se courba pour passer sous le rotor. Le pilote se pencha pour fermer la porte et reprit aussitôt de l'altitude dans la nuit noire en marmonnant :

— Sacré dingo !

Le fracas décroissant de l'hélicoptère se conjugua au sifflement des débris qui retombaient à terre. Au bout d'un moment, Corso et le gardien se redressèrent et regardèrent autour d'eux en clignant des yeux.

L'homme était jeune, même pas la trentaine, maigre, les cheveux roux en bataille, et manifestement, il avait pleuré. Son nez coulait et deux traînées révélatrices dans la poussière qui maculait ses joues lui donnaient un faciès clownesque malgré sa terreur.

Corso se demanda comment un type qui avait toute la vie devant lui pouvait choisir de passer ses journées enfermé avec la pire engeance de la société. Soit c'était un sadique, soit un bon Samaritain, ou quelque chose entre les deux. À moins que, tout simplement, il ait eu un besoin vital de ce travail.

Il faisait froid et sec. Comme l'hélicoptère s'éloignait, Corso entendit des cris provenant de l'extérieur de la clôture. Il fouilla du regard autour de lui et s'arrêta sur la grille principale, derrière laquelle un groupe de cameramen faisait de grands signes en dardant sur lui leurs objectifs. Il se détourna.

Le bâtiment, à une quarantaine de mètres devant, devait être celui de l'administration, un imposant édifice de brique scindé en son centre par une arche. Corso distingua une petite flamme dans ses profondeurs ténébreuses. Quelqu'un allumait une cigarette.

Un crissement de semelles attira son attention. Le gardien avait trouvé une once de courage et songeait visiblement à s'enfuir. Corso secoua la tête.

— N'y songez pas, dit-il. Vous n'atteindriez pas la clôture.

L'homme bredouilla :

— Je…

— Restez derrière moi.

Corso se dirigea vers le bâtiment administratif. Quand, à mi-chemin, il fit halte, le gardien lui rentra dedans.

— Hé ! Pas si près, petit !

Ils reprirent leur marche. À vingt mètres, Corso distingua trois silhouettes dans l'ombre de l'arche et se dirigea droit dessus. Encore une quinzaine de pas, et il reconnut Driver, les mains sur les hanches, qui le regardait approcher en silence. À sa droite, un homme aux cheveux longs pointait un fusil d'assaut sur la poitrine de Corso, l'œil collé au viseur. Corso allongea le pas et l'homme au fusil eut un mince sourire. Son doigt accentua la pression sur la gâchette. La gorge de Corso se noua et sa respiration se bloqua ; mais Driver finit par repousser le fusil du bout des doigts et trois rafales crépitèrent dans la nuit. Tout en maintenant le canon, il lança :

— Je n'étais pas certain que tu viendrais.

Le tireur arracha son fusil des mains de Driver en grommelant. Il mesurait pas loin de deux mètres et son abondante chevelure cascadant sur ses épaules encadrait un visage étroit et anguleux. On aurait dit un de ces types qui font la manche sur les plages, mais ses yeux démentaient l'impression. Corso avait déjà rencontré des regards comme celui-là. Chez les membres de la police secrète de Haïti, les rebelles kurdes en Afghanistan et les requins dans les émissions animalières à la télévision.

Le genre de regard qui vous incite à changer de trottoir et qu'on espère ne jamais croiser la nuit, dans l'angle obscur d'une porte cochère. Surtout si le type qui vous le lance tient une arme automatique.

— Tu savais foutrement bien que je viendrais, Driver. Qu'est-ce que j'étais censé faire ? Continuer à pêcher pendant que tu descendais des gens ?

Un soupçon de sourire passa sur les lèvres de Driver.

— Sacré dilemme, pas vrai ? Désolé de t'avoir mis la pression, mais on manque un peu de temps, ici, tu comprends.

Le tireur fit dévier son M16 vers le garde qui se mit à se tordre les mains en priant à haute voix. L'origine du glougloutement incongru qui se fit entendre s'expliqua très vite par la tache sombre qui s'agrandissait sur le devant de son pantalon.

— Regarde ce que tu lui as fait faire, dit Corso au tireur.

— Je peux faire bien pire, mon joli, répliqua l'autre avec arrogance. Tu paries ?

Corso retint la riposte cinglante qui lui venait à l'esprit. Son instinct de survie lui dit que ce n'était ni le bon moment, ni le bon interlocuteur.

— Non, répondit-il doucement, je ne préfère pas.

— On pourra toujours vérifier plus tard, insista l'autre avec morgue.

— Non merci, c'est trop d'honneur.

L'air se figea soudain et devint moite.

— Un honneur, ah ouais ? Tu vois ça comme un honneur ?

— Ce n'est pas ce que je voulais dire, corrigea Corso en hâte.

— Bon. On verra ça.

Driver désigna le gardien d'un hochement de tête et appela le troisième homme.

— Bronko, ramène-le où tu l'as pris.

Celui-ci sortit dans la lumière et Corso découvrit une véritable armoire à glace armée d'un calibre 9 millimètres glissé dans sa ceinture. Bronko jeta un coup d'œil à Kehoe comme pour quêter une confirmation, mais n'obtint qu'un haussement d'épaules désinvolte qu'il prit pour une approbation.

— Et la tantouse, on en fait quoi ? demanda-t-il en indiquant Corso.

— Rien. Il fait partie du plan.

Il y eut un nouvel échange de regards déconcertés, puis Bronko se décida. Il tendit son énorme pogne et empoigna le garde avec tant de brutalité qu'il le fit trébucher et presque tomber.

Du regard, Corso, Kehoe et Driver suivirent leur progression à travers une cour, une grille ouverte et enfin les ténèbres d'un passage. À l'étage, le bâtiment carcéral grouillait d'activité. Au moins une douzaine de canons de fusil dépassaient des fenêtres brisées. Sa vision s'étant accommodée à l'obscurité, Corso distingua les silhouettes qui s'agitaient sans trêve à l'intérieur.

— Les mecs sont en ébullition, là-dedans, dit Kehoe.

— Ils ont déchargé le ravitaillement du semi-remorque ? demanda Driver.

— Déchargé et pratiquement tout dévoré.

— Tu as désigné qui pour la surveillance des chauffeurs ?

— Haynes, un faussaire.

— Dis-lui de laisser partir le chauffeur du semi-remorque.

— Comme les autres ?

— Oui. Filez-lui ses clés et dites-lui de se barrer. Préviens-moi quand il sera prêt, j'ouvrirai la grille.

— Les mecs veulent flinguer les autres pourris qu'on a enfermés en bas.

— Il reste combien de camions ?

— Aucun, à part le camion-citerne.

Driver hocha la tête.

— Occupe-toi de ça et rejoins-nous au poste de contrôle.

Kehoe se balança sur ses talons.

— Écoute-moi un peu, Capitaine. Je fais pas partie de ton putain d'équipage, et les autres là-bas non plus. Tôt ou tard, on va manquer de nourriture et ça va tourner au vinaigre. Si ça arrive, ta copine et toi vous allez regretter de ne pas vous trouver ailleurs. Ni moi ni personne ne sera capable de les empêcher de s'en prendre à toi.

— On sera déjà loin, dit Driver.

Kehoe ouvrit la bouche mais Driver reprit :

— Les militaires vont attaquer juste avant l'aube. Ils ne peuvent pas tolérer ça une journée de plus.

— Les gars sont prêts à les recevoir. Ces enfoirés de soldats vont se retrouver face à un déluge de balles !

Le visage de Driver resta de pierre.

— On verra. Fais partir le chauffeur.

# 9

Le gouverneur Blaine commença à passer la main dans sa « tignasse présidentielle » puis suspendit son geste et pointa l'index sur... sur... comment diable s'appelait ce type ? Il n'arrivait pas à s'en souvenir. Il plongea sa main dans sa poche, où il fourragea à la recherche de la carte de visite du type. Voilà : Dallin Asuega, de la Randall Corporation. Directeur adjoint des opérations de sécurité.

— Monsieur Asuega !

— Oui, monsieur ? répondit Asuega en haussant ses épais sourcils.

Il avait l'air trop jeune pour être directeur adjoint de quoi que ce soit de plus compliqué que la tonte de pelouses. Blaine avait atteint l'âge où tous les autres paraissent trop jeunes, et où rien n'est jamais aussi bien que par le passé.

Asuega avait à peine plus de trente ans, le

teint sombre, les cheveux noirs, drus et ondulés, bref, trop typé pour être un jour considéré comme « présidentiable ». Il devait être originaire d'une île des mers du Sud, Samoa, Tonga, quelque chose par là. Néanmoins, il présentait bien, dans son costume impeccable. Il limitait ses réponses au strict minimum et conservait une expression aussi impénétrable qu'un coffre-fort.

— Avez-vous vu la vidéo où Driver s'empare de la salle de contrôle, Asuega ?

— Non, monsieur.

Le gouverneur se tourna vers Elias Romero, qui pour le moment essayait de se confondre avec le papier peint.

— Vous pouvez nous la repasser ?

Romero assura que cela ne posait pas de problème et décrocha le téléphone.

— Iris, pouvez-vous charger de nouveau le DVD ? Nous aimerions le montrer à M. Asuega.

Évaluant la situation, Romero estimait que la présence d'Asuega changeait la donne : les reproches pèseraient désormais un peu moins sur lui et nettement plus sur la Randall Corporation, ce qui n'était que justice. Après tout, Meza Azul était leur création.

Au bout du fil, Iris grommela quelques mots

inintelligibles avant de reposer brutalement le combiné.

— Iris ? demanda Romero, les sourcils froncés.

— Tout de suite, monsieur Romero, fit sa voix crispée.

Ils restèrent un long moment à guetter nerveusement l'écran vide. Comme rien ne venait, Romero tendit de nouveau la main vers le téléphone mais l'écran s'anima : une silhouette solitaire descendait les quelques marches de l'entresol vers l'ascenseur principal.

— Pouvez-vous mettre sur « pause » ? demanda Blaine.

Romero s'exécuta.

— Répétez-moi tout, reprit Blaine. Dites-moi ce qu'il faut faire pour sortir un prisonnier de sa cellule.

Asuega laissa la parole à Romero.

— Aucun prisonnier ne peut quitter sa cellule sans avoir été entravé aux poignets et aux chevilles, et escorté. Dans la plupart des cas, l'escorte est composée d'un surveillant et d'un gradé. Quant à Driver, étant donné ses antécédents de violence envers le personnel, il ne quittait jamais sa cellule sans être accompagné de trois gardiens, soit deux officiers et un surveillant.

— Vous êtes donc en train de me dire que ce type, pieds et mains entravés, a réussi à se débarrasser de trois gardes ? Qui est-ce, Houdini ?

Le regard du gouverneur allait de Romero à Asuega. Ce dernier répondit vivement :

— On n'en sait rien. Notre seule certitude, c'est que sa cellule n'aurait jamais été déverrouillée avant que les gardiens se soient assurés qu'il était bien enchaîné.

— Alors, expliquez-moi, rétorqua Blaine, comment une chose pareille a pu arriver dans la prétendue meilleure centrale de haute sécurité ?

Romero s'éclaircit la gorge, et Asuega le tira d'embarras :

— On suppose que Driver a trouvé le moyen d'ôter ses menottes. C'est la seule solution.

En hochant la tête, les autres confirmèrent son assertion : il était impossible à un détenu menotté de maîtriser trois gardes bien entraînés en ne se servant que de ses pieds. Sans laisser à Blaine le temps de poser une autre question, Asuega poursuivit :

— Nous supposons également que Driver a usé d'une ruse quelconque pour faire entrer les trois gardiens à l'intérieur de sa cellule. Sinon, le centre de contrôle aurait enregistré une agitation suspecte et pris des mesures d'urgence.

— Nous ne le saurons pas avec certitude tant que nous ne serons pas retournés là-bas et que nous n'aurons pas visionné la vidéo, dit Romero.

— Celle de sa cellule, vous voulez dire ? demanda Blaine, déconcerté.

— Oui. Driver était filmé vingt-quatre heures sur vingt-quatre.

— Et la lumière n'était jamais éteinte ?

— Jamais.

Blaine réprima un frisson.

— Vraiment ?

— Oui, monsieur.

— Vous avez un nom pour ce genre de chose ?

— Châtiment extrême, répondit Asuega. Réservé à ceux qui ont tué ou blessé des membres du personnel pénitentiaire.

Asuega déchiffra l'expression révulsée de Blaine.

— Je peux vous assurer, monsieur le gouverneur, que notre méthode est particulièrement dissuasive. Comparé aux établissements d'État, le nôtre affiche une diminution de trente pour cent des agressions à l'encontre du personnel.

— Depuis combien de temps ce Driver vit-il

dans de telles conditions ?

— Quatre ans et demi.

De nouveau, une mimique de répulsion trahit les sentiments de Blaine.

— Continuez le film jusqu'à la séquence de l'ascenseur, demanda-t-il.

Romero transmit la demande à Iris, qui fit défiler les images à grande vitesse, et Driver eut l'air d'un personnage de film muet.

— C'est là, dit Blaine.

Driver venait juste d'insérer une carte électronique dans le boîtier de contrôle et tapait le code du jour.

— Attendez un peu... Stop ! s'exclama Blaine.

Driver tournait le dos à la caméra et se courbait en avant.

— Là, que fait-il ? demanda Blaine.

— Il détourne le système de reconnaissance digitale, répondit Romero.

— Impossible, intervint aussitôt Asuega. Le neutraliser, peut-être, le leurrer, non.

Il poursuivit avant que Blaine le bombarde de questions :

— Tout dommage dans le disque dur coupe l'ensemble du système. L'ascenseur ne peut plus monter ni descendre tant que l'opérateur n'a pas relancé le logiciel.

— Alors, que diable fait-il ?

— Si j'avais une hypothèse à émettre, ce serait celle-ci : il utilise probablement le système comme il doit l'être.

— Il me semblait que vous aviez dit…

Le gouverneur s'interrompit. La confusion puis l'horreur creusèrent son front de profondes rides.

— Vous suggérez… vous voulez dire que…

— La seule explication qui tienne la route, c'est que M. Driver se trouve en possession de l'index droit du surveillant principal. Pourrions-nous reprendre ici ? répondit Asuega en désignant l'écran.

— Iris, remettez en marche, dit Romero.

— Pouvez-vous ralentir et revenir un peu en arrière ? demanda Asuega. Remarquez qu'il bouge avec précaution, comme s'il empaquetait quelque chose avant de le mettre dans sa poche.

Tous regardèrent en silence Driver entrer dans la cabine de l'ascenseur. Puis, durant les quinze dernières secondes du film, Romero et Blaine détournèrent les yeux, mais pas Asuega, qui fixa l'écran de son regard noir jusqu'au bout.

— Afin de faciliter la formation du personnel, le centre de contrôle a été conçu de façon à être d'un maniement aussi facile que possible, reprit-il. Pour quelqu'un comme Driver, très au courant des systèmes électroniques perfectionnés et des mécanismes de contrôle, comprendre le fonctionnement de la prison a été un jeu d'enfant. Je parierais qu'il a déjà reprogrammé le logiciel pour qu'il reconnaisse sa propre empreinte digitale.

Comme s'il possédait la réponse à une question non encore formulée, un colonel ouvrit brusquement la porte et entra.

— Mes hommes seront prêts dans une heure.

— Les mutins ont vidé l'armurerie, dit le gouverneur.

Le militaire ricana.

— Ils ont des balles explosives ? Des armes à uranium appauvri ? De l'artillerie lourde ? Des renforts aériens ?

— Bien sûr que non, répondit Romero avec nervosité.

— Alors, ils sont dans la merde. Mes quatre cents hommes viennent juste de passer dix-neuf mois à Bagdad. Ils sont de retour en famille depuis moins d'une semaine, aussi je peux vous dire qu'ils n'apprécient guère le petit exercice qu'on leur impose ce soir.

Il s'interrompit pour juger de son effet, puis reprit :

— Je me fous des lance-pierres dont sont équipés vos taulards. On va foncer à travers ces grilles et ils ont intérêt à être prêts pour les feux de l'enfer, parce qu'ils vont y avoir droit.

# 10

— Encore un jour ou deux, dit Melanie.

À l'autre bout du fil, le silence était éloquent. Elle tenta une autre approche :

— On pourrait prendre des vacances. Aller dans le Michigan peut-être, rendre visite à tes parents...

Elle se tut. Au bout d'un moment, la voix de Brian rompit le charme :

— Melanie, tu ne m'écoutes pas.

— Mais si, je t'écoute.

— Tu sais, Mel, tu es incroyablement douée pour n'entendre que ce que tu choisis d'entendre. Comme si tu possédais un filtre incorporé, quelque chose comme ça. Un système qui ne laisse passer aucune information négative susceptible de contrecarrer tes plans.

Elle aspira une longue goulée d'air et s'efforça de conserver un ton neutre.

— On appelle ça la concentration, Brian. La capacité de se fixer un but et d'aller jusqu'au bout.

— Ce dont moi je suis incapable, évidemment.

— Je n'ai pas dit ça.

— Non, mais ça revient à chaque fois sur le tapis.

— Pas à cause de moi, insista-t-elle.

— Tu sais, je crois qu'à force d'assister à ces réunions où vous êtes tous bien calés sur votre cul à écouter des idioties, tu ne sais plus exprimer ce que tu penses, tout simplement.

Il ne lui laissa pas le temps de répliquer.

— Tu devrais essayer de temps à autre, Mel. C'est comme une bouffée d'air frais. Tiens, je vais te montrer comment on fait. Prête ?

Il prit une profonde inspiration et énonça :

— J'en ai plus que marre d'Hollywood et je rentre chez moi, dans le Michigan.

Elle percevait l'intensité de son ton comme s'il avait été présent.

— Voilà. Tu as entendu, cette fois, ou faut-il que je répète ?

— Ce n'est pas le moment, Brian.

— Et quand à ton avis y aura-t-il un moment pour reprendre cette discussion ?

— Je déteste quand tu es comme ça.

Il se mit à rire.

— Tu ne me prêtes pas assez d'attention pour éprouver quelque chose d'aussi fort à mon égard.

— Je voulais dire… Comment peux-tu…

La porte du camping-car s'ouvrit à la volée et les amortisseurs fléchirent sous le poids de Martin Wells qui déboula avec la mine réjouie d'un gamin le premier jour des vacances. Il brandissait un coffret à bijoux tout simple qui contenait un DVD. La mèche de cheveux d'ordinaire soigneusement plaquée sur son crâne s'était hérissée en crête de coq.

— On l'a !

Melanie se força à sourire et plaqua la main sur son portable.

— Peux-tu m'accorder une minute, Marty ?

Trop excité pour l'écouter, Marty secoua le coffret.

— On a tout. En exclusivité. Pour nous tout seuls…

Melanie haussa la voix.

— Deux minutes, Marty, s'il te plaît.

Comme il ne bougeait pas, elle pointa le doigt sur ses cheveux puis mima le geste de les aplatir et cette fois il reçut le message. Il se plaça devant le rétroviseur intérieur et se recoiffa à deux mains.

— Dans l'immédiat, tu pourras me joindre chez mes parents, disait Brian. Quand je trouverai quelque chose de permanent, je te préviendrai.

Melanie laissa échapper un profond soupir.

— Je t'en prie, Brian, soyons raisonnables. Je suis en plein milieu d'une mutinerie ! Je serai à la maison dans quelques jours et...

Sans préambule, la tonalité du téléphone résonna dans son tympan. Elle se laissa tomber dans un siège, incrédule, l'appareil moite de sueur encore collé à l'oreille. Elle se massa l'arête du nez puis soupira de nouveau et reposa son portable.

— Tout va bien ? s'enquit Marty.

Elle ne répondit pas. Par expérience, il devina le moment mal choisi pour insister. Il l'observa tandis qu'elle se reprenait.

— Quelle exclusivité as-tu obtenue, Marty ?

— La prise de pouvoir par les mutins. Le moment où Driver a pris le contrôle de la prison.

— Et comment t'es-tu procuré ce document ?

— Mieux vaut que tu l'ignores.

Melanie le prit au mot et ne l'interrogea pas davantage. Elle s'était résignée depuis longtemps au côté réaliste de son métier. Leur job consistait à obtenir un sujet et à le diffuser auprès du public. On en profitait pour vendre des plages publicitaires. Plus l'émission était populaire, plus rentable était la publicité. Si les moyens d'amener l'histoire à la une étaient parfois discutables, tant que son contenu ne comportait rien d'illégal et n'était pas une imposture flagrante, la chaîne pouvait toujours esquiver toute attaque en justice en arguant du « droit sacré à l'information ».

Cependant, la posture de Marty alerta Melanie.

— Il n'y a vraiment pas de problème ?

Il eut un petit haussement d'épaules et détourna les yeux.

— Disons que pour notre informateur c'est un peu risqué. Les gens concernés sont très peu nombreux.

— Et alors ?

— Alors, ça ne va pas leur prendre bien longtemps pour découvrir qui nous a filé l'info.

Elle le dévisagea en se massant le poignet.

— Et, par extension, qui de notre côté l'a réceptionnée.

— Ouais.

— Je n'aime pas beaucoup ça, dit-elle. On n'est pas de taille à supporter une telle pression. Pour l'instant...

— On est nickel dans cette affaire, insista Marty.

— Comment ça ? demanda-t-elle, sceptique.

— J'ai chargé Jimmy de faire l'intermédiaire. Personne d'autre n'a été impliqué. L'émission n'a pas été nommée. C'était juste un deal, donnant donnant.

Jimmy était l'un des nombreux assistants travaillant sur les lieux.

— Tu es certain que le nom de l'émission n'a pas été mentionné ?

— Sûr et certain.

À sa façon de décrire la situation, il ne pouvait pas avoir de certitude absolue, mais dans leur métier il fallait parfois s'en passer, aussi Melanie laissa-t-elle courir.

— Et si jamais quelqu'un veut voir Jimmy ?

Marty eut son sourire de petit garçon et fit un clin d'œil.

— Je l'ai renvoyé à Los Angeles avec une semaine de congés payés. Il va emmener sa petite amie à Cancún.

— Et ça en valait le coup ?

Il agita le coffret en l'air.

— Ce truc-là, Melanie, va nous remettre direct à la première place.

Elle désigna le meuble qui abritait le téléviseur, le magnétoscope et le lecteur de DVD.

— Vas-y, dit-elle, montre-nous ça, alors.

Elle avait mis dans son intonation toute l'énergie qu'elle avait pu réunir. Elle avait souvent été déçue en pareils cas, et il y avait longtemps qu'ils n'avaient pas eu une exclusivité valable. Rien de vraiment formidable en tout cas, que des histoires médiocres, sans suite. Après trop de fausses alertes, difficile de s'enthousiasmer pour quelque chose avant de l'avoir visionné.

L'écran s'anima et Melanie observa en silence la progression de Driver vers la salle de contrôle. Lorsqu'il passa la corde à piano autour du cou du garde, elle commença à se redresser, prenant appui sur ses avant-bras, comme tirée par un fil vers le plafond. À la dernière image, ses bras tendus la maintenaient au-dessus du fauteuil et sa bouche s'ouvrait comme une plaie béante.

L'écran s'éteignit et elle se laissa retomber.

— Mon Dieu... On peut vraiment montrer ça ?

— Si on masque le visage du garde, à New

York ils ont dit que c'était bon.

Marty jeta un coup d'œil à sa montre et poursuivit :

— On pourrait l'intégrer à l'émission de demain soir. Tout ce qu'il me faut, c'est ton feu vert, et on envoie le document. On t'enregistre pour l'intro et le commentaire ici même, on maile le tout à Los Angeles et ils s'occupent du reste.

Melanie se laissa aller en arrière.

— C'est vraiment choquant. On n'a jamais rien eu d'aussi spectaculaire.

En levant les mains au-dessus de sa tête, Marty effleura le plafond avec le coffret à bijoux.

— Ouvrons de nouveaux horizons ! Allons encore plus loin !

Comme elle semblait peu convaincue, il continua :

— Il y a plein d'émissions qui se passent dans des morgues, en ce moment, avec des cadavres brûlés et ce genre de trucs, en prime time, tous les soirs de la semaine !

Elle haussa les épaules.

— Ce sont des truquages. Maquillage et latex.

— Où est la différence ?

Un instant, elle songea à lui expliquer, y renonça aussitôt. Marty était à Hollywood depuis si longtemps que, à l'instar de beaucoup d'autres dans le même cas, il ne faisait plus la distinction entre la réalité et la fiction. Peu lui importait que ce soit factice ou authentique : ce qui comptait, c'était de déterminer si ça passerait bien à l'écran, et si les gens seraient cloués à leurs sièges ou pas.

« Heureusement que nos vies privées ne sont pas soumises à l'indice de popularité », songea-t-elle.

Elle tendit l'index vers l'écran.

— Ça, c'était pour de vrai, Marty. On le sent. On est presque… presque des voyeurs en regardant ça. Comme si on se trouvait devant un de ces films où les victimes sont assassinées pour de bon, en direct sous nos yeux.

— On lance la promo dans les trente-six heures et on aura notre meilleur taux d'écoute depuis trois ou quatre ans. Pas question de garder ça sous le coude. C'est trop important pour nous tous.

— Et à propos de la source ? Tu as laissé entendre que les autorités découvriraient qui a nous a procuré le DVD.

— On récolte ce qu'on sème, répliqua Marty avec un sourire à peine esquissé avant de reprendre, avec sincérité cette fois :

» Allez, ma puce, on fonce. C'est maintenant ou jamais.

Melanie laissa s'écouler une longue minute avant de croiser les doigts sur sa poitrine et de donner sa réponse.

# 11

Le vacarme vous assaillait comme une armée de frelons furieux. Cinquante stations de radio différentes diffusaient du jazz, du bastringue, du speed-metal, du rock, du rap… Cris, grognements, paroles et nasillements se répercutaient entre les murs de béton et le be-bop se mêlait au hip-hop au milieu des meurtriers et des blessés qui s'agitaient ou se reposaient.

Driver et Kehoe, encadrant Corso le long des couloirs entre les cellules, s'efforçaient de s'abstraire du chaos et piétinaient les débris de mobilier brisé et de matelas brûlés qui jonchaient le sol. L'atmosphère, âcre et comme huileuse, empestait l'urine et la fumée de Pall Mall. Ici et là, de petits groupes de détenus rôdaient, certains armés, d'autres pas. La plupart s'étaient postés aux fenêtres d'où ils pouvaient surveiller le périmètre brillamment éclairé et le portail. Sur un palier, trois cadavres, la gorge tranchée, gisaient pêle-mêle dans une épaisse mare de sang séché.

À mi-chemin du bloc C, une main velue jaillit d'une cellule obscure, agrippa Corso par le col et l'entraîna dans l'ombre. Le type, qui empestait la vieille couverture et le mouton mouillé, se servit de tout son poids pour le jeter par terre. Corso rassembla ses forces pour ne pas être plaqué sur le dos et lutta comme un forcené. Le type gémit et assura sa prise avant que Corso entende Kehoe crier :

— Hé, toi, qu'est-ce que tu fous ? Lâche-le. Tu m'entends, enculé ? Lâche-le !

Corso comprit que son assaillant attaquait Kehoe de sa main libre, puis le sentit frissonner violemment et ramollir, comme un ballon soudain dégonflé. Trois secondes plus tard, le type bascula sur le sol sans un bruit. Corso se dégagea vivement et se releva. Le type ressemblait à un homme des cavernes, poilu comme un singe, à croire qu'il ne s'était jamais rasé ni coupé les cheveux. Corso frémit.

Il tentait encore de comprendre ce qui s'était passé quand Kehoe se pencha et essuya son couteau contre la poitrine velue du mort. D'abord un côté de la lame, puis l'autre. Le couteau était tout propre quand il le remit dans sa poche.

— Ce genre de connard ne bande que s'il sent la merde, dit-il en hochant la tête. Il y en a des tas comme lui, ici. Depuis le temps que je suis en taule, j'ai jamais...

Brusquement, des pas précipités et des cris retentirent.

— Ils arrivent ! beugla quelqu'un.

Driver traversa le couloir en hâte. À travers trois rangées de barreaux et de grilles métalliques, il distingua l'intense activité qui agitait les alentours de la porte principale. Une succession de véhicules blindés Bradley grondait juste derrière et le long de la route, une procession apparemment infinie de camions déchargeait escadron sur escadron de fantassins.

— Merde ! s'exclama Kehoe. Ils nous envoient l'armée. La rigolade est finie.

Driver secoua la tête.

— Il nous reste trente à quarante-cinq minutes. Il leur faut bien ça pour être prêts.

— Si t'as un plan, Capitaine, c'est le moment de le sortir.

— Fais venir le camion-citerne entre les bâtiments.

— Le chauffeur aussi ?

— Seulement le camion. On ira chercher le type plus tard.

Il retint Kehoe qui allait s'éloigner et glissa

un morceau de papier dans sa poche de chemise.

— C'est le code de l'ascenseur central. J'y ai planqué les clés du camion et un paquet.

Il soupira et sortit de sa poche un morceau de tissu bleu, taché ici et là d'un liquide sombre, non identifiable.

— Tu vas avoir besoin de ça aussi.

Il le tendit à Kehoe, qui resta un moment les bras le long du corps avant de se décider à le prendre entre ses doigts épais. Il plaça le tissu dans sa paume et en écarta les bords avec précaution. Un doigt coupé apparut. La coupure était déchiquetée et l'ongle aurait eu besoin d'être taillé.

Kehoe se redressa et fixa Driver droit dans les yeux.

— C'est pas un peu risqué, ça, Capitaine ?

— On peut pas faire plus risqué.

Un moment plein de tension passa, puis Kehoe empocha le doigt et rebroussa chemin. Driver tourna à angle droit et commença à descendre l'escalier. Corso sc rcssaisit et lui emboîta le pas.

— Quel est le plan, Driver ? Qu'est-ce qui est si risqué ?

L'autre lui fit un sourire carnassier pardessus son épaule.

— On va voir si on arrive à se tirer d'ici avant que ça devienne vraiment sérieux.

Corso s'immobilisa.

— Hé, une minute. Une petite mutinerie, c'était une chose. Tu m'as bien eu en me faisant venir, mais là... tentative d'évasion, j'en ai pas demandé tant, moi.

Derrière Corso, une dizaine de détenus armés courait dans la coursive. Dans tous les coins du bloc éclataient des détonations sporadiques. Driver se tourna vers Corso et dit d'un ton affable :

— Je comprends ta réaction, Frank. Je voulais juste être sûr que mon histoire soit bien racontée. Que tout le monde comprenne pourquoi j'ai fait ça. Comment tout ça s'était enclenché.

Il eut un grand sourire :

— Mais je suis un type raisonnable. Je comprends très bien que tu ne veuilles pas nous suivre.

Sans attendre la décision de Corso, il reprit :

— Bon, j'ai des trucs à faire. Prends bien soin de toi.

Il salua de trois doigts levés et continua sa descente.

Corso resta immobile, à l'écoute des coups

de feu. À l'étage au-dessus, une salve d'arme automatique fut bientôt suivie d'une autre, puis d'une autre encore, jusqu'à ce que le vacarme des projectiles et le tintement des douilles expulsées noient tout le reste.

Corso se mit à dévaler l'escalier quatre à quatre et, grâce à ses longues jambes, rattrapa rapidement Driver qui, à l'aide de sa télécommande, ouvrait une porte donnant sur l'extérieur.

— Tu peux pas me laisser là, Driver. Ces putains d'enculés vont me descendre vite fait !

Driver prit le temps de réfléchir. Il sortit de sa poche un paquet de Juicy Fruit, ôta les tablettes de leur emballage et les enfourna une à une dans sa bouche.

— Ça fait pas de doute. Tu n'as pas intérêt à rester dans le coin quand ça va commencer à canarder.

— C'est-à-dire ?

— Tu pourrais essayer de te planquer, dit Driver en mâchant son chewing-gum la bouche grande ouverte. Ou te dégotter une arme.

Il maintint la porte et leva les sourcils :

— Tu viens ?

Corso sortit. L'air sentait la fumée et le métal. Ils se trouvaient dans une large allée entre le bâtiment administratif et le bloc cellulaire, puits de ténèbres où la lumière des projecteurs ne pénétrait pas. Le crissement du verre brisé sous ses semelles ramena Corso trente ans en arrière, à la vieille filature de coton de Rasher Creek. Souvenir d'une époque révolue, quand la sueur était d'or et le salaire de misère. C'est près de cette carcasse pourrissante dont les fenêtres avaient été depuis longtemps victimes des jets de pierre des garnements qu'on trouvait, durant la chaleur de l'été, un havre de paix : le passage étroit, à l'ombre, entre le bâtiment et le cours d'eau.

Driver bloqua la porte et longea de près le mur pour se fondre dans l'obscurité. En traversant la pelouse soigneusement taillée, il reprit :

— Tu pourrais tenter un sprint vers le portail principal. Mais ça me semble plus que risqué. La question, c'est de quel côté on te tirera dessus en premier. Ou alors tu te rends quand les soldats entreront. Tu leur expliqueras que tu fais pas partie des détenus... que tu passais juste là par hasard.

Il eut un mince sourire. Corso dit :

— Ça ne me fait pas rire du tout.

Driver ralentit le pas.

— Je n'avais pas prévu ça, Corso. Je ne pensais pas qu'ils prépareraient l'assaut si vite.

J'avais compté sur des heures de négociations, de menaces, d'exigences, ce genre de choses, avant que ça devienne sérieux. J'étais sûr qu'on aurait au moins deux heures pour s'organiser, mais ça ne s'est pas passé comme ça.

Il s'interrompit puis ajouta, l'air dépité :

— Je croyais pouvoir te faire sortir avant la fusillade. Je dois perdre la main !

Corso sentit la bile lui monter à la gorge et le froid manteau de la peur se referma sur lui.

— Je n'ai guère l'embarras du choix, il me semble.

Driver acquiesça.

— Le mieux serait probablement de te dégotter une cellule vide, bloquer la porte et te cacher sous le matelas en priant qu'un marine ne te tire pas dessus pour le plaisir.

Il désigna la porte et le rai de lumière à l'extrémité de l'allée.

Comme pour pousser Corso à se décider, une nouvelle rafale crépita à l'étage. Quand il se retourna, Driver, courbé en avant, dirigeait le puissant faisceau d'une lampe de poche sur la serrure de la porte arrière du bâtiment administratif. Puis il sortit de sa poche un anneau de clés, en essaya trois avant de trouver la bonne. Il ouvrit et fit un signe de tête à Corso.

— Alors, mon vieux ? Tu préfères faire partie du problème, ou de sa solution ?

Il fit un pas à l'intérieur. Corso retint la porte, regarda autour de lui et suivit la silhouette qui s'éloignait rapidement.

L'électricité avait été coupée dans le bâtiment, ne laissant que l'éclairage auxiliaire. Les couloirs étaient faiblement éclairés par des petites lampes blanches au ras du sol, comme dans un avion. Des panneaux verts *Sortie* semblaient flotter de loin en loin au-dessus des portes. Driver et Corso entamèrent leur descente par un escalier d'angle.

# 12

Le colonel David Williams s'arrêta peu avant la porte du bureau en s'efforçant d'analyser ce qu'il venait d'entendre. Il ôta son casque et le coinça sous son bras.

— Qu'avez-vous dit ?

Comme il n'avait pas vu qui avait parlé, il avait lancé sa question à la cantonade. Le chevelu assis derrière la seconde table ferma son portable et répéta :

— Il faut vous arranger pour faire le moins de dégâts possible dans les locaux.

C'était bien ce que Williams avait cru comprendre. Il refréna la colère qui lui montait à la gorge et se tourna vers le directeur.

— Qui diable est ce type ?

Embarrassé, Romero aspira l'air à travers ses dents et passa son doigt dans son col de chemise avant de répondre :

— M. Asuega, directeur adjoint des opérations de sécurité pour le compte de la Randall Corporation.

— Ah, fit Williams. Ceux qui gèrent cet endroit, c'est ça ? Je comprends mieux.

Le talon de ses bottes produisit un lent staccato sur le carrelage lorsqu'il se dirigea vers Dallin Asuega.

— Inquiet pour votre bâtiment, pas vrai ?

Asuega lui fit un large sourire et répondit d'un ton uni :

— Meza Azul est un chef-d'œuvre en son genre. Le coût d'une reconstruction serait…

Le colonel lui coupa la parole :

— Avant de vous lancer dans des analyses et des chiffres, monsieur…

— Asuega.

— Monsieur Asuega, laissez-moi clarifier quelques faits.

Il marqua une pause afin de s'assurer de l'attention de tous.

— Primo, vous devez comprendre que je n'ai rien à fiche de votre « chef-d'œuvre ». Ma priorité absolue, c'est la vie des hommes sous mes ordres. Si ça implique de raser le bâtiment jusqu'au sol, je le ferai.

Asuega leva un doigt. Williams haussa le ton.

— Secundo, vous avez l'air d'oublier que

votre « chef-d'œuvre » est aux mains des détenus. Ce qui me porte à croire que ses systèmes de sécurité laissent fort à désirer, et que vous devriez peut-être réviser votre notion de « chef-d'œuvre ».

Il consulta sa montre.

— Il est 22 heures 40. Nous entrons à 23 heures pile. Je vais envoyer les deux premiers Strykers [1] jouer du canon à travers la galerie du deuxième étage, là d'où partent la plupart des tirs. Quand ces abrutis auront pigé qu'on peut les descendre à travers un mur de briques, je parie qu'ils feront moins les malins.

Sur un signe de tête, il ajouta :

— Si vous voulez bien m'excuser.

Puis il tourna les talons et sortit.

— Tu crois que les gars vont vraiment se battre ? demanda Corso en suivant Driver dans l'escalier.

Driver eut un rire cassant, le genre de ricanement forcé qui laisse songeurs lcs gcns sains d'esprit.

— Sûrement pas. Il y en aura bien deux dou-

---

**1.** ***Véhicule blindé à roues, mobile et rapide. (N.d.T.)***

zaines pour préférer « mourir au combat » plutôt que purger leur peine, mais la plupart... Ce ne sont pas des guerriers, mais de la racaille. La lie de la Terre. À la première salve d'armes lourdes, ils courront se terrer dans leurs cellules comme des lemmings.

Ils avaient atteint le bas des escaliers. Driver continua par une porte ouverte et ils se retrouvèrent dans la version moderne d'une chaufferie. Toute en jauges électroniques et cadrans digitaux. Corso comprit en moins d'une minute que Driver était déjà venu là. Ce qu'il était en train de faire, il l'avait programmé auparavant. Il le regarda manipuler cadrans et jauges, sortir de sa bouche le gros bloc de chewing-gum et le coller à l'intérieur du panneau de l'air conditionné. Dans quel but, Corso n'en avait pas la moindre idée.

Driver ne se donna pas la peine de refermer, mais traversa la pièce jusqu'au bureau encombré, décrocha le téléphone et le posa à côté de sa base. Corso s'approcha et l'observa tandis qu'il dévissait l'embout du combiné et en sortait les fils. Il faisait trop sombre pour qu'il distingue vraiment ses gestes, il vit seulement qu'il était en train de brancher les fils colorés selon un schéma non prévu par les constructeurs. Puis, satisfait, Driver revissa l'embout et remit le combiné en place. Suivi de Corso, il revint vers les cadrans et les jauges qu'il avait précédemment trafiqués. À peine avait-il appuyé sur deux boutons qu'un sifflement se fit entendre, fort et insistant comme le vent à travers une porte fissurée.

Ensuite il y eut cette odeur d'œuf pourri et une douloureuse sensation de brûlure dans les poumons. Du gaz. Pas de doute, du gaz naturel s'échappait à pleins jets de la chaudière et emplissait la pièce. Corso en avait les larmes aux yeux et la respiration coupée. Il se couvrit la bouche de sa veste et resta là, les paupières crispées, respirant son propre souffle, cerné par les vapeurs. Driver l'attrapa par le coude et le conduisit vers la cage d'escalier. Il ferma derrière eux, entraîna Corso jusqu'au rez-de-chaussée puis à l'extérieur, où ils s'arrêtèrent en ahanant comme des asthmatiques et en s'essuyant les yeux. Le grondement d'un moteur diesel les arracha à leur léthargie.

Kehoe manœuvrait un camion-citerne du côté du bloc carcéral. Driver leva la main pour lui faire signe d'avancer, encore, encore un peu... puis de stopper l'énorme engin. Il fit mine de se passer l'index en travers de la gorge et Kehoe comprit. Il coupa le moteur du camion, à présent dans l'ombre pleine de sifflements du bâtiment, et en descendit.

— Je sais pas ce que tu mijotes, Capitaine, mais faudrait faire vite. Les petits gars, dehors, ils ont l'air prêts à foncer.

Driver retira l'un des tuyaux de distribution du camion de sa fixation et se servit de l'extrémité métallique pour briser la vitre de la porte arrière du bâtiment administratif. Ensuite, il en glissa presque toute la longueur à l'intérieur.

— Reste pas là, Cutter. Accroche ce foutu tuyau, il faut vider les trois quarts de la première citerne.

Kehoe plissa les yeux.

— Là, dans le bâtiment ?

— Tout juste.

Le visage figé, Kehoe ne bougea pas.

— Tu sais, Doc, un de ces jours faudra qu'on discute de ta façon de me donner des ordres, mais en attendant…

Il se fendit brusquement d'un sourire.

— …j'aime beaucoup ta manière de penser.

# 13

Durant les heures qui avaient suivi le moment où Paul Loventano avait été extirpé de la cabine de son camion et enfermé dans une cellule avec une demi-douzaine d'autres chauffeurs, il avait eu le loisir de se dire que son existence aurait pris un tournant différent s'il avait affronté ce genre de situation dans sa jeunesse. Avec le spectre menaçant de la mort et peu de temps pour réfléchir, il en était arrivé à certaines révélations sur lui-même : qui il était, et comment en était-il venu à conduire un camion-citerne dans ce trou perdu d'Arizona le jour où éclatait une mutinerie ? De même, il s'était rendu compte qu'il s'était débrouillé pour passer quarante-quatre ans sur cette planète sans jamais prendre le temps de s'asseoir et de s'étonner des choix qu'il avait faits, des routes qu'il avait suivies. Comme s'il avait passé son temps à attendre que sa vie commence.

Ce n'était pourtant pas comme s'il descendait de six générations de péquenots, comme la plupart des gars du coin, à gagner péniblement sa croûte en coupant du bois ou en servant d'homme à tout faire, à porter le même manteau jusqu'à ce qu'il tombe en lambeaux, après avoir épousé une harpie osseuse et noiraude comme une aile de poulet carbonisée.

Non. Lui, il avait eu toutes les opportunités, toutes les chances de faire quelque chose de lui-même. Comme tout natif de Larchmont, État de New York, Paul s'était vu offrir un éventail de choix bien codifiés. Tout ce qu'on lui demandait, c'était de sortir diplômé avec mention de son collège et d'entrer à Princeton ou à Columbia pour devenir médecin, avocat, ou quelque chose d'aussi épatant. Ensuite il aurait fait sa pelote à Manhattan avant de ramener sa petite famille à Larchmont, juste à temps pour reprendre la demeure ancestrale et coller ses vieux parents dans une maison de retraite.

Il se rendait compte à présent que la différence entre ce scénario et les circonstances présentes se trouvait en gestation dans une succession de ratés qui avaient fini par lui faire perdre le contrôle de son destin pour finalement le laisser en rade, et dans une situation assez désespérée.

Tout avait commencé en classe de terminale, quand il avait mis Mary Ellen Standish enceinte et que, obéissant à ses parents, il avait refusé d'assumer ses responsabilités. Comme c'était clair, à présent... Chaque jour des vingt-sept années suivantes, sa dérobade l'avait rongé et il en avait conçu un sentiment permanent d'indignité, la certitude d'être voué à l'échec et de ne pas mériter mieux que le sort qui était désormais le sien.

Avec de telles convictions, il avait trouvé naturel d'être renvoyé de Brown University, alors que son père avait tiré toutes les ficelles pour l'y faire admettre, et de partir dans l'Ouest l'été précédant son entrée dans une modeste université locale destinée à compenser quelque peu son renvoi. Il lui avait paru également naturel de ne jamais revenir, et d'épouser Edith, puis Sherry, puis Wanda June, et d'engendrer une demi-douzaine de gosses un peu partout dans la région. Des gosses dont il ne parvenait à se rappeler le visage qu'à l'aide de leurs photographies et dont les prénoms lui échappaient. Et tout à l'avenant. Il avait enchaîné les mauvaises décisions jusqu'à se retrouver dans la situation actuelle, enfermé dans une cellule à attendre qu'on l'abatte. Du moins en était-il persuadé. Il n'y avait pas d'autres explications : les mutins venaient chercher les chauffeurs un à un pour les descendre, puisque aucun n'était revenu. Lui non plus ne reviendrait pas.

Aussi, lorsque la porte s'ouvrit pour la cinquième fois, son pouls s'emballa. Il aurait voulu supplier, mais quelque chose l'en empêcha. Le souvenir de Mary Ellen Standish, peut-être. Qui sait ?

La porte grinça. Le détenu, un colosse, avait récupéré ce qui ressemblait fort à un pistolet-mitrailleur Uzi depuis sa dernière visite.

— On y va. C'est ton tour, mon gars.

L'air était chargé d'une lourde odeur de diesel. Le grondement du flot de carburant qui se déversait dans le bâtiment noyait presque le bruit de la pompe. Debout sur le toit de la première citerne, Driver pointait le faisceau de sa torche vers la trappe. La plupart des tirs d'armes légères avaient cessé. Le silence avant la tempête.

— Il va y avoir de cette merde jusqu'aux genoux, là-dedans ! s'esclaffa Kehoe. Faut espérer que personne ne craquera une allumette avant qu'on soit barrés.

Driver releva la tête.

— Coupe la pompe, dit-il à Kehoe.

Quand le bourdonnement s'interrompit brusquement, il y eut une dernière giclée, puis quelques gouttes et un bref silence avant qu'une salve de tirs et des cris résonnent dans le bloc de détention. On aurait dit que quelqu'un suppliait qu'on l'épargne. En réponse, deux coups de feu supplémentaires. La supplication avait été vaine.

Kehoe souleva le tuyau à deux mains et le fit glisser par le trou de la porte.

— Et maintenant, Capitaine ? Je sais pas ce que tu comptes faire pour nous sortir d'ici, mais c'est le moment.

Driver ouvrit la portière passager et en sortit un paquet hermétique qu'il tira jusqu'au sol. Du coin de l'ongle, il souleva le ruban adhésif qui se détacha avec un crissement et le contenu apparut : des salopettes bleu électrique, des bottes de caoutchouc rouges, des casques, des masques à oxygène noirs. Il saisit une salopette, s'assit par terre et passa une jambe, puis l'autre, se releva et tira la fermeture Éclair jusqu'au cou. Il regarda Corso et Kehoe.

— J'ai trouvé ces combinaisons de sécurité parmi l'équipement des gardiens. On va entrer dans cette citerne et se tirer d'ici.

Un silence stupéfait accueillit ses paroles. Puis Kehoe demanda :

— À l'intérieur de la citerne ?

Driver hocha la tête en souriant.

— On va s'asseoir dans le diesel ?

— On n'en aura que jusqu'à la taille.

— Ce truc va nous tuer !

Driver désigna le paquet sur le sol.

— Non, pas si on enfile ces combinaisons, Kehoe. Du moins pas dans l'immédiat.

— Comment ça ?

— Tôt ou tard, soit le gasoil va bouffer le matériau des tenues, soit les filtres des masques vont saturer et il ne nous restera que les émanations de diesel à respirer. Dans un cas comme dans l'autre, on y passera.

Il haussa les épaules et reprit :

— Considérons le côté positif : ils ne nous trouveront pas tant que nos restes n'auront pas obstrué la pompe.

— Et à ton avis, on va rester combien de temps là-dedans ?

— Deux heures... trois au maximum.

— Seigneur ! C'est ça, ton putain de plan ?

— On a laissé partir des chauffeurs dans leurs camions toute la journée. Tout le monde devrait y être habitué, à l'heure qu'il est.

Il tapota la citerne.

— Cet engin appartient à une compagnie locale. Si le chauffeur a une famille, je parie qu'il n'aura qu'une idée : la retrouver aussi vite que possible. Ou bien il s'arrêtera dans son bar favori pour raconter l'histoire à ses potes. Donc, d'une façon ou d'une autre, il va se débarrasser du camion dès qu'il le pourra. À la minute où il en descend, on sort de la citerne et on disparaît dans la nature. Il va s'écouler au moins deux jours avant qu'ils soient sûrs de notre absence.

— Et s'ils décident de fouiller le camion ?

— Le seul moyen c'est de descendre dans la citerne, et je parie qu'ils n'en ont pas plus envie que nous.

Avant que quiconque intervienne, Driver exhiba un téléphone sans fil.

— Sans compter que je leur ai préparé une petite surprise qui va les occuper pendant qu'on file.

Il regarda Kehoe, puis Corso.

— C'est maintenant ou jamais, les amis. Ou vous venez, ou vous restez là. Qu'est-ce que vous décidez ?

— Tout ce que j'ai à décider, répondit Corso, c'est la façon dont je vais mourir.

— C'est la question du jour, Frank. La vie ou la mort.

— Tu es cinglé, Driver.

La lueur qui brillait dans les yeux de Driver conforta Corso dans son opinion. Kehoe avait déjà enfilé la combinaison et, de ses mains gantées, ajustait la cagoule avant de se colleter avec le masque à oxygène. Driver haussa les épaules et lui donna un coup de main.

— Tu es un grand garçon, Corso. Décide-toi.

Corso s'assit par terre et glissa ses pieds dans la combinaison.

— Pour quelqu'un qui n'avait pas l'intention de m'entraîner dans ce foutoir, Driver, c'est stupéfiant comme tu t'es débrouillé pour trouver une combinaison à ma taille.

Driver l'ignora. Il appuya sur un bouton du téléphone.

— Roscoe ?

— Ouais ?

— Amène-nous le dernier chauffeur.

# 14

Paul Loventano n'avait jamais rien vu d'aussi merveilleux que la grande étoile Texaco peinte sur le flanc de son camion Desert Distributing garé entre les bâtiments et semblable à un bel avion d'argent prêt à prendre son envol.

— Les clés sont sur le contact, dit le colosse avant de débloquer la porte d'un coup de pied puis de la claquer derrière lui.

N'en croyant pas sa chance, Paul jeta un regard circulaire. La cour était vide, le ciel couleur d'acier et dépourvu d'étoiles, le sol jonché de débris de verre jusqu'à la cheville. Il avança avec lenteur, comme s'il s'attendait à être happé par une main invisible d'un moment à l'autre. Il était à mi-chemin du camion quand plusieurs détonations lointaines ricochèrent dans l'air nocturne, et soudain le ciel s'embrasa de fusées éclairantes qui balayèrent l'obscurité d'une haute voûte lumineuse, baignant le sol de reflets rouges.

Ces lumières ne présageaient rien de bon. Son instinct lui dicta de sortir de là au plus vite, tant que la situation le permettait encore. Il prit son élan, couvrit les vingt mètres restants avec la vélocité d'un coureur professionnel, saisit la poignée de la portière, sauta sur le marchepied et se retrouva dans l'espace familier de la cabine.

Il lui fallut une pleine minute pour démarrer le moteur. Il joua de l'embrayage plus rapidement que jamais, sentit les roues vibrer sur le ciment et le camion s'ébranla enfin. Paul tourna le volant à deux mains, le pare-chocs avant frôlant la façade. Il s'assura qu'il avait la place de tourner, retint son souffle durant la manœuvre, se retrouva face à la grille principale, passa la seconde et accéléra à travers la cour, droit vers la sortie.

Aux deux tiers de la distance qui le séparait de la grille, celle-ci commença à coulisser. Le sourire de Paul Loventano ne mourut sur les lèvres que lorsqu'il vit le véhicule blindé en travers de la route. Une demi-douzaine de soldats se tenait à l'arrière comme des puces sur le dos d'un chien, fusils pointés sur le pare-brise du camion.

Un sergent monta sur le marchepied et braqua le canon d'un calibre 45 sur l'oreille de Paul.

— Descends.

Paul laissa tourner le moteur et actionna la poignée de la portière. Comme il commençait à glisser de son siège, la porte passager s'ouvrit et il regarda par-dessus son épaule : un soldat grimpait dans la cabine.

Il garda les mains en l'air en sautant au sol. L'automatique toujours enfoncé dans son oreille, on le palpa brutalement, on lui prit son portefeuille. Paul aurait voulu dire qui il était et combien il souhaitait s'éloigner d'ici, mais il ne parvenait pas à émettre un seul son.

L'arme s'abaissa et le sergent, ayant parcouru ses papiers, les lui plaqua contre la poitrine.

— Reprends ça.

Paul attrapa son portefeuille et le pressa contre lui un instant avant de le remettre dans sa poche. Muet, il observa un soldat qui escaladait la deuxième citerne, ouvrait la trappe et scrutait l'intérieur.

— C'est plein ! cria-t-il au sergent qui hocha la tête et lui fit signe d'avancer vers la première citerne.

À peine le soldat s'était-il redressé que soudain, jaillissant de nulle part, l'enfer se déchaîna.

Corso s'était assis le dos contre l'avant de la citerne. Il s'efforçait de respirer à petits coups pour aspirer le moins d'air possible à travers le masque. Il était gelé. Gelé jusqu'aux os par la piscine de diesel qui lui arrivait aux aisselles. Il jeta un coup d'œil à Kehoe, immergé à hauteur de cou et qui commençait à grelotter.

En tournant la tête, il s'aperçut que Driver, courbé en avant, un téléphone dans sa main gantée, se déplaçait posément le long des parois. Ses pieds glissaient prudemment sur le fond de la citerne ; il se plaça directement sous la trappe à demi ouverte. D'un geste lent, il fit sortir l'extrémité de l'antenne à l'extérieur et poussa un bouton. L'écran devint vert. Corso grimaça et serra les poings ; mais avant qu'il ait pu envisager le but de cette manœuvre, la terre trembla violemment deux fois, et un rugissement suivi d'un cri résonna jusque dans la citerne.

Driver revenait vers Corso et Kehoe quand le moteur du camion s'emballa et ils commencèrent à rouler. Le gasoil reflua d'avant en arrière, au point de recouvrir la visière de plastique transparent du masque de Corso, qui ferma les yeux en s'efforçant de ne pas respirer.

Paul Loventano regardait le soldat qui se redressait avant d'avancer sur la citerne, puis, soudain, le vit tendre les bras pour garder son équilibre, vaciller et tomber la tête la première sur le sol. L'esprit fatigué de Paul eut à peine le temps d'enregistrer la chute et le fait que la trappe de chargement était entrouverte quand il ressentit ce qu'il devait décrire plus tard comme « un coup de tonnerre ». L'un de ces instants où l'air semble se figer, où les narines se crispent dans l'odeur âcre de la poudre juste avant que le ciel se déchire dans un éclair fulgurant.

En l'occurrence, il ne s'agissait ni de tonnerre ni d'éclair ou de quelque phénomène naturel, mais du bâtiment administratif qui tentait de décoller telle une fusée. Bouché bée, Paul regarda une éblouissante flamme bleue arracher le bâtiment de brique de ses fondations. En quelques secondes, il s'était scindé en deux. Une partie s'effondrait sur elle-même dans une fournaise non plus bleue, mais orange, qui lançait ses doigts de fumée sale de plus en plus haut dans le ciel. L'autre moitié était en l'air, soufflée en tous sens par la puissance de la déflagration, et projetait des stries de feu dans la nuit.

Le sergent le poussa vers la portière ouverte de la cabine.

— Vas-y ! lui cria-t-il. Tire-toi d'ici avec ton putain d'engin !

# 15

Il l'avait hissée sur le toit, avec un micro et un cameraman japonais qui avait l'art de la filmer en buste tout en reluquant sous sa jupe. L'idée de départ avait été d'enregistrer une introduction avant l'assaut, en positionnant Melanie suffisamment haut pour qu'ils puissent filmer au-dessus de tout le monde, ne laissant qu'elle et Meza Azul dans le cadre pour donner l'impression que leur équipe était la seule sur le coup.

Comme c'était souvent le cas, ce qui avait paru de prime abord une idée simple et sans problème technique s'était révélé un vrai cauchemar. Tout d'abord, l'émission commençait toujours par l'arrivée pleine d'assurance de Melanie sur le plateau, exactement comme si elle venait juste de claquer la porte d'une prison sur un malfaiteur de plus. Néanmoins, sur le toit du camping-car, elle était bien obligée de se tenir le plus tranquille possible. Non seulement elle risquait de glisser et de faire une chute de près de trois mètres, mais de surcroît la surface métallique sous ses pieds grinçait de façon inquiétante au moindre mouvement.

— Essayons encore ! cria Marty Wells d'en bas.

Melanie ajusta le micro à son revers, soupira lourdement et inclina la tête vers Yushi, le cameraman, indiquant qu'elle était prête. Cependant, avant qu'elle ait commencé, une série d'explosions retentit et elle se détourna à temps de la caméra pour voir des arcs de lumière jaillir dans le ciel. Elle ne comprit qu'il s'agissait de fusées éclairantes que lorsqu'elles eurent atteint leur apogée.

Tandis que les boules de feu orange descendaient lentement vers la terre, Melanie se retourna vers la caméra avec un rapide geste rotatif du poignet. La lumière rouge apparut et Yushi se mit à filmer.

— Ici Melanie Harris pour « Chasse à l'homme », annonça-t-elle en tendant le bras. Ce soir je vous parle depuis Musket, Arizona. Nous nous trouvons devant l'entrée du pénitencier de Meza Azul, tombé voilà dix-huit heures aux mains des détenus mutinés. Plus de cent soixante membres du personnel pénitentiaire, retenus en otages par quelques-uns des pires criminels des États-Unis, sont en danger de mort.

Elle jeta un bref coup d'œil à Marty qui souriait de toutes ses dents et opinait constamment du chef comme une poupée mécanique.

— En ce moment même, la tension semble monter d'un cran. En effet, la garde nationale se prépare à lancer l'assaut.

À cet instant, un nouveau grondement, plus profond, se fit entendre. Elle se tourna juste à temps pour voir surgir un semi-remorque Texaco de l'arrière des bâtiments et prendre le virage de justesse, tel un gros insecte articulé.

— On dirait bien que nous assistons, chers téléspectateurs, à la libération d'un nouveau camionneur.

Les grilles commencèrent à coulisser. Melanie darda un regard intense dans le viseur de la caméra.

— Toute la journée, pour des raisons connues d'eux seuls, les détenus ont laissé partir les camionneurs qui avaient eu la malchance de se trouver sur les lieux quand l'émeute a éclaté.

Elle pivota à demi vers la cour où les soldats avaient garé un véhicule blindé en travers de la sortie. Le camion Texaco s'arrêta au moment où les fusées s'éteignaient en retombant à terre.

— Ainsi qu'elles l'ont fait toute la journée, les autorités procèdent à une inspection complète du châssis et du toit.

Bien que l'angle de prise de vues de Yushi ne lui permette pas de filmer au niveau du sol, Melanie ne s'inquiétait pas : l'équipe à terre devait être en train d'enregistrer les images du conducteur extirpé de sa cabine.

— Voici le chauffeur. On le fouille.

Elle laissa passer un silence, observant l'homme qui baissait les bras.

— Les autorités semblent satisfaites et examinent le camion.

De nouveau, elle supposa que l'autre équipe filmait et reprit :

— Comme vous pouvez le voir…

Plus tard, les vidéos et la bande-son révélèrent que le sous-sol du bâtiment administratif avait implosé quand il y avait eu assez d'oxygène pour déclencher la déflagration. Une seconde après, un énorme souffle avait rugi dans l'air tandis qu'un brasier d'éblouissantes flammes bleues prenait le bâtiment dans ses griffes et l'arrachait à ses fondations, soulevant l'intégralité de la structure avant de la relâcher. Les parties qui n'avaient pas été réduites en décombres volants retombèrent dans le chaudron de feu.

L'onde de choc mit une seconde et demie pour traverser la cour, fauchant Melanie qui fut jetée face la première sur le toit du camping-car par la puissance de l'explosion. Une sensation de lourdeur dans ses pieds et ses chevilles lui fit deviner que le tiers inférieur de son corps pendait dans le vide. Elle se propulsa en avant comme un crabe, se servant de ses genoux et de ses coudes pour se remettre en sécurité. Une pluie de poussière, de briques et de verre se mit à tomber alors qu'elle se redressait en titubant. De l'autre côté du toit, Yushi respirait avec peine, la bouche grande ouverte, les yeux fixés sur ses paumes retournées. Un petit filet de sang coulait de son nez, traversait ses lèvres et gouttait de son menton. La moitié d'une brique ricocha sur le toit.

— Filme ! cria Melanie.

Il s'essuya les mains et colla de nouveau son œil à la caméra.

— Vous avez pu le voir vous-mêmes, chers téléspectateurs. Une énorme explosion a ébranlé… non, ébranlé n'est pas le mot, une explosion a complètement détruit…

Un autre gros débris secoua le camping-car en tombant et couvrit son commentaire. Quand la caméra eut fini de tressauter, Melanie avait retrouvé son aplomb et était redevenue...

— Melanie Harris, en direct de Musket, Arizona, pour « Chasse à l'homme » !

Au sol, la deuxième équipe filmait de nouveau. Melanie reprit :

— La garde nationale est en train d'entrer. Les deux premiers véhicules blindés avancent à vive allure dans la cour de la prison. En voici deux autres, et encore deux.

Un mur de suie et de flammes s'élevait de la carcasse du bâtiment administratif, oblitérant presque le pénitencier. Des sirènes se firent entendre à quelque distance. Un haut-parleur diffusait des ordres mais Melanie ne parvenait pas à les comprendre. Elle regardait, stupéfaite, les deux Stryker de tête s'arrêter à une quarantaine de mètres du bloc cellulaire ; elle laissa les images parler d'elles-mêmes, une astuce empruntée aux commentateurs sportifs.

Le premier Stryker se mit à mitrailler lourdement le bâtiment. Par-dessus le rugissement des flammes et le crépitement des armes, des cris montaient des cellules. Les hayons se soulevèrent alors dans un parfait ensemble, les soldats dissimulés à l'intérieur sautèrent à terre et coururent vers le bâtiment. Melanie se dit, bizarrement, que la façon dont les soldats cachés jaillissaient des engins ressemblait fort à l'histoire du cheval de Troie. Elle reprit la parole :

— Chers téléspectateurs, l'assaut a commencé. Les véhicules blindés déploient leurs troupes. En cet instant même, les premiers assaillants ont ouvert une brèche dans l'une des portes du rez-de-chaussée et entrent dans la prison.

Elle hésita. La cour grouillait de soldats qui se protégeaient derrière les blindés en traçant leur chemin à travers les décombres. Melanie sentit le sang lui monter aux joues, presque comme si elle s'était trouvée parmi eux avec un fusil. Elle fit de nouveau signe à Yushi.

— En direct avec « Chasse à l'homme », Melanie Harris vous parle aujourd'hui de Musket, Arizona, tandis que…

# 16

— Des dégâts ? balbutia Dallin Asuega. Il ne s'agit plus de dégâts, pour l'amour de Dieu, mais du bâtiment tout entier qui a…

Il chercha ses mots, se força à les dire :

— … qui a disparu ! Vingt-trois millions de dollars, et il n'en reste rien ! Vaporisé, réduit en cendre ! On peut sans doute ajouter vingt autres millions pour les dommages du bloc cellulaire.

Il s'interrompit, accablé par ses propres paroles.

— Et je ne parle que de la structure. Dieu seul connaît l'ampleur de la casse à l'intérieur.

Il jeta un coup d'œil à la télévision. CNN devait avoir loué un hélicoptère, le bruit des rotors couvrait la voix de la journaliste : « …nous survolons le centre pénitentiaire de

Meza Azul, où des unités de la garde nationale de l'Arizona et du Nevada… »

— Éteignez ce fichu machin, ordonna Asuega.

Iris Cruz leva un sourcil interrogateur en direction d'Elias Romero comme pour lui demander si elle devait obéir à l'injonction. À l'instar de la plupart des hommes, Romero aimait se croire impénétrable, mais elle lisait en lui aussi aisément qu'elle déchiffrait un menu de restaurant. Tout cela lui donnait des sueurs froides. Au moins autant que lorsqu'elle le harcelait pour qu'il quitte sa femme. Il essayait d'imaginer de quelle façon cette histoire allait lui retomber dessus. Typique. Il croisa brièvement son regard et hocha imperceptiblement la tête pour lui signifier de baisser le volume sans couper l'image.

Sur l'écran, on voyait, filmés depuis une altitude de trois cents mètres, un trio de camions de pompiers déversant de l'eau à haute pression sur les décombres fumants de ce qui avait été le bâtiment administratif. L'angle de vue changea, révélant rangée après rangée de prisonniers à plat ventre dans la cour, les mains nouées dans le dos avec des bandes de plastique blanc. Tous entièrement nus, le visage tourné de côté et les fesses en l'air. Peu importait que le son soit coupé, les images parlaient d'elles-mêmes, et de toute façon le commentaire écrit se déroulait en bas de l'écran. Iris Cruz eut du mal à ne pas rire.

Mais M. Asuega, lui, ne s'amusait pas du tout. Son teint virait à l'aubergine tandis qu'il regardait. Tout le monde avait l'air hypnotisé, bouche bée devant la télévision. Iris n'essaya pas de lire, les mots défilaient toujours trop vite pour elle. Elle plaqua la main contre sa bouche pour cacher son hilarité.

Puis les chemises bleues apparurent. Les hommes, deux par deux, agitaient les mains comme des enfants qui jouent. Des rangées de soldats, armes au poing, les encadraient, les poussaient en avant, formant une ligne compacte entre les gardiens et les prisonniers dénudés.

— Ils ont sauvé les otages, dit Romero.

— Dieu merci, chuchota quelqu'un.

— Combien ?

— Pourquoi ont-ils les mains en l'air ? demanda Asuega. Ça leur donne l'air de coupables.

La caméra filmait en plan large les hommes et les femmes en bleu, alignés contre la clôture, mains posées sur le grillage, jambes écartées, comme l'exigent les flics. Asuega était outré.

— Regardez-moi ça. Qu'est-ce qu'ils font ? Pourquoi les aligne-t-on ainsi ?

Personne ne répondit. Dans la pièce baignée de soleil, tous regardaient sur le petit récepteur les gardiens qui sortaient deux par deux des cellules, comme des veaux d'une bétaillère, puis s'alignaient contre la clôture. La ligne semblait s'allonger à l'infini, puis la couleur des uniformes passa du bleu au blanc.

— C'est le personnel des cuisines, dit quelqu'un.

De blanc, les uniformes devinrent gris.

— Entretien et services sanitaires, commenta Romero, dont la grosse figure ronde se fendit d'un sourire. On dirait qu'ils ont presque tout le monde, ajouta-t-il avec espoir.

Quand il ferma les yeux en priant silencieusement, Iris se remit à l'aimer. Mais elle changea d'avis dès qu'il reprit la parole.

— On devrait commencer à téléphoner aux familles. Il vaudrait mieux qu'elles n'apprennent pas ce qui est arrivé par la télévision.

Un murmure d'approbation courut dans la pièce.

— Iris...

Iris était sur le point d'aller lui chuchoter à l'oreille qu'il était inutile d'appeler les familles chez elles, parce qu'elles étaient déjà là, sur la route, derrière les barrières et les soldats, attendant des nouvelles de leurs proches, quand la porte s'ouvrit à la volée. Le colonel Williams entra, une joue maculée de noir et les jointures de la main gauche en sang. Il jeta ses gants de cuir dans son casque qu'il coinça sous son bras. Son épaisse chevelure cendrée était poissée de transpiration. Il salua d'un brusque signe de tête et des gouttes de sueur coulèrent le long de son nez. Il s'essuya le visage d'un revers de manche, se reprit aussitôt.

— J'ai besoin des dossiers du personnel. N'importe quoi d'officiel avec une photographie.

Asuega s'avança et désigna la télévision.

— À quoi vous jouez, là ?

— À ce que mes hommes fassent votre boulot. Au cas où vous ne l'auriez pas remarqué, on a récupéré les otages.

— Combien ?

— C'est ce qu'on essaie de déterminer.

Il se tourna vers Romero.

— Alors, ces dossiers ?

Romero haussa les épaules d'un air résigné, et pointa le doigt sur la télé.

— Ils étaient rangés dans le bâtiment administratif.

Williams eut un rire bref comme pour dire

« Ben voyons ». Asuega se planta devant lui.

— Pourquoi les membres de notre personnel sont-ils traités comme des criminels ?

— Parce que certains le sont probablement, répondit le colonel. On vient juste de secourir vingt personnes de plus que celles qui étaient portées manquantes, et je parie qu'il y a des détenus parmi elles. Donc, personne ne bouge avant qu'on détermine qui est qui.

— Je peux vous envoyer des surveillants, intervint Romero. Et demander l'aide des ressources humaines. Mon assistante, Mme Cruz, et moi-même connaissons la plupart des membres du personnel. On pourrait…

— Laissez tomber, coupa le colonel. On va procéder aux vérifications d'identité et quand on en sera sûrs, on renverra les gens dans leurs familles.

Il tourna son attention vers Asuega. L'écran montrait à présent les torrents d'eau déversés sur les décombres encore rougeoyants du bâtiment administratif. Les images rappelèrent quelque chose au colonel.

— Monsieur…

Il s'interrompit, une lueur dans l'œil.

— Asuega.

— Monsieur Asuega, j'ai fait part de votre allégation au chef des pompiers.

— Quelle allégation ?

— Celle selon laquelle mes hommes seraient responsables de la destruction de votre bâtiment.

— Et ?

— Et il m'a prié de vous informer que celui-ci a été détruit par une explosion de gaz naturel mêlé d'une importante quantité de combustible encore indéterminé, mais probablement du gasoil.

Asuega ouvrit la bouche mais Williams le prit de vitesse.

— Je crois que ses mots exacts sont « des milliers de litres ». Il vous propose de l'appeler si vous avez des questions à poser.

Quoi qu'il ait eu à rétorquer, Asuega le garda pour lui.

# 17

Glacé jusqu'aux os, à peine capable de plier les doigts, Corso s'adossa de nouveau à la paroi de la citerne et ferma les yeux pour ne plus voir osciller les vagues de diesel. Il avait l'impression d'être là-dedans depuis des heures quand le camion fit halte pour la quatrième fois, puis redémarra, parcourut une courte distance, s'arrêta encore. Dix secondes plus tard, le moteur se tut et ce fut le silence.

Driver alluma sa torche et, d'un signe, fit comprendre aux deux autres de se tenir tranquilles. Ils attendirent. Après une éternité, Driver se hissa jusqu'à la trappe qu'il souleva entièrement de sa main gantée en prenant garde à ne pas la laisser retomber bruyamment. La lumière pourpre des réverbères scintilla sur la surface frémissante de la piscine de diesel. Driver passa une épaule, puis l'autre, dans l'ouverture et sortit à l'air libre. Le carburant clapotait dans la citerne.

Incapable de se mettre debout, Corso rampa sur les genoux. Le temps qu'il atteigne la sortie, Kehoe l'avait rejoint et tentait de le repousser ; Corso rassembla ses dernières forces, se libéra de la poigne de Kehoe et se leva. Il glissa une épaule dans l'ouverture et Driver le hissa à l'extérieur.

Ils étaient garés dans une halte routière entourée de grillage, baignée de la lumière artificielle d'une douzaine de lampes au mercure. À une quarantaine de mètres, le mot *Bureau* en néon rouge clignotait sans fin dans la vitrine d'une baraque délabrée. Sur le toit, des lettres maladroites de près de deux mètres indiquaient *Desert Distributing*. La clarté fluctuante d'une télévision sautillait à l'intérieur.

Tout huileux et suintant de gasoil, Corso était obligé de rester à plat ventre en se retenant à deux mains pour ne pas glisser du toit de la citerne. Il regarda Kehoe s'extirper avec maladresse du ventre de la bête.

Ils attendirent. De nouveau, il sembla que des heures s'écoulèrent avant que Driver, assuré qu'ils n'avaient pas été vus, se mette à ramper lentement à quatre pattes vers l'arrière, franchisse l'espace entre les deux citernes et atteigne enfin l'échelle en aluminium à l'extrémité. Quelques centimètres à peine séparaient son visage protégé par le masque de plastique de celui de Corso, allongé sur le ventre, quand Driver se retourna et entama sa descente.

Corso et Kehoe le suivirent, et le trio se retrouva derrière le camion. Il leur fallut bien cinq minutes pour s'extraire mutuellement des combinaisons. Malgré leurs précautions, un filet de diesel par-ci, quelques gouttes par-là s'étaient faufilés dans leurs manches, leur encolure.

Driver ramassa les équipements, en fit un ballot qu'il serra d'une main contre lui, et indiqua les lumières clignotantes qui provenaient de la cahute.

— Va voir qui est là-dedans, dit-il à Kehoe. Regarde quel genre d'engin il conduit. Encore mieux si on a les clés.

Kehoe glissa la main dans sa poche et disparut dans l'obscurité.

— Fais-moi la courte échelle, demanda Driver.

Corso obéit en chuchotant entre ses dents serrées :

— Ce cinglé va descendre le type qu'il trouvera là-bas.

Driver plaça son pied dans les mains croisées de Corso.

— Ça l'aidera à se sentir mieux. Supérieur, répondit-il avec un grognement d'effort. Plus haut, Frank !

Corso se servit de sa colère rentrée pour hisser Driver jusqu'à ce qu'il puisse prendre appui sur son épaule. En un tour de main, celui-ci balança les combinaisons par l'ouverture de la citerne et sauta à terre. Au même instant, un cri jaillit de la baraque, puis un second suivi d'une longue plainte gargouillante et résignée, du genre qu'un être humain n'émet qu'une seule fois.

La gorge de Corso se serra.

— Je ne veux pas être mêlé à ça, lança-t-il avec un geste abrupt. J'en ai assez. Je me tire.

Driver lança son bras sur les épaules de Corso. Celui-ci le prit pour un geste fraternel avant de remarquer l'automatique noir dans la main de Driver, qui lui en caressa doucement la joue du bout du canon.

— Je crois que tu ferais mieux de rester encore un peu avec nous, Frank, dit-il en soupirant. On a deux jours d'avance. J'ai des trucs à faire, et je détesterais vraiment qu'on se mette en travers de mon chemin.

Il poursuivit sans laisser à Corso le temps de répliquer :

— Je sais, je sais. Tu ne dirais rien avant qu'ils s'aperçoivent de notre départ.

Il fit de nouveau aller et venir le canon de l'arme sur la joue de Corso.

— Je te fais confiance, Frank, vraiment. Tu me dis que tu ne nous dénonceras pas et je te crois. Mais mon pote Kehoe, là-bas... il ne fait confiance à personne. Je ne pense pas qu'il prendra le risque de laisser traîner un témoin tel que toi derrière nous, si tu vois ce que je veux dire.

Corso se dégagea de son étreinte.

— Ce type est un tueur-né, mon vieux. Il tue comme d'autres changent de chaussettes.

Driver acquiesça.

— On se fait de drôles de copains en prison, je sais.

Il tendit le bras vers Corso, qui recula d'un pas.

— L'homme que je connaissais ne restait pas là sans bouger pendant qu'un fou furieux assassinait pour lui, dit Corso. L'homme sur lequel j'ai écrit un livre avait le sens de l'honneur, et de la fierté. C'était un type bien pris dans une sale histoire. Il...

Le canon de l'automatique fut pressé contre sa mâchoire, l'obligeant à ravaler ses paroles. Driver s'approcha à un centimètre de son nez.

— Cet homme a vu les reflets, murmura Driver. Il a vu la lumière jaillir des reflets.

Ses propres mots semblèrent l'apaiser.

— Tu vis face à une caméra vingt-quatre heures sur vingt-quatre, sept jours sur sept, continua-t-il. Tu ne vois jamais personne. Tu ne parles à personne. On t'observe pendant que tu te laves les dents, que tu es sur les chiottes...

Il avait le souffle court, les yeux brillants d'un éclat que Corso n'avait encore jamais vu.

— Soit tu vois la convergence, soit tu crèves là sur le carrelage.

— La convergence ?

— Tu ne peux pas comprendre.

— Et Kehoe, il la voit, la convergence ?

— La seule chose que j'ai en commun avec Kehoe, c'est que ni lui ni moi ne retournerons vivants en prison.

Un bruit de pas s'approchant le fit taire. Kehoe apparut à l'angle du camion.

— Je nous ai dégotté un pick-up, pourri mais équipé pour le camping et tout, annonça-t-il. J'ai nettoyé derrière moi et j'ai flanqué le vieux à l'arrière. Comme ça personne ne cherchera la bagnole tout de suite.

Il dirigea son inquiétant regard vers Corso.

— Et la tapette ? À mon avis, on n'a plus besoin de cet enculé.

— Moi, j'en ai besoin, rétorqua vivement Driver. J'ai quelque chose à faire et je veux qu'il le raconte.

Kehoe réfléchit.

— C'est quoi, cette manie de vouloir raconter ton histoire, Capitaine ? Tu te prends pour un héros, tu crois que les gens s'intéressent à toi ?

— Tout le monde veut raconter son histoire.

— Pas moi. Ceux qui voudront parler de moi quand je serai mort... Rien à foutre. Qu'ils racontent ce qu'ils voudront.

— Fichons le camp, intervint Corso.

Il fit un pas, mais Kehoe l'arrêta net en posant la main sur sa poitrine. Une main si énorme qu'elle aurait pu appartenir à un homme beaucoup plus imposant.

— Pour l'instant tu viens, dit Kehoe. Mais tu gigotes... tu pètes... tu fais un truc qui me rend nerveux... t'es mort. Compris ? Histoire ou pas, Capitaine ou pas. Tu fais seulement ce qu'on te dit de faire ou t'es mort.

Les réverbères sifflaient. Corso hocha la tête.

Kehoe se détourna et s'éloigna. Corso et Driver lui emboîtèrent le pas.

Le pick-up était vraiment pourri. C'était une vieille Chevrolet des années 70, sans plus d'enjoliveurs, sa peinture autrefois bleue s'était oxydée en une patine satinée, surmontée d'un habitacle de la marque Caveman. Le gentil homme des cavernes du logo contemplait avec horreur le trio réuni à la portière arrière.

Driver tapa sur l'épaule de Corso.

— Tu as ton permis de conduire, Frank ?

Corso acquiesça.

— Alors ça baigne.

# 18

L'aube jaillit comme une flamme. Une flammèche solitaire dans les ténèbres, qui disparaît soudain comme si elle avait perdu courage, puis renaît en deux, trois, quatre étincelles qui bientôt deviennent un feu courant sur la silhouette des montagnes de San Cristobal dressées en sentinelle, dont les crêtes dessinent un sourire sardonique de citrouille d'Halloween sur le ciel.

Corso cligna des yeux et abaissa le pare-soleil. Personne n'avait prononcé un mot depuis une heure. La cabine de la camionnette sentait la sueur et l'huile de moteur.

L'éclat du soleil le tira de son rêve éveillé. Il s'était revu dans le vieux pick-up Chevrolet de son père sur la route 74 par une chaude journée d'été ; les vitres baissées laissaient tournoyer l'air épais comme un ouragan tropical. Il observait les mains de son père posées sur le volant. Des mains brisées et déformées par les Nord-Coréens jusqu'à ressembler à des racines, comme si les siennes, les vraies, il les avait laissées derrière lui, dans ce camp d'internement pour prisonniers de guerre, enterrées dans la même tombe froide que l'humanité et la gentillesse qui avaient été les siennes autrefois. Une petite larme roula sur la joue de Corso. Il l'essuya d'un revers de manche et jeta un coup d'œil, sur sa droite, à Driver et Kehoe qui dormaient.

Le spectacle et la musique de la liberté avaient envoûté les deux hommes et les avaient laissés hébétés tandis qu'ils roulaient vers l'ouest dans le jour naissant sur le désert. Le soleil dans leur dos et le geste de Corso les tirèrent de leur léthargie.

— On est où, là ? demanda Kehoe.

— À moins de quatre-vingts kilomètres de Phoenix, répondit Corso.

Driver s'étira.

— Il reste de l'essence ?

— Un quart du réservoir environ.

— J'ai une faim de loup, reprit Kehoe.

Driver se pencha en avant et donna un petit coup de revolver sur l'oreille de Corso.

— Combien d'argent as-tu ?

Corso réfléchit.

— Pas plus de vingt dollars. Mais plusieurs cartes de crédit.

Kehoe tourna la tête.

— C'est bon. Arrêtons-nous et...

— Pas de cartes, coupa Driver. On commence à s'en servir, et ils nous tombent dessus en un clin d'œil. On doit se débrouiller avec du liquide.

— Justement ce qu'on n'a pas.

— Alors, va falloir en trouver.

— À quoi tu penses ?

Driver réfléchit une minute.

— Ce qu'il nous faut, c'est des armes et du fric. Il n'y a pas mieux pour aller là où on va.

— Envoyez-nous des avocats, des fusils et du fric, on est dans la merde jusqu'au cou ! entonna Kehoe.

— Et où va-t-on ? demanda Corso.

— Géographiquement ou philosophiquement ? répliqua Driver.

— Les deux.

— Droit à l'est et en enfer. Et toi, Kehoe, tu as quelque part où aller ?

Kehoe se concentra un instant.

— J'y ai pas pensé. Tout ce que je me suis dit, c'est que je ne voulais pas crever en taule. Je préfère mourir au bord de la route comme un chien plutôt que finir dans une de ces boîtes en bois où on met les taulards.

Les yeux dans le vague, il semblait fixer un point au-delà de l'horizon.

— Rien ni personne ne m'attend. Putain, je suis au trou depuis trop longtemps ! À part les neuf mois où je suis sorti en 84, j'ai passé pratiquement vingt-cinq ans en cabane. Tous ceux qui auraient pu penser à moi sont probablement morts, à c't'heure.

Son regard alla de Corso à Driver.

— J'ai nulle part où aller. Je veux juste foutre le maximum de bordel avant d'y passer.

— Noble ambition, dit Driver.

Le silence retomba.

Une succession de petites buttes apparut sous le ciel qui commençait à s'éclaircir. La route à deux voies se déroulait à l'infini devant le pick-up. Ce paysage ne ferait jamais la une de *Sunset Magazine*. Pas de panorama à la Monument Valley, pas de superbes cactus saguaros s'étirant vers le paradis, ni de minuscules fleurs de désert attendant le matin pour offrir leurs délicats pétales. Non. Ici, c'était un no man's land. Une terre que Dieu n'avait jamais pris la peine d'achever, ou peut-être au contraire usée jusqu'à la corde avant de s'installer sur de plus verts pâturages. Une terre aride, effondrée sur elle-même en de multiples ravines, souillée de décharges sauvages, de carcasses de voitures brûlées et de pathétiques buissons de mesquite jonchés d'immondices.

Un semi-remorque fonça sur eux dans la pénombre en rugissant, fracassant l'air comme un train de marchandises et faisant tanguer le vieux pick-up sur ses amortisseurs. Les trois hommes en eurent le souffle coupé.

— Enculé ! cracha Kehoe.

Un peu plus loin, un panneau indiquait : *Flint 1,5 km*.

— Stop. On va faire le plein avec ton fric, Corso, dit Driver. Et peut-être utiliser les toilettes.

— Sûr que j'ai besoin de vidanger la tuyauterie, approuva Kehoe.

L'enseigne annonçait *Mad Mike's Café*, sa spécialité : *Thunderbird Burger*. La baraque supportait tellement d'ajouts qu'on aurait dit un transport de bois après un carambolage. Une baie vitrée courait le long de la façade. Il y avait des tabourets de bar et des box à l'intérieur. Devant, une demi-douzaine de pompes à essence Chevron, une de super, une de sans-plomb et quatre de diesel. Trois voitures et un pick-up étaient parqués dans les mauvaises herbes, plus cinq ou six gros camions disséminés sur l'aire de stationnement gravillonnée.

Ils semblaient stationnés là pour la nuit.

Corso s'arrêta à la pompe de super. Deux dollars et dix cents le gallon. Il descendit et fouilla ses poches, trouva six dollars et quinze cents. Driver et Kehoe sortirent à leur tour, s'étirèrent en grognant et regardèrent autour d'eux tandis que Corso tentait de faire fonctionner la pompe.

— Je reviens, dit Kehoe.

Corso découvrit la petite carte à demi effacée scotchée contre la pompe.

— Il faut payer d'abord, dit-il.

Driver contourna le pick-up, vérifia le cran de sûreté de son automatique qu'il transféra de sa poche de pantalon à sa ceinture, resserra celle-ci de deux crans, ajusta sa chemise pardessus et dit d'un ton navré :

— On ne fait plus confiance à personne, de nos jours.

Melanie dissimula son bâillement derrière sa main. Ses oreilles se débouchèrent soudain et elle se demanda combien de temps elle était restée à demi sourde, et si elle n'avait rien raté d'important. Marty Wells passa une main dans ses cheveux clairsemés tout en lui tapotant l'épaule de l'autre.

— On dirait que la fête est finie, dit-il.

Comme à son habitude, il ne faisait que souligner l'évidence : la cour de la prison était quasiment déserte. Seuls demeuraient les pompiers qui surveillaient les décombres fumants du bâtiment administratif. Les détenus avaient été rhabillés de survêtements orange vif et ramenés dans leurs cellules. Quelques-uns avaient hurlé et s'étaient débattus, mais la plupart s'étaient laissé escorter par de solides officiers de la patrouille d'État.

En premier lieu, on avait séparé dix-huit détenus des otages parmi lesquels ils s'étaient glissés. Ensuite, responsables de la prison, collègues et proches avaient été requis pour identifier les gardiens, et bientôt les échos de retrouvailles pleines d'émotion s'étaient élevés dans l'aube.

Le bruit courait qu'on comptait une centaine de victimes parmi les détenus et aucun dans la garde nationale, mais rien n'était officiel et ne serait communiqué avant le milieu de l'après-midi.

— Je vais au motel, annonça Marty. Il ne se passera plus rien ici.

— Ça fait longtemps que je n'avais pas passé une nuit blanche, dit Melanie.

— On a des enregistrements géniaux.

— Pas plus que la concurrence.
— Tu oublies l'autre ?
Melanie eut un frisson.
— Je ne te l'ai pas dit, Melanie…
— Quoi donc ?
— La chaîne n'attendra pas mercredi. On fait une édition spéciale ce soir.
Devant la mine blême et hagarde de Melanie, Marty songea qu'il devait en toucher un mot à la maquilleuse et à l'habilleuse, puis fit ce qu'il faisait toujours dans ces cas-là : essayer de lui remonter le moral. Pressentant le coup, elle détourna le regard.
— Je vais avoir du nouveau, reprit-il.
— Ah oui ?
— De la même source que la vidéo.
— Quelque chose de moins morbide, j'espère.
— Tout ce qu'ils savent sur ce type, Driver.
Elle étouffa un autre bâillement.
— Si je ne dors pas un peu, demain j'aurai l'air de la Fiancée de Frankenstein.
Il se garda bien d'acquiescer.
— À plus tard, Melanie.
Debout dans l'aube nouvelle, elle le regarda s'éloigner, se demandant comment il arrivait à conserver son optimisme, à garder la tête hors de l'eau.

Elle ne trouva pas, posa la main sur la poignée de la portière et monta dans son camping-car.

# 19

Six minutes avant neuf heures, en un lumineux matin sur le désert. Ils étaient garés devant une station de lavage en self-service, en face d'une armurerie. *Crosshairs Guns and Ammo, le plus beau stand de tir en salle de la région de Phoenix*, proclamait l'enseigne.

Driver en profitait pour nettoyer le pare-brise, tandis qu'ils attendaient Kehoe parti examiner les lieux.

— Que les choses soient claires, Frank. Si tu fais foirer le truc, je t'en colle une dans la colonne vertébrale.

— Je refuse d'être mêlé à ça, insista Corso.

— Déconne pas.

— Allez, mon vieux !

— Tu m'as compris ou pas ?

Corso s'apprêtait à argumenter encore quand Kehoe les rejoignit.

— Ils sont deux. Arrivés ensemble, stationnés à l'arrière sur le quai de chargement. Chacun a un flingue à la ceinture.

— Il y en a sans doute un qui gère le stand de tir pendant que l'autre s'occupe de la boutique, dit Driver.

— C'est bourré d'alarmes. De grosses sirènes bien bruyantes à l'extérieur, et sûrement un système silencieux aussi.

— Va falloir jouer serré, dit Driver. Trois, quatre minutes maxi.

— Et personne derrière nous pour appuyer sur un bouton, ajouta Kehoe.

Corso en eut la nausée et la tête lui tourna. Il se cala contre le pare-chocs du pick-up et s'ébroua pour clarifier ses idées.

— Ma parole, elle va être malade ! se moqua Kehoe.

— Laisse-moi m'occuper de lui, d'accord ? rétorqua Driver.

— On se faciliterait la vie si on lui en collait une et qu'on le foutait à l'arrière avec l'autre.

Driver indiqua du menton le magasin de l'autre côté de la rue. La pancarte *Fermé* sur la porte avait été retournée côté *Ouvert*.

— On y va. On se gare derrière et on fait le tour à pied.

Corso hésita.

— Pourquoi ne me laisses-tu pas tout simplement…

— Monte, fit Driver. Je ne le répéterai pas.

Une fois les essuie-glaces mis en route, Corso remarqua la fresque peinte sous l'enseigne du magasin. Un paysage de brousse, avec un type du style « Ramar de la Jungle [1] » qui pointait son fusil sur un éléphant prêt à charger. Des flammes sortaient du canon. L'éléphant reculait sous l'impact. Très colonialiste, tout ça.

Corso passa la première et sortit de la station de lavage. Le trafic matinal dans la vallée du Soleil était à son comble. Une ligne ininterrompue de véhicules, camions et berlines familiales, remorques à chevaux et Honda, circulait dans les deux sens. Corso dut patienter quelques minutes, dans une ambiance pleine de nervosité, avant de traverser la chaussée vers le parking de l'autre côté. Les roues écrasèrent le gravier quand il contourna le bâtiment pour se garer à l'arrière, à côté d'une Cadillac verte, à l'extrémité du quai de chargement.

Il tenta encore de résister mais Driver n'en

---

**1. « *Ramar of the Jungle* » : série télévisée américaine de 1952 à 1954 sur les aventures d'un médecin de brousse (« *ramar* » signifie médecin blanc). (N.d.T.)**

tint aucun compte et le fit avancer d'un signe de tête avant de lui emboîter le pas en direction du magasin. L'éclat du soleil blessait les yeux et chauffait les joues.

— S'il demande des papiers d'identité, tu donnes les tiens, Frank.

— Je n'ai pas payé mes amendes.

Kehoe eut un rire narquois.

— T'es un vrai dur, alors !

— Donne-lui tes papiers, c'est tout. Et s'il te pose une question, tu réponds.

— Que veux-tu que je lui…

— Invente, Frank. C'est comme ça que tu gagnes ta vie, non ?

Driver lui saisit le bras et ajouta :

— Ça va marcher, mon pote. Tout est en place.

Un bref coup d'œil à Kehoe prouva à Corso qu'il n'en savait pas plus, mais ils gravissaient déjà les marches de l'entrée et leurs questions se dispersèrent comme des badauds.

Une sonnerie stridente se déclencha quand ils poussèrent la porte. Derrière le comptoir, un gros rouquin en tee-shirt noir se redressa et balaya le trio du regard. Ses cheveux clairsemés étaient peignés en arrière, laissant son crâne couvert de taches de rousseur luire sous les néons. À son expression, on aurait dit qu'il souffrait d'une rage de dents.

Quelque chose dans l'attitude des nouveaux venus l'alerta immédiatement. Corso ralentit mais Driver buta contre lui et l'obligea à avancer. Kehoe se dirigea vers les vitrines d'armes de poing. Le type carra les épaules.

— Je peux vous aider ?

— Eh bien, bredouilla Corso, je... j'aurais voulu offrir un revolver à mon frère pour son anniversaire.

Le tee-shirt du vendeur était orné du même logo que l'enseigne : le chasseur en tenue coloniale, la mire d'un fusil au-dessus, des armes et des cartouches au-dessous. Il crocheta son pouce à sa ceinture, laissant pendre ses doigts à quelques millimètres de la crosse dans son holster.

— Quel genre de revolver ?

— Oh, je ne sais pas exactement... peut-être...

— Celui-là, intervint Kehoe à l'autre bout du magasin en tapotant une vitrine.

L'homme se dirigea vers lui en longeant lentement le comptoir qui le séparait des clients, sa main toujours prête à dégainer. En chemin, il avait dû actionner un bouton ou marcher sur un déclencheur ou quelque chose, car la porte du stand de tir s'ouvrit sur sa copie conforme.

Corso se rendit vite compte que l'homme qui venait d'entrer était beaucoup plus âgé que le premier, peut-être assez pour être son père. Mêmes cheveux roux et robuste carrure, même expression chagrine. Il tint ouverte l'épaisse porte insonorisée tandis que le plus jeune passait devant lui vers Kehoe, penché sur la vitrine comme un gamin devant une pâtisserie.

— Vous avez des goûts de luxe, commenta le vendeur. Ceci est un Colt Python Elite 357. En acier, avec un canon de quatre pouces. Beaucoup le considèrent comme le meilleur revolver du monde.

— Faites voir, dit Kehoe.

— Mille cent dollars net.

Kehoe eut un geste d'impatience.

— Faites voir.

— J'aurais besoin de papiers d'identité et d'une carte de crédit.

Un silence pesant envahit le magasin. Les deux hommes échangèrent un regard entendu, mais d'un nouveau coup dans le dos, Driver fit comprendre à Corso qu'il était temps de sortir son portefeuille. Aussi lentement que possible, celui-ci extirpa deux cartes de crédit qu'il posa sur le comptoir vitré. Le plus jeune les ramassa et les approcha de son visage. La vue d'une American Express Gold Card et d'un permis de conduire de l'État de Washington apaisa la tension grandissante, comme si chacun avait pris une profonde inspiration au même moment. Le plus jeune ôta son pouce de sa ceinture et ouvrit la vitrine. Kehoe prit le revolver en main. Il le soupesa, le pointa dans toutes les directions.

— Je veux l'essayer, dit-il enfin.

Les deux hommes échangèrent un regard. L'aîné haussa légèrement les épaules et tendit la main. Le jeune déposa le permis de conduire et la carte de crédit dans la paume ouverte. Kehoe s'était remis à balancer l'arme comme s'il jouait aux gendarmes et aux voleurs.

Le plus âgé brandit l'American Express avec un mince sourire.

— Vous ne voyez pas d'inconvénient à ce que je la vérifie ?

Corso haussa les épaules à son tour.

— Allez-y.

La carte fut insérée dans le lecteur. Après une sonnerie électronique, la tension retomba de quelques degrés supplémentaires.

— Il y a un délai d'attente de deux jours en Arizona, monsieur Corso.

— Pas de problème.

L'autre réfléchit un bon moment puis se rapprocha du plus jeune.

— Occupe-toi de M. Corso et des papiers pendant que j'accompagne monsieur...

— Cutter, répondit Kehoe avec un grand sourire. M. Cutter.

Le plus âgé vint se placer face à Cutter, de l'autre côté du comptoir, et tendit la main. Pour un peu, on aurait pu croire qu'il n'allait pas lui rendre le Magnum mais plutôt lui fracasser le crâne avec et déclencher l'enfer ici, et tout de suite.

Mais non. Après une brève hésitation, Cutter lui donna le revolver et le regarda en silence ouvrir un tiroir, en sortir une boîte de cartouches et un chiffon marron avec lequel il astiqua la surface brillante de l'arme.

— Par ici, dit-il en inclinant la tête vers la porte du stand de tir.

Ils disparurent dans cette direction et la porte se referma en chuintant.

Le jeune s'approcha sans hâte de la caisse, prit deux formulaires et sortit un stylo de sa poche en revenant, ramassa la carte de crédit et le permis et tendit le tout à Corso.

— Faut remplir ça, dit-il. Je ne connais pas les lois en vigueur dans l'État de Washington, mais votre frère devra sans doute enregistrer l'arme à son nom. C'est comme ça qu'on fait ici, en tout cas.

Corso rangea ses papiers et commença à remplir les formulaires. Nom, adresse, date d'installation à ladite adresse, numéro de Sécurité sociale. Deux lignes plus bas, il était demandé si on avait été condamné pour un crime. Il esquiva la question et continua.

— Vous passiez dans le coin ? s'enquit le vendeur.

— On est chez des amis à Scottsdale.

Ils se mirent à parler de la pluie et du beau temps, du sort de l'Amérique qui partait en quenouille à cause de ces politiciens libéraux à sa tête.

Corso en était au tiers du deuxième formulaire quand la main du vendeur sauta sur le comptoir tel un rat ébouillanté. Comme les animaux qui pressentent un tremblement de terre, il se doutait que quelque chose se passait dans le stand de tir. Sa tête pivota vers l'arrière du magasin en même temps qu'il saisissait son arme, mais Driver avait déjà la sienne en main, et au moment même où le type dégainait, Driver vida son chargeur. Une balle atteignit le type derrière l'oreille, ricocha à l'intérieur de son crâne qu'elle traversa avant de continuer sa course vers les néons au-dessus. Le tube explosa et la lampe se mit à osciller violemment d'avant en arrière.

En tombant au sol, son automatique partit tout seul et envoya une balle de neuf millimètres transpercer la main gauche de Corso avant de désintégrer le comptoir vitré, faisant pleuvoir une assourdissante averse de sang et de verre brisé.

Corso chancela avec un mugissement rauque. Se tenant le poignet, il hurla et traversa le magasin en titubant. Il aperçut Kehoe avec son sourire de dément qui revenait du stand de tir, le revolver dans une main et un sac de banque en toile dans l'autre.

— On a touché le gros lot, Capitaine ! cria-t-il.

Corso tomba sur un genou, essayant de soulager sa main blessée en la soutenant, tandis que Driver vidait les râteliers derrière le comptoir.

— Qu'est-ce que tu veux ? demanda-t-il à Kehoe.

L'autre agita son Magnum.

— J'ai tout ce qu'il me faut.

Autour de Corso, tout tangua et devint noir. Un accès de vertige le prit et il s'effondra sur le côté. Il ouvrit les yeux alors que Driver lui collait quelque chose de noir et de doux sur la figure.

— Entortille ça autour de ta main.

Il ne réagit pas et Driver répéta son ordre.
Si l'odeur de transpiration n'avait pas suffi pour apprendre à Corso ce qu'était ce tissu, le chasseur et l'éléphant s'en chargèrent.

# 20

Romero frappa son bureau du plat de la main, ce qui fit perler des gouttes de sueur de ses joues à son cou épais, où elles surfèrent sur les rides avant de disparaître sous son col de chemise. Sa voix n'était qu'un murmure enroué.

— Si ce n'est pas toi, bon sang, par qui l'ont-ils eue ?

Iris prit le temps de la réflexion avant de répondre d'un ton uni :

— Comment le saurais-je ? Tu m'as dit de remettre des copies de la vidéo au bureau du gouverneur et aux gens de la Randall Corporation. C'est peut-être l'un d'eux qui l'a donnée à la télé.

Elle agita son index manucuré.

— Tu n'as aucune raison de me traiter comme ça ! Je n'ai rien fait de mal.

— Pour quelle raison les types de la boîte ou

le cabinet du gouverneur seraient-ils à l'origine d'une telle fuite ? C'est leur pire cauchemar, la dernière chose au monde qu'ils voudraient voir passer à l'antenne.

— À toi de le dire. Moi, je ne suis pas devin, répliqua Iris avec un geste vers l'autre pièce. Le bureau du gouverneur fuit comme un vieux tonneau. Tu l'as dit toi-même je ne sais combien de fois. C'est peut-être à eux que tu devrais poser la question.

Romero s'apprêtait à asséner un nouveau coup sur la table mais Iris se dressa tout près de lui.

— Et n'essaie pas de lever la main sur moi non plus ! Je ne suis pas un chien qu'on terrorise en faisant du bruit. Tu n'as aucun droit de m'accuser de quoi que ce soit. Mets-toi bien ça en tête : aucun droit.

Il ouvrit la bouche mais elle le réduisit de nouveau au silence :

— Je fais partie d'un syndicat. Continue de m'accuser, et tu auras affaire à lui.

Elle essaya en vain de dissimuler sa satisfaction. Elle était à jour de ses cotisations auprès du syndicat des employés de Meza Azul qui ne manquait pas d'influence auprès de la direction. Non que ses représentants soient comme cul et chemise avec les administrateurs, bien au contraire. Ces derniers, qui les haïssaient, luttaient pied à pied avec eux lors des discussions. Et perdaient, invariablement.

Iris, au cœur du système, n'ignorait pas que pour la Randall Corporation, le temps et l'énergie requis pour combattre le syndicat sur des points mineurs n'étaient, précisément, qu'une perte de temps et d'énergie. Une règle non écrite stipulait que mieux valait éviter à tout prix les escarmouches.

Elias Romero eut son sourire de requin, celui qui évoquait la calandre d'une Chevrolet Bel Air de 1957.

— Voyons, mon petit, nous n'avons aucune raison de…

Il tendit la main vers l'épaule d'Iris, qui la repoussa.

— Ne commence pas avec tes « mon petit ». Si tu continues à m'accuser de…

— Allez, mon petit…

Elle n'hésita plus.

— Je raconterai tout, monsieur Romero ! Je le jure devant Dieu. Tu crois que j'ai bavardé ? Attends que je m'y mette pour de bon. En commençant par nous. Je leur raconterai comment M. Respectable laisse tomber son pantalon dès qu'il a passé ma porte. Le nombre de fois où il m'a dit qu'il allait plaquer sa demi-portion d'épouse et…

— Oh, là là ! ma jolie, on se calme ! Ne t'emballe pas pour…

— Je ne finirai pas vendeuse de tacos, Elias. Ni comme ma sœur. Tu m'entends ? J'ai travaillé trop longtemps et trop dur pour ça. Je ne vais pas…

La porte de la salle de conférences s'ouvrit et l'attaché de presse du gouverneur, Gil Trevor, passa sa tête chauve dans l'entrebâillement. Un brouhaha assourdi se fit entendre. Trevor perçut immédiatement la tension ambiante et fronça les sourcils en considérant Iris puis Romero.

— Vous êtes prêts ?

Il disparut, laissant la porte entrouverte. Romero tripota son nœud de cravate et se dirigea vers la pièce adjacente avec un regard pour Iris, qui le toisa en retour, bras croisés sur sa volumineuse poitrine, avant de lui tourner le dos. Elle était ravie qu'il souffre. Cela la vengeait quelque peu des mensonges dont il l'avait abreuvée. Juste un peu. Elle était ravie aussi qu'on l'ait chargé de la conférence de presse. « La merde coule de haut en bas, lui avaient-ils dit. Cette prison, c'est la vôtre. À vous d'expliquer d'où vient la fuite. »

Ce salaud l'avait bien cherché.

Il tira la porte derrière lui, monta sur l'estrade et ajusta le micro à sa hauteur. Ce fichu machin avait été préparé pour un nain. Quelqu'un avait le sens de l'humour, apparemment. Iris, peut-être ? À la pensée de ses menaces, un frisson le parcourut. Constance, sa femme... Pas question qu'elle sache, point final. Si elle venait à apprendre... Nom de Dieu, qui sait ce qui arriverait ?

Il sentit des gouttes de sueur se former à la racine de ses cheveux. Après la mutinerie, aucun doute, tout autre scandale le mènerait tout droit au licenciement. À moins qu'il n'en ait déjà pris le chemin...

Le frottement de centaines de semelles et le cliquetis du matériel de télévision ne couvrirent pas le mugissement qui jaillit des haut-parleurs quand le micro se détacha du support, et Elias Romero se trouva debout devant la foule, le micro en main comme un chanteur de variétés. Il lui fallut deux minutes pour raccrocher ce fichu machin, et il fut quand même obligé de se plier en deux pour parler dedans. Il refréna à grand-peine son envie d'y lancer des coups de pied en jurant.

Il devait se débrouiller seul. Asuega et les employés de la Randall étaient partis inspecter les blocs cellulaires. Le gouverneur et les siens ne voulaient à aucun prix être mêlés à ce qui aurait pu les faire apparaître sous un mauvais jour. Aussi, excepté Trevor, personne n'était en vue. La conférence allait être un one-man-show.

Il releva la tête et se trouva face à un océan d'yeux électroniques et de visages dans l'expectative. Tous les médias étaient là : CBS, NBC, ABC, CNN, MSNCB. Il n'en manquait pas un.

Il s'éclaircit la gorge et commença.

— Mesdames et messieurs…

Les caméras se mirent à tourner.

— … je vais vous lire un communiqué, après quoi je répondrai à quelques questions. Je suis sûr que vous comprendrez tous que nous sommes encore très occupés par la sécurisation du site et que nous devrons être aussi brefs que possible.

Un murmure narquois parcourut l'assemblée. Il l'ignora.

— Ce matin, l'établissement est totalement sous contrôle. Les détenus ont été ramenés dans leurs cellules et la prison fonctionne de nouveau normalement.

Il sortit un mouchoir de sa poche et s'épongea la nuque.

— Un premier décompte fait état de cinquante-sept morts au cours des échauffourées.

Le murmure enfla.

— Soit cinquante détenus et sept membres du personnel, dont un de causes naturelles.

Ce fut un rugissement dans la salle. Il eut un geste d'apaisement.

— Je tiens à souligner que ces chiffres constituent une estimation et que le décompte définitif ne sera établi qu'en fin d'après-midi.

Le bruit était tel qu'on aurait dit un avion sur le point d'atterrir. La première question vint d'un reporter de CNN :

— Êtes-vous en mesure de confirmer, monsieur Romero, que la vidéo diffusée hier soir dans « Chasse à l'homme » est authentique ?

Déterminé à mentir le moins possible, Romero décida de répondre brièvement et se contenta d'un « Oui » avant de passer à une autre question.

— Le détenu qu'on voit dans la vidéo, sait-on où il se trouve en ce moment ?

Romero prit une inspiration et répondit avec difficulté :

— Non. Pas à cet instant précis.

Le rugissement monta encore de quelques décibels.

— Combien d'autres détenus manquent à l'appel ?

— Plusieurs corps sont... euh, très endommagés et devront être autopsiés pour identification.

— Mais vous ne pensez pas que celui de... Timothy Driver se trouve parmi eux ?

— Je n'ai pas dit cela. Nous n'en saurons rien avant les résultats d'autopsie.

— Driver est-il le seul détenu porté disparu ?

Romero eut du mal à masquer son exaspération grandissante.

— Je n'ai pas dit qu'il était porté disparu, mais qu'en cet instant précis...

Il attendit que le niveau sonore retombe et leva de nouveau la main en un geste d'apaisement.

— J'insiste...

Il haussa la voix.

— Je tiens à insister sur ce point : tant que les médecins légistes n'auront pas terminé leurs analyses, nous ne serons pas en mesure de fournir d'autres précisions.

— Pouvez-vous nous donner une idée de la façon dont ce Driver a réussi à sortir de sa cellule et à prendre le contrôle de la prison tout entière ?

— Non.

— Nos informations disent que Driver était

sous haute surveillance vingt-quatre heures sur vingt-quatre. Il est certainement possible de…

— Il semblerait que M. Driver ait effacé la bande qui enregistrait son activité à l'intérieur de sa cellule.

— Comment un prisonnier aurait-il…

Romero avait anticipé la question :

— Timothy Driver n'est pas un prisonnier ordinaire, monsieur Blitzer. Il possède deux diplômes, un de l'Académie navale en haute technologie de guerre, et un de Harvard en ingénierie électrique. C'est un professionnel particulièrement qualifié, et par conséquent capable d'actions… hors de portée des autres détenus.

Romero réprima un sourire. Il avait bien choisi ses mots, « par conséquent », « hors de portée », de façon à paraître précis et convaincant en parlant de Driver.

— Est-il exact qu'il ait suivi une formation de SEAL [1] ?

---

**1. SEAL :** ***Sea, Air, Land. Corps d'élite conçu et utilisé depuis la Seconde Guerre mondiale au sein de la marine pour des missions de reconnaissance et d'observation sous-marines.***

— C'est exact. À San Diego en 1994.

Du fond de la salle, quelqu'un lança :

— Mais il n'a jamais été envoyé en mission.

— Pour les détails, demandez à la marine. Maintenant, vous voudrez bien m'excuser...

Une nouvelle vague de questions déferla, mais, sans laisser une chance à l'assemblée, Romero pivota sur ses talons, quitta l'estrade et disparut par la même porte qu'il avait empruntée dix minutes plus tôt.

Il s'appuya lourdement au battant, ferma les yeux et prit de profondes inspirations.

— Iris ! appela-t-il.

Il n'y eut pas de réponse. La pièce était déserte. Il jura. Cette satanée fille était en permanence aux abonnés absents, ces derniers temps. Sûr et certain, une fois tout cela terminé et revenu à la normale... sûr et certain, elle n'allait pas faire long feu.

## 21

Driver appliqua un dernier morceau de sparadrap, puis laissa tomber les ciseaux et le rouleau sur le lit.

— Faudra que ça aille, dit-il. Continue à prendre de l'aspirine. On ne peut pas faire plus.

Corso était assis, sa main bandée sur les genoux. La balle l'avait traversée et était sortie par la paume. Il avait failli s'évanouir quand Driver avait versé de l'eau oxygénée sur les deux faces de la blessure et nettoyé l'intérieur avec un coton-tige. Les élancements avaient fini par lui engourdir le bras. Une poignée d'aspirine avait quelque peu atténué la douleur, juste assez pour l'empêcher de crier. Il avait besoin d'un médecin, mais il n'en verrait pas un de sitôt. Il se leva et se dirigea vers l'autre lit, où, gardant les pieds au sol, il s'allongea avec précaution.

Ils étaient planqués à l'hôtel-casino Palm Garden, vestige délabré de l'époque de Bugsy Siegel, au nord de Las Vegas. Un coup d'œil par la fenêtre, avec vue imprenable sur des bennes à ordures et sur une demi-douzaine de camés qui avaient élu domicile là, révéla le nouveau profil du Strip, à peine discernable dans la brume perpétuelle du désert.

Kehoe avait bataillé ferme pour descendre dans un établissement plus clinquant, le Bellagio ou le Luxor par exemple. Ils étaient sortis de l'armurerie avec quelque chose comme onze cents dollars, et cet argent lui brûlait les poches. Mais Driver l'avait raisonné : les beaux hôtels étaient dotés de systèmes de surveillance importants et très efficaces, et mieux valait pour eux se trouver une planque dans la zone, là où la sécurité compterait peu face à quelques billets. Après pas mal d'atermoiements, ils avaient jeté leur dévolu sur le Palm Garden, un bâtiment de trois étages en stuc rose coincé entre un fast-food et une clinique vétérinaire. Sous l'assaut de l'impitoyable soleil et des rafales de vent, la peinture s'écaillait si vite qu'il en pleuvait des morceaux.

Driver au volant, ils avaient parcouru les cinq cents kilomètres depuis Phoenix d'une traite et atteint les faubourgs de Las Vegas peu après 15 heures 30. Le thermomètre du tableau de bord affichait 24°. Puis un Smiley. Puis 24°. Effondré sur le siège du milieu, Corso serrait le tee-shirt autour de sa main. Tandis que Driver allait réserver deux chambres communicantes, Corso et Kehoe étaient demeurés dans la cabine, les yeux fixés sur les voituriers du parking qui allaient et venaient en bavardant.

Avant de s'installer, Driver avait fait un saut au petit centre commercial au bout de la rue. Il était revenu une demi-heure plus tard avec deux sacs de sport Nike, des provisions, des analgésiques et une trousse de premier secours. Après avoir nettoyé la plaie de Corso, il l'avait bandée avec un art tout professionnel.

Pendant ce temps-là, Kehoe, déjà dans ses meubles, avait passé un coup de téléphone. La prostituée était arrivée cinq minutes après Driver. Quand Corso eut cessé de geindre et de grogner pendant les soins, les échos de leurs ébats tarifés leur parvinrent depuis la deuxième chambre.

— Si jamais Kehoe se fatigue, tu pourras prendre le relais.

Corso secoua la tête.

— Pas ma tasse de thé.

— Si tu crains d'attraper quelque chose…

— Pour sûr, mais ce n'est pas la raison.

— Ouais. Pareil pour moi.

— Ça m'est arrivé une ou deux fois quand j'étais ado, reprit Corso, mais ce n'était déjà pas mon truc. Comme si j'avais piqué du fric dans le tronc des pauvres ou quelque chose d'aussi minable. Chacun ses idées, je suppose.

— Je ne l'ai jamais fait, dit Driver. Tous ces ports, ces permissions à terre et pourtant, je ne me suis jamais décidé à… tu vois ce que je veux dire.

— Tu as sûrement eu raison.

— J'imaginais tout le temps ce que ma mère aurait pensé.

Du coin de l'œil, Corso chercha des signes d'ironie chez un type qui venait juste de provoquer la mort d'un tas de gens mais se souciait de ce qu'aurait pensé sa mère si elle avait su qu'il se faisait reluire la queue. Or, s'il plaisantait, il n'en laissa rien paraître.

À la télévision, on annonçait l'imminence d'un communiqué de police. Supposant qu'on allait parler d'eux, Corso attrapa la télécommande et monta le son. Mais il n'en fut rien. Il s'agissait d'une conférence de presse à Shep, au Texas. Un dénommé Harry Delano Gibbs, soupçonné de plusieurs assassinats, et sa petite amie de dix-huit ans, Heidi Anne Spearbeck, avaient été appréhendés dans le Nevada et attendaient le résultat de leur demande d'extradition pour le lendemain matin. Il apparaissait que Gibbs, s'étant vu refuser la main de Heidi Anne à la pointe du fusil par son père, était revenu quelques heures plus tard pour l'abattre d'une balle dans la tête, avant de s'enfuir avec la fille.

Le cadavre décomposé avait été découvert une semaine plus tard par un représentant en engrais venu lui rendre visite. Pendant ce laps de temps, Gibbs et Heidi Anne avaient tracé une route sanglante à travers le Sud-Ouest, jalonnée de délits et de tueries : un épicier et sa femme tués pour moins de soixante-cinq dollars, le Texas Ranger Ott Rufin abattu alors qu'il tentait de les arrêter dans un motel en Oklahoma, et les soixante-dix clients d'un restaurant de routiers tenus en respect sous la menace d'une arme pendant que les deux jeunes gens vidaient la caisse. Outre ces exploits, le duo était maintenant soupçonné d'une demi-douzaine de forfaits tout aussi graves.

Mace Walker, shérif du comté de Harris, au Texas, tenait à faire savoir à tous les téléspectateurs qu'ils pouvaient désormais sortir de chez eux sans crainte, les coupables étaient arrêtés, la justice avait triomphé et la paix régnait de nouveau.

— Ça fait chaud au cœur, commenta Corso.

Driver pointa le doigt. La bande défilant au bas de l'écran parlait de Musket, Arizona. Et de Meza Azul. Il s'empara de la télécommande et haussa encore le son. Le commentaire précisait que l'homme en costume marron était Dallin Asuega, l'un des responsables de la Randall Corporation. L'écran se scinda en deux, Asuega à gauche et la photo d'archives criminelles de Kehoe à droite. Puis Corso et Driver. Ensuite, le journaliste raconta tout, sans rien omettre. Les biographies, les dossiers judiciaires. Armés et dangereux. Ne pas tenter de les appréhender. D'autres informations après une page de publicité…

# 22

En observant Main Street, à Musket, Arizona, Melanie songea en frissonnant : « Qu'on me tire une balle dans la tête si un jour je décide d'habiter ici. »

Rien que des maisons à un étage, en faux adobe, autour d'une petite place avec un mât au centre et tout. Ici, on devait lui donner un nom en espagnol en roulant les *r*. Le drapeau américain surdimensionné s'agitait et claquait dans la brise tourbillonnante.

Quelque part dans la rue, Marty avait rendez-vous avec leur contact pour obtenir d'autres informations à utiliser lors de la prochaine émission. Pourvu que ce soit de bonne qualité ; pas aussi horrible que la vidéo, mais du sensationnel quand même, de l'exclusif. Vu la quantité d'appels téléphoniques transmis par la chaîne, elle savait qu'ils avaient retrouvé un niveau de popularité perdu depuis longtemps.

À Hollywood, on mesurait aisément sa notoriété au nombre et au statut des gens qui vous retournaient vos coups de fil, même tardivement.

Dans le lointain, au-delà de la verdure du parc et des lotissements de la biscuiterie, là où le désert tentait constamment de reconquérir sa souveraineté, un violent tourbillon brun et menaçant s'élevait jusqu'au ciel, chargé de poussière et de scories. Il se tortillait et rampait au sol, emportant ceci, abandonnant cela, tout en se déplaçant vers les étendues qui, avait-on dit à Melanie, avaient autrefois été un vaste océan intérieur.

Elle sortit son portable de sa poche et l'alluma, vérifiant combien de lignes fonctionnaient. Trois. Mieux qu'à la prison, où elle avait tenté en vain d'établir une connexion. Elle composa un numéro, attendit six sonneries avant qu'une voix dise :

— Allô ?

— Helen, c'est Melanie.

— Oh.

Les services téléphoniques ne mentaient pas : on *pouvait* entendre voler une mouche. Melanie fit une grimace à l'appareil. D'après son intonation, la mère de Brian n'avait pas été longue à prendre parti. Non qu'elle ait jamais été du côté de Melanie, d'ailleurs. Elles ne s'étaient jamais bien entendues, et Freud s'en serait donné à cœur joie. C'était un cas classique, maman en compétition avec sa belle-fille dans le cœur du fils. Sans oublier que les personnes du standing social d'Helen Martyn n'étaient guère accueillantes pour les filles de militaires telles que Melanie Harris, et on pouvait à peine dire, en étant charitable, qu'elles s'étaient tout juste supportées durant quatorze ans.

Melanie garda son ton enjoué :

— Brian est là ?

— Heu… Je ne sais pas…

Mais Melanie entendit sa voix en arrière-plan.

— C'est ta femme, dit Helen.

Il prit l'appareil au bout d'une minute.

— Salut.

— Salut, Brian.

— Quel temps fait-il en Arizona ?

— Beaucoup de vent. Et dans le Michigan ?

— Papa dit qu'on ne voit que toi à la télé.

— Comment va-t-il ?

À son hésitation, elle comprit que quelque chose n'allait pas.

— Ça va. Sa mémoire n'est plus ce qu'elle

était. Il oublie des choses.

Il y eut un silence, aucun d'eux ne tenant à prononcer le mot Alzheimer. Brian changea de sujet :

— Il dit que ton émission a un succès fou.

— C'est vrai, ça marche bien. Et toi ?

— J'ai été si occupé que je n'ai pas eu le temps de défaire mes valises.

— Occupé à quoi ?

— M'installer, retrouver mes marques, ce genre de choses.

Une voix de femme se fit entendre derrière la sienne. Pas celle d'Helen.

— Qui est là ? demanda Melanie.

Brian retint son souffle un court instant.

— Patricia Lee. Tu te souviens d'elle, n'est-ce pas ?

Melanie mit à profit son entraînement de professionnelle pour conserver un ton neutre.

— Bien sûr.

Comment aurait-elle pu oublier Patricia, l'ancienne petite amie de Brian, celle qu'il aurait dû épouser ? Son père était juge à la cour d'appel. On ne serait pas sorti de la famille. Mais Melanie était intervenue et avait tout fait dérailler.

— Qu'est-ce qu'elle fait là ? reprit-elle avec plus d'agressivité qu'elle n'aurait voulu.

— Elle m'aide à trouver un appartement.
— Ah bon ?
— Elle est agent immobilier.
— Toujours mariée avec Larry ?
— C'était Harry, et non, ils sont divorcés depuis quatre ans.
— Je l'aurais parié.
Après un silence contraint, Brian reprit :
— Bon, eh bien, tu m'as attrapé au vol.
— Je pourrais être à la maison dans quelques jours, dit-elle sans réfléchir. Peut-être que nous...
— Je ne retournerai pas en Californie, Melanie. Ni maintenant, ni jamais. Je ne m'y suis jamais senti chez moi, plutôt comme si j'y passais de mauvaises vacances.
— Brian, je t'en prie. Nous pourrions...
— S'il te plaît, écoute-moi. Je te comprends. Tu es une star de la télé et tout ça. Pas question que tu sacrifies ta carrière pour mener la vie d'une femme d'avocat à Grand Rapids, Michigan. Je ne te reproche rien. Mais on s'est trop éloignés l'un de l'autre, Mel, on n'aspire plus aux mêmes choses.
— Ce n'était pas le cas, autrefois.
— Il y a bien longtemps. Avant Samantha. Avant tout le reste.
— Oui, dit-elle dans un souffle.

— Je suis tombé sur Stan Rummer, hier.

Un autre de ses copains de fac, encore un avocat. Melanie se souvint, et son cœur se serra.

— Monsieur D... I... V... O... R... C... E, Detroit, épela-t-elle comme le détestable spot télévisé qu'il faisait diffuser. Toujours à gagner sa vie sur le malheur des autres, celui-là ?

— Il faut que nous parlions, Mel.

Elle le sentit embarrassé.

— Vas-y, parle.

— Pas maintenant.

La voix de Patricia s'éleva en arrière-plan.

— Dis-lui de la fermer ! s'exclama Melanie.

Brian marqua une pause et se contint, comme chaque fois qu'elle devenait grossière.

— Écoute, je dois y aller.

— Avec elle ?

— Je te l'ai dit, je cherche un appartement.

— Brian, et si nous...

Mais il avait raccroché. Elle éteignit son téléphone et le remit dans la poche de sa veste. Le tourbillon de poussière avait disparu. Avait-il gagné de la vitesse pour se perdre Dieu sait où ? S'était-il épuisé sans gloire sur lui-même, rendant à la terre sa moisson de scories dans l'attente d'une prochaine envolée vers le ciel, d'ici un million d'années peut-être ?

En se levant, le vent agita le col de Melanie, plaqua son manteau contre sa poitrine. Elle leva la main comme pour maintenir un chapeau et cligna des yeux à en perdre la vue. Ce qui lui apparaissait, c'était la maison des parents de Brian, si traditionnelle, avec ses tapis d'Orient et ses meubles cirés. Dans son esprit, elle était toujours décorée pour Noël, avec les chants assortis, des nœuds en ruban rouge partout et, trônant dans le salon, le plus grand sapin qu'on ait pu y faire entrer.

Quand elle rouvrit les yeux, Marty Wells se dirigeait vers elle d'un pas vif. Le vent avait de nouveau soulevé ses cheveux d'ordinaire plaqués en arrière. À sa démarche, elle devina qu'il avait obtenu quelque chose de spécial.

— C'est bon ?

— Mieux que ça.

D'un mouvement de sa main tenant un épais dossier rouge, il l'invita à pénétrer dans le camping-car. L'air y était chaud, confiné. Marty remit sa mèche en place et lui fit un clin d'œil.

— Écoute ça, Melanie. Tout a commencé avec un prétendu check-up médical pour ce type, Driver. C'est comme ça qu'il est sorti de sa cellule et que le reste s'est enchaîné.

— Et alors ?

— Alors… ça n'avait rien de médical. Il avait rendez-vous avec un psy.

— Ah oui ?

— Il montrait des signes de dissociation mentale.

— C'est-à-dire ?

— Il perdait la boule. Il ne savait plus qui il était, ni où. Se tenait de grands discours. Il devenait marteau, quoi. C'est pour ça qu'ils l'envoyaient voir un psy. Ils avaient peur qu'il sombre dans la démence.

— On est les seuls à être au courant de ça ?

— Oui.

— Et on a des preuves ?

— Absolument.

— Je ne veux pas faire comme Dan Rather avec ses infos erronées sur le service militaire de George Bush, Marty.

— Je te dis que nous avons tout ce qu'il faut. La paperasse, tout.

— Et la source ?

— La source a reçu assez de fric pour disparaître de la circulation. Entre ça et la vidéo, j'ai pratiquement dépensé le budget de la rentrée.

Elle leva les sourcils.

— Ne t'inquiète pas pour ça, Melanie. On

est au top à présent. Tu es au courant du taux d'écoute ?

Il en avait les yeux brillants. Elle secoua la tête.

— Dix-sept pour cent d'Audimat la nuit dernière. Le troisième plus haut taux de l'année. Seuls le Super Bowl et « Survivor » ont fait mieux. La chaîne nous débloquera d'autres fonds, crois-moi.

— Voilà qui explique le nombre d'appels que j'ai reçus toute la matinée. Des gens que j'essaie en vain de joindre depuis un mois !

— Nous renaissons, Melanie. Je vais demander une édition spéciale pour demain soir.

— Tu crois qu'ils seront d'accord ?

— Ils vont en mouiller leur culotte, oui !

— On peut réutiliser les images de la mutinerie.

— Sans compter ce qu'on tirera de la conférence de presse de cet après-midi.

Marty se mit au volant et démarra.

— En avant pour l'enregistrement.

Bizarrement, Melanie ne parvenait pas à chasser de sa tête l'écho des cantiques de Noël.

# 23

Elias Romero était en retard, et fort agité. Alors qu'il rentrait chez lui pour se changer, il avait trouvé la Toyota rouge d'Iris Cruz garée dans sa rue, juste en face de sa maison… et Iris assise à l'intérieur, au vu et au su de tout le monde. Les mains tremblantes, le sang lui battant les tempes, il avait brusquement accéléré jusqu'au bout de la rue et tourné à droite.

Iris l'avait suivi à un pâté de maisons, sans trop de discrétion, jusqu'à l'extrémité de Linda Vista Boulevard, passé les dernières habitations, là où on avait goudronné la rue et aménagé des trottoirs en prévision de futures villas. Un désert avec une rue. C'était bizarre, un décor de science-fiction. Comme si une armée de fourmis géantes avait tout dévoré et déménagé plus loin.

Arrivé au bout du cul-de-sac, Romero avait

exécuté un large demi-tour pour se placer en position de départ, et Iris s'était rangée à son côté. Leurs vitres s'abaissèrent avec un bel ensemble.

— Mais qu'est-ce que tu fous ? gronda Romero. Tu venais chez moi ? Tu...

— Il faut que je te parle.

— Ça, c'est pas difficile. Tu n'as aucune raison de venir chez moi.

Les yeux d'Iris se réduisirent à deux fentes. La colère et l'indignation lui montèrent à la gorge.

— Tu as toujours peur que ta petite femme découvre tout, hein ? Découvre que tu viens chez moi baisser ton pantalon...

— Allez, ne recommence pas. Cela ne regarde que nous, on était d'accord là-dessus.

— On était surtout d'accord pour que tu quittes cette garce et qu'on vive ensemble.

Comme il se taisait, elle insista :

— C'est pas vrai, peut-être ?

Romero bouillait, mais se contint. Il baissa la voix et se mit à lui parler d'un ton cajoleur comme lorsqu'ils étaient au lit :

— Écoute... Tu sais bien qu'il se passe beaucoup de choses en ce moment. Quand ce sera fini, que tout redeviendra comme avant...

— Arrête, Romero. Ne joue pas à ça avec

moi. Je t'ai déjà bien trop écouté, n'essaie pas de remettre ça. Tu me prends vraiment pour une idiote ?

Romero resta silencieux. La brise apaisait le feu de ses joues.

— Qu'est-ce que tu veux ? demanda-t-il enfin.

— Prendre mon congé maladie, mes heures supplémentaires et les jours de vacances qui me restent. Je rentre chez moi quelque temps.

— Au Mexique ?

— Oui.

— Tu vas courir après ton mari ?

— Ça n'a rien à voir avec Esteban. C'est un minable, un loser qui n'a pas supporté d'être déshonoré par des gringos. Je n'ai pas besoin de lui, mais j'en ai assez de tout ceci. Je veux prendre un peu l'air.

— Peu importe, de toute façon. Avec tout ce qui se passe ici, je ne peux absolument pas t'accorder autant de temps. Les types de Randall deviendraient dingues si je…

Elle haussa le ton.

— Les papiers sont sur ton bureau, tu n'as qu'à les signer. Si tu ne tiens pas à ce que j'aie une petite conversation avec ta chère épouse, signe.

— N'essaie pas de me menacer !

— Je n'ai pas été dupe un seul instant, Elias Romero. J'ai toujours su ce que tu cherchais. Tu es exactement comme tous les autres.

— Si tu l'avais su, ma jolie, tu ne serais pas aussi furieuse maintenant !

— Je suis furieuse que tu m'aies laissée te croire. Tu sais bien qu'une femme suit son cœur, et tu m'as regardée m'abandonner à toi sans rien dire. Mon cœur avait moins d'importance que ta bite !

— Tout a moins d'importance, répliqua-t-il avec un rictus narquois.

— C'est bien ce qui est triste, monsieur Romero. Le cœur ne compte pas pour toi parce que tu n'as pas une once de gentillesse. Tu es pathétique, voilà.

Avant qu'il ait pu rétorquer, Iris fit remonter sa vitre. Il se mit à l'invectiver derrière la glace teintée, mais elle passa la marche arrière, manœuvra en rasant le pare-chocs de Romero et fila dans un nuage de poussière.

Il passa une bonne minute à tempêter en martyrisant son volant, puis, avec un soupir, consulta sa montre, jura de nouveau et repartit vers la ville.

Le parking du centre social de Musket était comble, à croire que tous les camions équipés de relais satellites s'y étaient donné rendez-vous, avec leur œil blanc, aveugle, pointé vers le ciel.

À l'intérieur, c'était plein à craquer de reporters. Le bâtiment administratif de la prison n'étant plus qu'un amas de décombres, le centre social était le seul local assez vaste à quatre-vingts kilomètres à la ronde pour accueillir une conférence de presse. Romero dut se garer à l'autre bout de la ville et marcher jusque-là.

Quand il se glissa à sa place sur l'estrade, Asuega en avait terminé avec l'expression du profond chagrin de la Randall Corporation envers les familles des victimes de la mutinerie, et ses regrets les plus sincères qu'une telle tragédie ait pu avoir lieu. Il en était à assurer aux membres de l'assistance que tous les moyens et procédures seraient mis en œuvre pour renforcer la sécurité de ce qui était déjà la plus performante des prisons de haute sécurité des États-Unis. Il s'interrompit un instant, feuilleta ses notes et reprit :

— Actuellement, trois personnes sont toujours portées manquantes, deux détenus et un civil.

Le murmure enfla dans la salle.

— Détenu numéro 99364, Clarence Albert Kehoe, incarcéré dans le Mississippi en 1978 pour un triple meurtre lors d'une rixe dans un bar. Reconnu coupable en 1980 de l'assassinat d'un codétenu et transféré dans la prison de haute sécurité de Walla Walla, État de Washington, où il a de nouveau tué. Soupçonné du meurtre de quatre autres prisonniers et qualifié de criminel irrécupérable, Kehoe a été envoyé à Meza Azul en 1997, dans le quartier disciplinaire.

Asuega leva les yeux vers les caméras.

— Kehoe est armé et extrêmement dangereux.

Il attendit que la volée de questions s'apaise pour continuer :

— Détenu numéro 109563, Timothy Driver. Reconnu coupable de deux assassinats dans l'État de Washington, sans circonstances atténuantes. Double condamnation à perpétuité sans possibilité de libération sur parole. Incarcéré au pénitencier de Walla Walla, Driver a agressé et rendu aveugle un codétenu au cours de la première semaine. Il a également grièvement blessé un surveillant. En 1998, il a été transféré à Meza Azul et confiné en isolement total dans le quartier disciplinaire. Driver est armé et extrêmement dangereux.

Cette fois il ne s'interrompit pas, obligeant les journalistes à se taire s'ils voulaient l'entendre.

— Comme beaucoup d'entre vous le savent, la principale exigence de Driver a été la présence d'un certain Frank Corso, auteur d'un best-seller sur lui. Hélas, Driver ayant mis à exécution sa menace d'abattre un gardien toutes les six heures jusqu'à l'arrivée de M. Corso, celui-ci s'est présenté au pénitencier à minuit avant-hier et n'a donné aucune nouvelle depuis cet instant, du moins à notre connaissance. Le rôle joué par M. Corso dans cette affaire reste indéterminé.

Asuega rangea ses fiches en une pile bien nette et se tourna à demi vers une rangée de personnalités.

— Et maintenant, je souhaiterais vous présenter l'agent spécial Ronald Rosen, du Bureau fédéral d'investigation de Phoenix, qui va vous informer de l'état actuel des recherches lancées sur ces trois...

Pour la première fois, il trébucha sur un mot.

— ...personnes manquantes.

Rosen était un homme trapu, vêtu du costume gris standard des agents du FBI, les cheveux noirs coupés ras, les sourcils se rejoignant à la racine du nez. Il remercia l'assistance sans raison particulière et commença :

— Je vais être bref. Conjointement avec les

services de police des sept États de la région, le FBI a mis sur pied une chasse à l'homme concernant les fugitifs. Bien que nos recherches n'en soient qu'à leurs prémices, nous avons des raisons de penser que tous trois se sont évadés de la prison dans un camion de livraison.

La clameur de la salle menaçant de noyer ses paroles, Rosen attendit calmement qu'elle retombe.

— À ce stade de l'enquête, diffuser plus d'informations risquerait de nuire à son efficacité. Il suffit de dire que nous avons de bonnes raisons de penser que les fugitifs sont responsables d'un double homicide, ce matin, à Phoenix. Nous mettons vivement en garde le public : en aucune façon il ne faut intervenir auprès de ces trois hommes. Driver et Kehoe sont des condamnés à perpétuité sans possibilité de libération anticipée. Ils n'ont absolument rien à perdre, quoi qu'ils fassent. Quiconque pense les avoir repérés... est prié d'appeler le numéro qui défile actuellement au bas de l'écran. Nous avons établi une ligne spéciale pour recevoir tout appel les concernant.

Les questions fusèrent. Il tendit le doigt vers un journaliste d'Associated Press.

— Monsieur, à vous.

# 24

Driver quitta son lit, se dirigea vers la porte de communication et frappa trois fois. Le flot de grognements, de cris et de gémissements qui avait traversé la cloison au cours des douze heures précédentes s'était enfin tari. Kehoe passa la tête par l'ouverture et Driver désigna la télévision où s'affichaient trois photos d'identité et le numéro du centre d'appel du FBI.

— Je crois qu'on ferait mieux de filer, dit Driver.

Kehoe mit un moment à réaliser ce qu'il voyait, puis il eut un sourire tordu.

— Et moi, je crois que tu as raison. Donne-moi une minute.

Il se tourna vers la chambre.

— Remballe tes affaires, chérie. La fête est finie.

— Oh, mon chou…, roucoula la fille.

Le reste se perdit dans un froissement de draps. Driver s'adressa à Corso :

— Mets tes affaires dans ce sac.

Il disparut dans la salle de bains et en revint les bras pleins de serviettes de toilette. En moins de deux minutes il avait démonté les armes pour les envelopper dedans avant de les enfourner dans le plus grand des sacs de sport. Quand il eut fini de ranger les munitions dans l'autre sac, Corso était prêt. Il tendit ses affaires à Driver, puis vida les comprimés d'aspirine dans sa poche de poitrine et jeta le tube dans la corbeille à papier.

Kehoe surgit dans la pièce.

— Qu'est-ce qu'ils racontent à la télé ?

Driver le lui répéta.

— Merde. Je pensais que ça leur aurait pris au moins un jour de plus.

— Moi aussi.

— Ils ont dû trouver le camion.

— Oui.

— Faut faire quelque chose.

— Oui.

Kehoe jeta un coup d'œil à Corso.

— Pour commencer, on liquide ce fils de pute et ça ira mieux.

— J'ai besoin de lui.

— J'en ai ma claque de le trimballer. Son compte est bon.

Il tira son couteau de chasse de sa poche, mais Driver bondit, lui agrippa le poignet et, de l'autre main, lui colla son automatique sous le menton. Ils s'immobilisèrent hanche contre hanche, les bras agités de tremblements sous l'effet de la tension, leurs regards férocement rivés l'un à l'autre.

— J'ai besoin de lui, répéta Driver. C'est ça ou on en finit tout de suite, ici même.

Tout se figea dans une seconde d'incertitude. Qui allait mourir, qui allait vivre ? La question planait dans le silence. Des particules de poussière argentées tourbillonnaient dans le rai de soleil qui s'était infiltré entre les rideaux tirés. Puis, tendon par tendon, les deux hommes relâchèrent leur étreinte mortelle et firent un pas en arrière. Driver laissa retomber sa main, glissa l'automatique dans sa ceinture. Kehoe avait toujours le couteau en main. Tous deux haletaient.

Le feu aux joues, Corso se souvenait de ce jour où sa vie avait basculé. Il avait seize ans, il était grand et mince, ayant presque atteint son mètre quatre-vingt-dix-huit d'adulte. Son père, furieux parce qu'il n'y avait plus de bière à la maison, l'avait brusquement saisi à la gorge avec les serres qui lui servaient de mains et l'avait plaqué contre le mur, pris d'un de ses accès de folie furieuse de plus en plus fréquents contre Frank et sa mère.

Corso y songeait souvent. Cela avait été une journée comme les autres, sans rien de particulier, sauf que ce matin-là, quelque chose s'était rompu en lui. Sans réfléchir, il avait attrapé les doigts déformés, tachés de nicotine qui l'étranglaient et les avait repoussés jusqu'à ce qu'ils claquent comme des sarments brisés.

Son père avait rugi et titubé en arrière en pressant sa main cassée contre lui. Il avait relevé ses yeux injectés de sang juste à temps pour voir arriver le poing de son fils contre sa figure. Le choc l'avait projeté à genoux sur le sol de la cuisine, pissant le sang par le nez jusque sur le linoléum élimé.

Ils ne s'étaient plus jamais adressé la parole.

— J'ai besoin de lui pour la conclusion, dit Driver. C'est la seule façon de faire connaître tout ça autour de nous. Les histoires n'ont d'intérêt que si on les raconte.

Kehoe secoua la tête d'un air dégoûté.

— T'es resté en isolement trop longtemps, Capitaine. Ils t'ont bousillé le cerveau là-dedans, tu sais ça ? Tu dérailles pour de bon, par moments.

Sa remarque fit tressaillir Driver. Ses yeux roulèrent anormalement au fond de leurs orbites, et il eut un frisson violent avant de se ressaisir. Il se frotta les paupières comme s'il sortait d'un profond sommeil, puis désigna les deux sacs noirs sur le lit.

— Prends le petit. On garde Corso entre nous et on sort tranquillement par la porte de devant.

— On peut plus conduire ce pick-up-là.

— Ça ne manque pas de voitures. Suffit d'en réquisitionner une.

Le plan sembla satisfaire Kehoe.

— Allons-y. On se tire d'ici et on reparlera de tout ça plus loin.

Ils sortirent à la queue leu leu dans le couloir. Les couleurs de la moquette étaient si vives qu'on aurait pu égorger un cochon dessus sans que personne remarque la moindre trace. Ils se dirigèrent vers les ascenseurs au bout du hall.

Le raffut du casino les assaillit dès qu'ils sortirent de la cabine. C'était l'heure à laquelle les clients avaient droit à deux boissons pour le prix d'une, et la salle était bondée de petits parieurs, de retraités et de ces pauvres types dont Las Vegas a le secret, calés sur leurs derrières fripés, des gobelets d'un demi-litre sur les genoux, à tirer tant qu'ils pouvaient sur les manches des machines à sous comme si leur vie se monnayait en pièces de vingt-cinq cents, perdus dans une épaisse fumée bleue de cigarette.

Les tintements et les sifflets, les lumières clignotantes, les cris des gagnants et les jurons des perdants les suivirent tout au long de l'allée centrale. La sortie était en vue. Corso ralentit le pas. Driver le poussa en avant.

La foule s'écarta devant eux comme la mer Rouge : deux vigiles chargés de la sécurité faisaient rouler un chariot empli des gains du casino. Dieu seul savait combien d'argent attendait là-dedans d'être compté et entreposé dans les coffres. Deux autres gardes suivaient, vigilants, la main sur la crosse de leur arme, regardant autour d'eux en quête du malheureux assez désespéré pour se mettre en travers de leur chemin. Corso se poussa sur le côté pour les laisser passer et Driver l'imita tout en lui pressant son revolver contre la hanche. Quand le chariot arriva à sa hauteur, Corso fit un pas en avant et s'inséra entre celui-ci et les deux vigiles qui suivaient. Driver essaya de le retenir par un pan de sa veste mais Corso lui échappa. Leurs regards se croisèrent.

— Une demi-heure, dit Corso. Je vous donne une demi-heure.

Driver écuma de rage et Corso grimaça. Sans doute, tout allait s'achever ici ; le dernier son qu'il entendrait serait celui d'une détonation, sa dernière vision celle d'un canon de revolver. La dernière odeur, celle de la poudre.

Il jeta un rapide coup d'œil à sa droite, cherchant où plonger, et ne vit qu'un espace à peine assez large pour une machine à sous et une vieille femme qui tirait sur le manche. Il regarda de nouveau vers Driver et vit que Kehoe s'était interposé entre lui et le convoi. Le dernier vigile faisait sauter la sécurité de son holster en se dirigeant sur lui.

— Restez pas là, mon vieux.

Corso eut un geste d'apaisement. En reculant, il trébucha contre un sac à main et faillit perdre l'équilibre. La femme sentait le lilas.

— Excusez-moi, dit Corso.

— Dégage de là, marmonna la vieille dame devant la machine.

Le garde lui jeta son regard le plus mauvais en passant. Corso maintint ses mains en vue tandis que le chariot remontait l'allée.

— Je t'ai dit de dégager, mon gars, répéta la femme d'une voix enrouée.

Il scruta l'allée et ne vit ni Driver ni Kehoe. Il retint son souffle, prit le temps de regarder autour de lui, puis avança, tourna la tête d'un côté, de l'autre... Ils étaient partis. Tous les deux. Quand il se retourna, la femme avait disparu elle aussi.

Il résista à l'envie de courir et se mit à suivre le sillage du chariot jusqu'à une bifurcation, obliqua à droite, encore à droite, puis à gauche, dans l'espoir de se fondre dans la foule des joueurs de black jack et de craps.

Il avait l'impression de ne pas avoir respiré depuis une heure. Il prit plusieurs inspirations, puis s'octroya le temps de se ressaisir. Pour la première fois depuis deux jours, il se demanda de quoi il avait l'air. Il se passa la main dans les cheveux, mit un peu d'ordre dans ses vêtements.

Il s'interrogeait sur ce qu'il devait faire, quand une poigne puissante lui étreignit l'épaule. Pétrifié, il attendit le chuintement du couteau déchirant son manteau, la piqûre de sa pointe sur sa peau et la sensation de l'acier pénétrant sa chair. Il voulut crier mais aucun son ne sortit de sa gorge. La bouche grande ouverte, il tourna la tête.

# 25

— Le logo est de travers, remarqua Melanie.

C'était vrai. L'aigle américaine semblait lutter contre un vent violent.

— Bon sang ! s'écria Marty, redressez ce fichu oiseau. Vous savez combien ça coûte d'envoyer ce truc par FedEx depuis Los Angeles ?

— C'est une devinette ? demanda Sheldon, le machiniste qui venait de l'apporter. Comme quand il faut compter combien il y a de bonbons dans un bocal ?

— Moi d'abord ! s'exclama quelqu'un en rigolant.

Un doigt sous le menton, il reprit :

— Neuf cent cinquante billets ?

Marty décida de ne pas relever. Ils luttaient contre la montre, s'efforçant de faire du Centre social de Musket une réplique du plateau de

« Chasse à l'homme » à Santa Monica. Il avait déjà fallu emprunter un bureau à l'agent immobilier du coin. Dans moins d'une heure, des gens allaient arriver et tout chambarder pour organiser une vente de gâteaux au profit du club de scouts local. Pas de temps à perdre en enfantillages.

Les maquilleuses faisaient bouffer les cheveux de Melanie pour dissimuler le fil du micro. Les éclairagistes procédaient à un ultime essai, lançant des chiffres aux techniciens de la table de contrôle improvisée au centre de la pièce.

— Il est temps d'y aller, les gars ! cria Marty dans le tapage. Si vous ne voulez pas voir débarquer des vieilles dames chargées de brownies, on ferait mieux de commencer.

— Oh, des brownies ! Moi, je les aime bien collants ! s'exclama Sheldon.

— Ça ne m'étonne pas, grommela Marty.

Sheldon arqua un sourcil.

— Hé, attention à ce que tu dis !

Marty sourit et se tourna vers Melanie.

— Tu es prête ?

Elle fit OK d'un geste des doigts et Marty cria :

— En place !

L'intensité des projecteurs baissa, ne laissant que Melanie, le bureau et le logo dans la lumière. Elle suivit des yeux la lueur verte sur l'unique téléprompteur.

— Chers téléspectateurs, bonsoir. Ici Melanie Harris, pour une édition spéciale de « Chasse à l'homme ».

Quelques secondes de la musique du générique lui donnèrent le temps de mettre de l'ordre dans ses notes et permirent à Marty de changer de caméra. Melanie compta mentalement jusqu'à cinq, tourna le regard vers la droite en guettant le passage du rouge au vert.

— Ce soir encore, Melanie Harris est avec vous pour une édition spéciale de « Chasse à l'homme » en direct de Musket, Arizona, dont le pénitencier a été cette semaine le théâtre d'une des mutineries les plus meurtrières des États-Unis. Cinquante détenus et sept membres du personnel y ont en effet trouvé la mort.

Elle se tourna de nouveau vers la caméra qui lui faisait face.

— Si vous étiez avec nous hier soir, vous avez assisté au terrifiant commencement de l'insurrection, quand le matricule 109563, identifié comme étant Timothy H. Driver, meurtrier récidiviste dans l'État de Washington, a assassiné l'opérateur du système de sécurité et pris le contrôle de la prison. À l'intention des téléspectateurs qui n'auraient pu nous rejoindre hier soir, nous allons repasser la vidéo de cet épisode. Nous attirons tout particulièrement l'attention des parents sur la violence de ces images.

Marty fit signe de couper. La tension générale retomba.

— C'était déjà assez horrible de passer ça hier, protesta Melanie. Je ne vois pas pourquoi on recommence.

— Puisqu'on l'a, on s'en sert, rétorqua Marty, sans quitter le moniteur des yeux.

— Cinq, quatre, trois, deux, un...

Sa main s'abattit comme un couperet.

— Après cet épouvantable meurtre, la prison de Meza Azul a été plongée durant trente-six heures dans un bain de sang, reprit Melanie d'un ton lugubre. En fin d'après-midi, les représentants de la direction ont révélé que trois hommes, deux détenus et un civil, étaient portés disparus.

Elle énuméra leurs noms et leurs biographies tandis que Marty faisait afficher des clichés de Driver, de Corso et de Kehoe.

— Aujourd'hui, le FBI et la police des sept États de la région ont lancé contre eux une vaste chasse à l'homme.

Reprenant son ton spécial catastrophe, elle

lut les mises en garde avertissant les citoyens que les fugitifs étaient armés et dangereux.

— Restez avec nous et « Chasse à l'homme » pour d'autres informations exclusives sur Timothy Driver, l'homme qui a déclenché la mutinerie la plus meurtrière de l'histoire des États-Unis, puis a réussi à disparaître comme de la fumée du pénitencier considéré comme le plus sécurisé de tout le pays.

Coupure publicitaire.

Melanie s'adossa à sa chaise. La maquilleuse accourut et procéda à quelques retouches.

— On continue avec la nouvelle vidéo ? s'enquit Marty.

Elle acquiesça.

— On n'a pas fini d'en entendre parler !

— Je sais.

— La chaîne va être sacrément emmerdée.

— Je sais.

— En place ! cria Marty avant de procéder au compte à rebours.

— Chers téléspectateurs, nous reprenons notre édition spéciale de « Chasse à l'homme » pour des informations exclusives et confidentielles concernant le cerveau à l'origine de la mutinerie et de l'évasion qui a suivi. Les précédents rapports émanant des autorités carcérales indiquaient que Timothy Driver s'était échappé de sa cellule à l'occasion d'un examen médical de routine. Or, « Chasse à l'homme » est en mesure de prouver sans l'ombre d'un doute que Driver allait être mis en observation à cause d'un comportement irrationnel et les prémices d'une dissociation mentale apparus depuis plus de cinq semaines.

Elle marqua une pause solennelle puis reprit :

— Les images qui vont suivre, bien que moins violentes que les précédentes, sont cependant susceptibles de choquer la sensibilité de certains téléspectateurs, et nous mettons en garde les parents des plus jeunes.

Marty observa avidement la scène filmée à l'intérieur de la prison. L'écran se divisa en deux. Une vue était prise depuis un angle de la cellule de Driver, l'autre à travers les barreaux. Il faisait les cent pas comme un animal en cage. Ses sandales et son survêtement orange étaient soigneusement disposés sur l'étroite couchette et il ne portait que le caleçon marron réglementaire. Son corps était très pâle, mais dans une forme physique seulement à la portée de celui qui a tout son temps pour la maintenir. Sa voix résonnait comme s'il était en train de prêcher devant des centaines de gens dans une salle immense.

« Tout le monde y contribue ! tonnait-il. Dans un sens ou dans un autre. Peu importe que vous soyez d'accord ou pas. Depuis les ours jusqu'aux plus infimes des insectes. Ça fait partie de chacun, chacun en fait partie. La nature ne peut être corrompue. Son organisation ne peut être altérée d'aucune façon. C'est moléculaire. Au-delà de la portée humaine, parce que c'est parfait et que l'homme ne l'est pas. Malgré les kilomètres carrés de béton, les mauvaises herbes se faufileront quand même. Peu importe… »

Marty surveillait l'écran où Driver continua de fulminer et de divaguer durant quelques instants, puis mima le décompte de cinq à un et pointa l'index sur Melanie qui reprit :

— La question que nous nous posons à « Chasse à l'homme » est celle-ci : comment se fait-il qu'un esprit aussi brillant que celui de M. Driver, diplômé d'Harvard, rien de moins, ait été poussé à la démence par son incarcération, alors que l'immense majorité des détenus conservent leur santé mentale après des périodes de détention bien plus longues ?

Elle laissa au public un instant pour y réfléchir.

— La réponse, vous la trouverez dans la privatisation du système carcéral américain et le procédé positivement médiéval appelé « isolement total ». Restez avec nous !

— J'entends déjà sonner les téléphones ! s'exclama Marty.

— Personne ne mérite un traitement pareil.

— Pas mal de nos téléspectateurs ne vont pas être de cet avis.

Melanie reprit la parole : la Randall Corporation, la cellule de cinq mètres carrés entièrement carrelée de blanc, la lumière constamment allumée, les caméras en permanence. Vingt-trois heures par jour dans un bocal à poisson. Ni radio ni télévision, un seul visiteur par mois. Elle mentionna les signes annonciateurs de démence chez Driver, délibérément ignorés par souci de rentabilité, et lança un appel pour que les conditions d'incarcération dans les établissements de la Randall soient examinées, ainsi que pour la cessation immédiate des mesures d'isolement total.

Quand elle eut terminé, l'expression de Marty s'était figée sur une grimace.

Une page de publicité, puis le retour à l'antenne.

— Ici Melanie Harris, pour « Chasse à l'homme ». Retrouvez-nous lors de notre prochaine émission, toujours vouée à dénoncer les crimes qui pervertissent notre pays. À ce jour,

« Chasse à l'homme » et ses millions d'auditeurs sont à l'origine de l'arrestation et de la condamnation de neuf cent soixante-dix-neuf criminels dangereux. Ajoutons ces trois hommes à cette liste ! Trouvons-les avant les autorités !

Elle offrit son sourire entendu à la caméra et conclut :

— À la prochaine fois !

Marty abaissa la main. Fin de l'émission.

# 26

— Vous êtes sûr que votre ami ne vous a pas oublié ?

Le gamin, qui n'avait pas vingt ans, portait un pantalon noir et une impeccable chemise blanche annonçant *Voiturier* sur sa poche de poitrine.

— Je commence à me le demander, répondit Driver avec un pâle sourire. Il a dit qu'il revenait tout de suite.

Un coupé Mercedes argenté vint se garer le long du trottoir. Le jeune homme quitta sa guérite et se précipita à la portière.

— Bonjour, monsieur Abrams. Comment allez-vous ?

M. Abrams, un bonhomme gras au visage grêlé, arborait au petit doigt un diamant gros comme le Ritz. Il glissa un billet, probablement de dix dollars, dans la main du voiturier et entama la montée des marches comme s'il avait mal aux pieds.

— Vous comptez repartir ce soir, monsieur ?

— Je vais voir mes gosses dans le New Jersey demain matin. Tu peux la mettre dans le parking longue durée si ça t'arrange.

— Merci, monsieur.

Le voiturier maintint la porte ouverte en attendant qu'un de ses deux assistants arrive. Ce fut un petit blond avec une vilaine peau et un uniforme froissé qui accourut, un anneau plein de clés à son doigt, et se glissa au volant. Le jeune lui donna les instructions :

— Parc longue durée. Le propriétaire n'en aura pas besoin tout de suite.

Driver leva nonchalamment le bras au-dessus de sa tête, comme s'il s'étirait. À une centaine de mètres de là, à l'entrée du parking, attendait Kehoe.

Les nuages s'apprêtaient à laisser place au soleil. Kehoe salua Driver de deux doigts et disparut dans le garage couvert. Driver suivit des yeux la progression de la Mercedes qui se fondit à son tour dans la pénombre. Une Chrysler décapotable rouge émergea, puis une Chevrolet Malibu bleue.

Le voiturier attendit les chauffeurs, remplit

les tickets et rendit les clés. Le blondinet le rejoignit en courant.

— Où est passé Bobby ? demanda le jeune en chemise blanche.

— Il a pris sa pause, répondit l'autre en lui tendant les clés de la Mercedes. Je crois qu'il est allé manger un sandwich.

— Grouille-toi, mon vieux. On ne peut pas les laisser s'entasser là.

— Emplacement D 43, dit le petit blond.

Le jeune homme inscrivit le numéro sur le ticket, entra dans la guérite et ouvrit la double porte de l'armoire aux clés. Driver, à un mètre de lui, le regarda suspendre celles de la Mercedes à un crochet de laiton : avant-dernier à droite, rangée du haut.

— Bon, je vais chercher mon copain, lui dit Driver. Je prends mon bagage, au cas où je le trouverais.

Il tendit un billet de cinq dollars. Quand le gamin se pencha pour ramasser les deux sacs, Driver allongea la main, décrocha sans bruit le trousseau de son crochet et le glissa dans sa poche.

— Vous transportez du plomb là-dedans, ma parole, grinça le voiturier en déposant les sacs sur le trottoir. J'aimerais pas avoir à les trimballer trop loin.

— C'est pourtant un bon exercice, répliqua Driver en riant.

Après un rapide adieu, Driver traversa le parking, zigzaguant entre les rangées de voitures garées nez à nez. Les nuages étaient sur le point de se dissoudre en rayons de soleil. À l'entrée du garage couvert, il vit Kehoe dévaler la rampe à sa rencontre et s'arrêter, les mains sur les hanches, hors d'haleine.

— T'as les clés ? souffla-t-il.

Driver tapota sa poche.

— Oui.

— La Mercedes métallisée ?

— Tout juste.

Kehoe se fendit d'un sourire.

— Elle est sur le toit.

— Allons-y.

Ils débouchèrent bientôt en plein soleil, clignant des yeux, et Driver suivit Kehoe sur la gauche, puis la droite. Driver appuya sur la télécommande d'ouverture. Kehoe se glissa à la place passager tandis que Driver balançait les sacs à l'arrière, entre les sièges. Kehoe n'eut pas besoin de l'interroger, il avait déjà sa réponse : le glissement des fermetures Éclair, le cliquetis du métal, le bruit tranquille d'armes bien graissées assemblées par des mains habiles. Driver chargea les deux fusils et les déposa sur le siège arrière, cachées par des serviettes et les sacs par-dessus.

Kehoe approuva de la tête.

— Où on va ?

Driver s'installa au volant, enclencha sa ceinture, tourna la clé de contact. Le moteur se mit silencieusement en marche.

— Au salon de beauté le plus proche.

Kehoe croisa les bras en fronçant les sourcils.

— Qu'est-ce que tu racontes ?

— On doit changer de look.

L'agent spécial Rosen posa le dossier sur le bureau.

— Kehoe n'a reçu ni courrier ni visite depuis sept ans.

Quelqu'un émit un sifflement.

— Voilà qui s'appelle se retrouver seul.

— Quand tu es condamné à perpétuité, le téléphone ne doit pas sonner souvent.

— On a étudié tous ceux qui ont été en contact avec lui, peu importe quand, dit un jeune agent du FBI en costume brun.

Il feuilleta ses fiches réunies par un clip noir.

— Sa mère, Gladys Alma Kelly, a cessé de lui

écrire en 1985. Elle est morte d'un infarctus en 1986. Sa demi-sœur, Dorsey Anne Clements, a été tuée devant un bar en Louisiane, en 1999. L'affaire n'a pas été élucidée. Le seul visiteur qu'il ait jamais eu est un certain Harvey Gerald Raynes : deux fois en 1992 et deux fois en 1993. Sa lettre, en 1998, a été la dernière que Kehoe ait reçue.

Il la fit glisser sur la table à l'intention de ceux qu'elle intéresserait. Un homme corpulent en uniforme de policier de l'Arizona la parcourut.

— Raynes avait été le compagnon de cellule de Kehoe dans le Mississippi. De nouveau arrêté en 1999 pour vol à main armée et coups et blessures, il a été battu à mort par un codétenu la même année. Voilà, c'est tout.

— Et ce Corso ?

— C'est un écrivain célèbre. Il a participé à l'émission de Jay Leno cinq ou six fois. Il vit plus ou moins en reclus sur un bateau, et se déplace constamment pour que la presse ne le traque pas. D'après sa déclaration de revenus de l'année dernière, il a gagné un peu plus de trois millions après impôts. Il a de la famille en Géorgie du Sud. Nos gars sont déjà en route pour placer des écoutes téléphoniques, mais je ne me fais pas d'illusions. Il est en contact avec eux, mais n'est pas allé là-bas depuis dix ans. On interroge son ex-patron du *Seattle Sun*, une certaine Natalie Van Der Hozen. Les demandes de mise sur écoute ne vont sans doute pas aboutir, on nous les a déjà refusées à deux reprises.

— Pourquoi donc ?

— Motif insuffisant.

Rosen secoua la tête.

— Tout le nord de la côte Pacifique nous enquiquine constamment à ce sujet. Et Driver ?

— Il constitue notre meilleure piste. Il reçoit un flot constant de courrier de sa mère, qui vit dans l'Oregon. Au début, il avait aussi des lettres de ses collègues et de divers membres de la marine, mais rien depuis deux ans. Il ne reste que sa mère.

— On en est où à ce niveau ?

— Le bureau de Portland collabore avec les polices d'État et locale. On devrait obtenir la mise sur écoute et des gens sur place d'ici deux heures.

Rosen approuva.

— Bien.

Il se tourna vers l'officier.

— Qu'est-ce qu'on peut faire pour protéger les autoroutes et les voies secondaires ? Ces fumiers ont déjà descendu deux commerçants.

Il faut absolument les arrêter, aussi vite que possible.

— Les polices nationale et locale des sept États environnants sont à la recherche d'un pick-up Ford de 1979, équipé d'une cabine de camping-car de la marque Caveman, avec une plaque de l'Oregon. Nous pensons qu'il a été volé dans une station-service Desert Distributing de Pauling, Arizona. Le gardien a été porté disparu par sa femme. Des traces de sang ont été relevées sur le sol de la guérite.

Rosen se mit à fouiller dans la masse de documents étalés sur la table.

— Desert Distributing, j'ai déjà entendu ça quelque part.

Il reposa une pile, en attrapa une autre.

— Voilà. Les détenus ont laissé partir sains et saufs six chauffeurs du coin avec leurs camions. « Blanchisserie de Mesa, Alimentation générale, Linge de l'Arizona ». J'y suis : Desert Distributing.

La pièce était plongée dans le silence.

— Ça doit être comme ça qu'ils sont sortis, reprit Rosen. Trouvez ce camion. Passez-le au peigne fin.

Le policier était déjà à mi-chemin de la sortie quand Rosen ajouta :

— À l'intérieur aussi. Examinez ces fichues

citernes elles-mêmes.

Le costume brun se leva, ajustant sa veste.

— Et pour la presse ?

— Rien. L'enquête suit son cours. Plusieurs pistes en vue. Chasse à l'homme générale. C'est tout.

# 27

Corso retint son souffle, tourna légèrement la tête. Il était du genre à regarder ailleurs quand on lui faisait une piqûre et ne tenait pas du tout à surprendre l'éclat de la lame qui allait lui percer le cœur. Sans envisager qu'il pourrait mourir dans son lit, il avait souvent imaginé ses derniers instants. Ceux où tout déraillerait, où la course prendrait fin. Il était toujours question d'une perforation quelconque : une balle lui traverserait le cœur, un pic à glace lui crèverait l'œil. Son ultime nanoseconde de conscience débuterait par la lacération de sa chair et s'achèverait par un brusque frisson et un fondu au noir.

Aussi noir que la main posée sur son épaule. Tout le monde dans cette ville semblait porter une bague au petit doigt. Le regard de Corso remonta jusqu'à la paire d'yeux bruns les plus hostiles qu'il ait jamais rencontrés.

— Vous avez ennuyé Mme Gravley ?
— Comment ?
— Vous avez ennuyé Mme Gravley ?
La main le fit pivoter sur sa gauche et il vit la vieille femme, celle qui était assise à la machine à sous. Elle tenait toujours une boîte de café Maxwell à demi emplie de pièces de vingt-cinq cents.
— C'est bien lui ! s'écria-t-elle en le pointant du doigt. Ce type m'est tombé dessus comme un vieux manteau !
— J'ai trébuché, répondit Corso.
— Il m'a pelotée ! Il m'a attrapé les nichons !
— Je l'ai bousculée sans le faire exprès, c'est tout.
La terrible pression sur son épaule se relâcha et Corso fit un pas de côté. Le type portait une jaquette rouge graisseuse avec un badge. Sécurité du casino. Il s'approcha de Corso et renifla à plusieurs reprises, puis s'écarta.
— On va en rester là, madame Gravley. Retournez à votre machine. Je passerai un peu plus tard voir si tout va bien.
— Quelqu'un a dû me la piquer, maintenant.
— Il y en a beaucoup d'autres, madame Gravley.

Il écouta patiemment sa tirade sur celle qui était justement sur le point de la faire gagner ; elle devrait tout recommencer sur une autre fichue machine qui allait sûrement la mettre à sec.

Corso et l'agent de sécurité la regardèrent s'éloigner en clopinant dans la clameur de la salle.

— Avant, elle était danseuse dans l'un des grands casinos, dit le vigile. Il y a des années de ça. Ces derniers temps, elle doit un peu trop forcer sur la caféine et s'imagine que tous les types qui passent veulent lui sauter dessus.

Il hocha la tête, amusé.

— Ça a dû être vrai, il y a longtemps.

— Mais le temps passe, dit Corso.

— Pour sûr, dit l'autre avec un petit rire.

— Vous pourriez me rendre un service ?

— Lequel ?

— Appelez le FBI.

Finis, les cheveux bruns balayant les épaules, la moustache à la Fu Manchu et la mine perpétuellement renfrognée du motard en Harley Davidson. Kehoe, rasé de près, s'observait dans la glace du salon de coiffure en tâtant du plat de la main sa coiffure en pointes noires hérissées.

— On pourrait presque se couper là-dessus, remarqua-t-il en rigolant.

— Tu es un homme neuf, lui dit Driver. Ta propre mère ne te reconnaîtrait pas.

— Elle me mettrait son pied au cul si elle me voyait comme ça.

L'esthéticienne quitta son comptoir pour lui tendre sa monnaie et un flacon de gel bleu électrique pour les cheveux.

— Tu es super, mon chou. Les filles vont se jeter sur toi comme des puces sur un singe.

Driver n'arrivait pas à se faire une idée de la nature exacte de l'esthéticienne. Une créature avec des seins hypertrophiés et une barbe de fin de journée, c'était au-delà de son expérience et extrêmement déroutant. Il n'y avait jamais réfléchi jusque-là, mais il semblait bien que sa capacité à identifier le sexe d'une autre personne avait atteint ses limites et s'était grippée devant cet être d'une espèce inconnue. Cette impossibilité à classer un homo sapiens selon son genre le rendait incapable de rapports normaux avec lui et fort incertain sur la conduite à tenir.

Il s'était fait raser le crâne et avait fait tailler avec soin sa barbe en broussaille. L'effet était spectaculaire. De même que Kehoe, il n'avait plus la moindre ressemblance avec l'homme de la photo diffusée à la télévision.

— Où vous allez comme ça, les gars ? demanda-t-elle/il.

— Dans le coin, répondit Driver. On se balade dans le coin.

Elle/il fit claquer son chewing-gum.

— Envoyez-moi un petit mot quand vous y serez.

Elle ou il s'esclaffa en répétant :

— C'est ça, dites-moi quand vous serez arrivés.

Kehoe faisait glisser sa main vers sa poche quand Driver l'attrapa par le bras et l'entraîna vers la porte.

— Merci pour tout, lança Driver avant de sortir.

— Ce connard, c'est un mec ou une nana ? demanda Kehoe en se dégageant brusquement.

— Quelle importance ?

— Je ne tue pas les femmes.

Driver se mit à rire.

— Je suis enchanté de rencontrer un homme qui a des principes.

— Faut bien se donner des limites.

Driver réprima son hilarité.

— Tu as déjà songé que le meurtre n'était peut-être pas la meilleure façon de régler les problèmes ?

— Pour moi, ça a toujours marché.

De mauvaise grâce, il suivit Driver jusqu'à la voiture. Le soleil ardent qui régnait désormais dans le ciel adoucissait l'air hivernal et chassait les nuages comme un troupeau de moutons apeurés.

Driver ouvrit les portières et ils s'installèrent. Kehoe attacha sa ceinture avec un dernier regard mauvais en direction du salon, puis se tourna vers Driver.

— Et où on va maintenant ? Ne me réponds pas qu'on va se balader dans le coin, hein ? Je veux savoir où on va, un endroit précis, un truc comme ça.

Driver démarra, enclencha la vitesse.

— On va vers le nord.

— Pourquoi ?

Driver s'insinua dans la circulation.

— Je veux voir ma mère une dernière fois.

— Elle est où ?

— Au nord.

Kehoe comprit sa discrétion.

— Elle t'écrit ?

— Ouais.

— Je te dis ça parce qu'ils vont surveiller tous ceux avec qui tu es en contact.

— Je sais.

— C'est sans doute déjà fait.

Driver esquissa un sourire.

— Sûrement pas.

Kehoe l'observa.

— T'en es sûr ?

— Absolument.

— Pourquoi ?

— Je préfère me taire.

— D'accord.

— Et toi ?

Kehoe réfléchit.

— Tant qu'à faire, je pourrais tenter de passer au Canada.

— Pourquoi donc ?

Kehoe eut un petit rire cassant.

— Parce qu'ils vont tout faire pour nous liquider, à cause des matons, Capitaine. Ils vont en faire un crime fédéral ou quelque chose comme ça. Ils fabriqueront des preuves s'il le faut. Ils auront notre peau, pour de bon.

— Et le Canada ne t'extradera que si les Fédéraux promettent de ne pas te condamner à mort.

— Tout juste, mon pote.

D'une belle voix de baryton, Driver entonna :

— « Tous au nord, en Alaska, pour la ruée vers l'or… »

# 28

— On a fini ? demanda Corso.

L'agent spécial Rosen quitta sa chaise et se dirigea vers la fenêtre. Les mains sur les hanches, il considéra la ville qui s'étendait au-delà. Ils avaient passé deux heures enfermés dans une salle d'interrogatoire aveugle au sixième étage du Bureau fédéral de Phoenix. Ce ne fut qu'après avoir commencé à vérifier les dires de Corso… trouvé le camion volé sur le parking comme il l'avait indiqué… et les combinaisons de protection flottant dans la citerne de gasoil, vérifié la chambre d'hôtel et interrogé le vigile du casino, qu'ils s'étaient installés deux étages plus haut dans une salle de conférences. Rosen s'adossa à la fenêtre et riva son regard à celui de Corso.

— Comment va votre main ?

— Mieux. Merci d'avoir fait appel à un pro.

— Et vous n'avez aucune idée de l'endroit où ils ont pu aller ?

— Aucune. Kehoe déclare qu'il est seul au monde et Driver délire à propos de poissons et de grizzlys, de mouches bleues et de tout ce qui lui passe par la tête.

— Il est quand même lucide de temps en temps ?

— Chaque fois que c'est nécessaire.

— Vous pensez qu'il simule ?

— Difficile à dire. C'est peut-être ce qui arrive quand on enferme un homme dans une cellule carrelée en laissant la lumière allumée vingt-quatre heures sur vingt-quatre, sept jours sur sept.

— Il lui est arrivé de parler de sa mère ?

— Pas en ma présence.

Rosen réfléchit de nouveau à toutes ces données. Son jeune collègue se rongeait les ongles. La sténographe avait les mains au repos et le visage inexpressif.

Après un instant tendu, Rosen dit :

— Vous êtes libre, monsieur Corso.

Corso se leva. Rosen jeta un coup d'œil à l'extérieur.

— Il paraît que vous fuyez la presse ?

— Comme les hyènes et les serpents à sonnette.

— Vous feriez mieux d'enfiler vos baskets,

alors, parce que tous les journalistes du monde connu sont en bas à vous attendre.

Corso rejoignit Rosen et regarda en bas en soupirant.

— On pourrait vous faire passer par le parking.

Corso secoua la tête.

— J'ai eu ma dose d'hospitalité gouvernementale pour la journée, merci.

Il atteignit la porte en quatre enjambées, l'ouvrit et jeta un long regard sur les agents avant de s'éloigner. Rosen décrocha le téléphone et composa un code.

— M. Corso vient d'être relâché.

Il écouta un instant, les yeux fixés sur la moquette, puis répondit :

— Faites entrer.

Son agent remarqua :

— Je pensais qu'on l'aurait gardé deux jours de plus.

— Je crois qu'il a été honnête avec nous. De toute façon, si on a besoin de lui, on le retrouvera.

Une jeune femme en tailleur gris apparut. La tenue sévère, fines rayures et coupe parfaite, ne parvenait pas à masquer la vivacité de sa personnalité. Elle avait fait partie de l'équipe de volley-ball qui avait obtenu une médaille de bronze aux derniers jeux Olympiques ; ses longues jambes musclées en témoignèrent lorsqu'elle prit place au bout de la table de conférence.

Rosen haussa les sourcils.

— Le Bureau de Portland a un problème, annonça-t-elle d'un ton uni.

— Lequel ?

— Eh bien, apparemment... à ce point de notre enquête, il semblerait que la mère de Driver n'habite ni à Prineville, Oregon, ni aux alentours.

Rosen croisa les bras en fronçant les sourcils.

— Vraiment ?

— Oui, monsieur.

— Ses lettres proviennent de là-bas.

— Oui, monsieur.

— C'est une grande ville ?

— Pas très grande, monsieur. C'est sur le plateau, après Bend. Les gens du coin travaillent dans le secteur du bois ou dans celui du caoutchouc à l'usine de pneumatiques.

— Et nos hommes...

— ...ont mis la police municipale et celle de l'État sur l'affaire.

— Ils ont vérifié les boîtes aux lettres privées ?

— Les enquêteurs passent à la loupe les tampons des bureaux de poste à quatre-vingts kilomètres à la ronde pour déterminer celui qui figure sur les enveloppes.

— Les lettres ont toutes le même cachet ?

— D'après Quantico, oui.

Les épais sourcils de Rosen se rejoignirent. Ils avaient compté là-dessus pour faire aboutir la chasse à l'homme. C'est pour cela qu'il avait assigné la tâche à l'agent spécial Westerman, dans l'espoir qu'un succès en début de carrière la propulserait rapidement sur l'échelle du FBI, lequel pouvait souvent se montrer un peu trop vieille école. Elle était capable, bien entraînée, et avait supporté le sexisme basique du Bureau de Phoenix avec grâce et bonne humeur, ce qui, aux yeux de Rosen, méritait bien un coup de pouce.

— Alors, qu'en pensez-vous ?

— Qu'elle vit peut-être dans un coin très isolé, sans beaucoup de contacts. Je crois qu'on la trouvera en élargissant les recherches.

— Et sinon ?

— Sinon, on aura un mystère à résoudre, monsieur.

Pressé de toutes parts par la foule de journalistes, Corso vit rouge. À mi-chemin dans le maelström d'appareils photo, de micros et de magnétophones, il fut heurté au visage par un caméscope et la situation empira. Il repoussa si violemment la caméra qu'elle rebondit contre la figure de son possesseur, ce qui lui cassa ses lunettes et l'envoya valdinguer dans la mêlée où il trébucha et s'effondra. Ses appels à l'aide s'élevèrent par-dessus les questions qui fusaient et les bousculades.

En jurant à mi-voix, Corso poursuivit sa difficile progression dans la marée humaine. Il avait compté sur ses longues jambes pour traverser au plus vite les représentants des médias, auxquels de nouvelles équipes s'étaient ajoutées dans cet espace restreint, avec leurs branchements et leurs câbles. Sans technologie, ils valaient moins que rien.

Mais le problème demeurait. La sortie qu'il avait empruntée donnait dans le fond d'une impasse, ce qui en faisait une proie pour la meute journalistique aux questions hystériques et aux micros agressifs, sans même l'espoir de pouvoir sauter dans un taxi ou de profiter de l'animation de la rue pour s'échapper.

Il leva le menton pour éviter un micro brandi

à bout de bras. Le ciel nocturne était d'un bleu profond. Les lumières de la ville effaçaient celles des étoiles. Le vacarme des hommes et de leurs appareils résonnait comme un essaim de frelons. Serrant les dents, Corso continua de se frayer un chemin dans la cohue.

Au débouché de l'impasse, le long du trottoir entre deux fourgonnettes appartenant aux services scientifiques du FBI, était garé un énorme camping-car blanc et marron, porte grande ouverte. Corso reconnut la fille tout de suite, Melanie Quelque-chose, la présentatrice de « Chasse à l'homme ». Il avait participé à son émission cinq ou six ans auparavant, quand il avait encore besoin de faire la promotion de ses livres. Elle agita le bras pour l'appeler, recommença avec plus d'insistance.

Il accéléra le pas, épaules basses, ricochant comme une boule de bowling jusqu'au camping-car. Elle recula à l'intérieur en tenant la porte ouverte. Corso sentit le véhicule plier sous son poids quand il monta sur le marchepied. La porte claqua, le loquet s'enclencha et le silence s'installa, comme une brise. Il jeta un regard alentour sans rien voir, se passa les mains dans les cheveux et prit une profonde inspiration.

— C'est pire que la mutinerie, dit-il.

Elle eut un rire profond et sincère, qui le fit sourire.

— Vous êtes bien placé pour le savoir !

Corso s'avança, regarda autour de lui avec plus d'attention.

— C'est épatant, ici.

Elle haussa les épaules.

— Ce truc est resté stationné sur le parking de la chaîne pendant des années. Mon agent l'a négocié pour moi, mais je m'en suis rarement servi.

Corso se pencha pour regarder au-dehors, à travers les rideaux.

— Et il roule, cet engin ? Je veux dire, vous avez un chauffeur ?

Elle plissa son joli front.

— Quel chauffeur ? C'est moi le chauffeur. Si c'est tout ce que vous avez à dire, vous pouvez descendre, cher monsieur.

Corso tendit les mains en un geste d'apaisement.

— Désolé. Je ne voulais pas vous vexer. Il m'arrive d'être vraiment stupide.

Elle accepta ses excuses.

— Où voulez-vous aller ?

— N'importe où mais ailleurs.

Elle fit coulisser les rideaux du pare-brise et de la vitre latérale, se mit au volant.

— À l'aéroport ?

Il réfléchit pendant qu'elle démarrait.

— Que diriez-vous de Scottsdale ?

— Où, à Scottsdale ?

Elle recula, attendit le léger choc, braqua fortement à droite et se dégagea du trottoir.

— Au Phénicien. C'est un hôtel sur Scottsdale Road.

— Je sais.

Une douzaine de photographes reculèrent devant le camping-car en tentant de prendre des clichés à travers le pare-brise. Melanie klaxonna et accéléra. Les paparazzi refluèrent comme les vagues devant la proue d'un bateau.

— Au moins, vous avez bon goût en matière d'hôtels, remarqua Melanie en s'insérant dans la circulation en direction du sud. Si vous cherchez à vous cacher, il n'y a pas mieux.

— Je vous invite à dîner. Le restaurant de l'hôtel s'appelle…

— Chez Mary Elaine. Très bon établissement.

Corso se glissa à la place passager, attacha sa ceinture. Melanie lui jeta un coup d'œil en souriant.

— Vous avez du goût en matière de restaurants également. C'est étonnant qu'aucune petite maligne ne vous ait mis le grappin dessus.

— Qui vous dit que ce n'est pas fait ?

— Votre réputation vous précède, monsieur Corso.

# 29

— C'est chouette que ta mère t'écrive encore, dit Kehoe.

Comme promis, ils roulaient vers le nord sous un ciel couleur d'ardoise, avec à la radio le sermon de l'un de ces lugubres évangélistes qu'on ne trouve qu'au milieu de nulle part. À l'horizon, des nuages d'orage lançaient çà et là leurs éclairs d'argent comme s'ils visaient des pécheurs égarés.

— Les gars qui se font prendre…, continua Kehoe, leur famille s'accroche un moment, et puis… les gens font ce qu'ils peuvent. Ils écrivent, ils viennent au parloir, ils envoient des colis, mais tu sais ce que c'est. La vie suit son cours. Il y en a qui meurent, d'autres qui continuent comme avant. Ils peuvent pas remorquer un taulard après eux pour le restant de leurs jours. Ils rencontrent quelqu'un d'autre. Ils refont leur vie ailleurs, changent de nom, d'endroit, vont là où personne ne les reluquera de travers. On peut pas leur reprocher.

Il n'attendait pas de réponse. Driver était parti dans une autre dimension depuis qu'ils avaient fait halte, quelques heures auparavant, pour prendre de l'essence et manger un morceau. Kehoe contempla sa nouvelle coupe de cheveux dans le miroir de courtoisie, pour la cinquantième fois environ. Le tonnerre résonna dans le lointain et il regarda l'orage qui accourait vers eux depuis l'est, précédé par un ondoyant rideau de pluie à travers la prairie. Dans une heure, il ferait nuit.

Soudain, Driver rompit le silence :

— Ma mère ne m'a jamais laissé tomber. Jamais. Tant qu'on sera en vie tous les deux, je resterai son fils et elle sera de mon côté. Peu importe ce que j'ai fait, elle dira que ce n'était pas ma faute. Elle trouvera le moyen de blâmer quelqu'un d'autre. Pour elle, c'est ça, être une mère.

— Ça doit être drôlement bien d'avoir quelqu'un comme ça. Moi, ma famille était en morceaux avant même que je sois né. Du plus loin que je me rappelle, j'étais trimballé de ma mère à mon père à ma grand-mère à ma tante Sophie. Chez celui ou celle qui n'était pas en taule à ce moment-là et avait de quoi se loger.

Kehoe se renfonça dans son siège et entreprit de se curer les dents.

— Mon vieux était du genre à penser qu'une bonne raclée, ça résout tout. Ça te fait entrer un peu de religion dans la tête et ça chasse le diable. Le résultat, c'est que t'as pas envie de te plaindre quand on t'a fichu une volée à l'école. Non monsieur, au contraire… si c'est pas toi le vainqueur tu vas te planquer ailleurs.

— Qu'est-ce qu'il est devenu ?

— On sait pas. Un soir, il est sorti de son bar préféré à Grenville, dans le Mississippi, et on l'a jamais revu. J'avais douze ans. J'ai attendu quelques jours, puis quand il m'est plus resté de beurre de cacahuètes à manger, j'ai appelé ma tante. Elle est venue du Tennessee me chercher.

— Et ta mère ?

Kehoe demeura songeur.

— Elle avait le cœur fragile. Jamais eu la force d'élever des enfants. Usée avant l'heure. Sophie, ma tante, disait qu'elle était trop bien pour ce monde. Moi, j'ai toujours pensé que c'était le contraire, c'est le monde qui était trop bien pour elle. À peine j'étais arrivé qu'elle me renvoyait d'où je venais.

Il haussa les épaules et fit jouer de nouveau son cure-dents.

Les grosses larmes de pluie qui précèdent un orage s'écrasèrent sur la carrosserie. On aurait dit des gouttes de mercure rebondissant sur le capot. Un coup de tonnerre éclata, le trident d'un éclair zébra le ciel puis des cataractes s'abattirent autour d'eux, submergeant les essuie-glaces et réduisant la visibilité à presque rien.

— C'est pire qu'une vache qui pisse ! hurla Kehoe par-dessus le vacarme.

Driver roula au pas, bien à droite. Les essuie-glaces battaient comme des fous. Puis, au bout de cinq minutes, le déluge s'éloigna, traversant le désert à cent soixante kilomètres-heure.

Kehoe attaqua ses gencives avec le cure-dents. Il dégagea un petit débris qu'il recracha sur le tapis de sol.

— J'en avais, des réserves, là-dedans.

Comme Driver ne répondait pas, il lui jeta un coup d'œil. Il était de nouveau en voyage dans son monde intérieur, celui qu'il s'était inventé pour ne pas devenir complètement fou.

— Hé ! fit Kehoe. Hé, Driver !

Driver tourna enfin la tête vers lui. En voyant son regard revenir à la réalité, Kehoe songea que c'était comme regarder une machine à sous aligner les trois citrons gagnants.

— Qu'est-ce que tu veux ?

— Pisser un coup. On vient de passer un panneau qui annonce une aire de repos à trois kilomètres.

Les dernières gouttes de pluie de l'orage, son arrière-garde, tombèrent et ce fut le silence. Puis un panneau : *Aire de repos à 2 kilomètres. État de l'Utah, Route 191*. Illustré d'une ruche. Toujours très occupés, ces mormons.

Driver mit le clignotant à gauche et prit la bretelle de l'aire isolée par des buissons secs, résistants, qu'on n'avait pas besoin d'arroser. L'endroit était quasi désert. Des toilettes dans deux cubes de béton et quatre tables de pique-nique, un couple âgé occupé à ranger le coffre de son break Volvo bleu. En face, un énorme camion de déménagement garé en travers des places de parking. Driver se gara et coupa le moteur.

— L'un après l'autre, dit-il. Vas-y en premier.

Kehoe sortit le colt rutilant de la boîte à gants.

— Au cas où, dit-il avec un clin d'œil en le glissant dans sa ceinture avant de rabattre sa chemise par-dessus. On ne sait jamais sur qui on va tomber dans les chiottes publiques.

Driver descendit de voiture avec lui et resta près de la Mercedes en s'étirant. Il regarda Kehoe s'éloigner en traînant les pieds – la démarche caractéristique de celui qui a les chevilles entravées. Le bruit d'un moteur lui fit tourner la tête : le couple à la Volvo s'en allait. Un type en tee-shirt blanc, stetson gris et bottes de cow-boy bien astiquées, l'un de ces camionneurs, gros bide et pas de fesses, attrapa la poignée de la cabine du camion de déménagement et se hissa à l'intérieur. Le grondement du moteur déchira la pénombre, et deux panaches de fumée s'échappèrent des tuyaux d'échappement métalliques. Driver entendit le chuintement de l'embrayage hydraulique et le glissement des pneus, puis le flanc du camion peint d'un globe blanc et jaune défila devant lui. Il perçut le passage de la vitesse, puis son intérêt s'évanouit totalement quand la dernière paire de roues fut passée : il venait de découvrir ce que le mastodonte lui avait caché jusque-là. Le souffle court, il se sentit parcouru de mille picotements.

Une voiture de police du Nevada était garée sur la place réservée aux handicapés, tout près des toilettes, à moins de huit mètres de lui. Un type coiffé en brosse – le dernier spécimen du genre en Amérique – était au volant. Une jeune femme assise à l'arrière se penchait vers lui. Les vitres étant baissées, Driver l'entendait sans problème.

— Quand ce sera à mon tour, vous allez rester là à me regarder ? Quel genre de pervers vous êtes ? C'est ça qu'on vous apprend à l'école de police, à devenir un pervers ?

Le flic jeta un coup d'œil exaspéré vers Driver puis se remit à regarder droit devant lui. Driver déverrouilla toutes les portières de la Mercedes, puis ouvrit l'arrière et fit semblant de s'occuper de quelque chose à l'intérieur. La fille parlait toujours mais il ne l'entendait plus. Soudain, un claquement lui fit lever les yeux.

La porte des toilettes avait été ouverte à la volée et un second policier, engagé dans une lutte pleine de fougue avec un type en jean et tee-shirt noir, en émergea. Les deux hommes, liés par une paire de menottes, pirouettaient et virevoltaient et battaient des bras, chacun cherchant à prendre le dessus sur l'autre.

L'homme à la coupe en brosse fut dehors en un éclair. Alors qu'il bondissait en dégrafant son holster, les lutteurs s'écroulèrent sur le sol avec un bruit sourd. Le flic avait le dessus, mais l'autre fut plus rapide ; il crocheta sa jambe autour de son adversaire et le renversa. Grognements et jurons s'intensifièrent, chacun essayant d'asséner à l'autre un coup décisif de sa main libre.

Ensuite, ce fut une question de timing. Le deuxième policier survint juste au moment où Kehoe sortait des toilettes à son tour. Driver vit tout de suite ce qui allait se passer et voulut lui crier de ne pas intervenir, mais tout se déroula très vite, beaucoup trop vite. Confronté à deux flics et une lutte à mort, Kehoe réagit instinctivement : il sortit son arme.

Driver le vit dégainer le premier et atteindre le policier en pleine poitrine. Ses poumons vidés de leur air, l'homme tituba en arrière comme s'il venait d'être frappé par une massue ; cherchant désespérément sa respiration, les deux mains crispées sur son sternum, il fit encore quelques pas chancelants vers la voiture. Dès que Kehoe comprit qu'il portait un gilet pare-balles et n'allait pas mourir dans la minute, il tira de nouveau dans sa direction et fonça vers la Mercedes. Driver plongea la main sous les serviettes, attrapa le Mossberg calibre 12 et une poignée de cartouches et parcourut la distance qui le séparait de la voiture de police en quelques enjambées. Il l'atteignit au moment où le policier suffoquant se jetait sur le siège et saisissait la radio. Juste avant d'appuyer sur le bouton, une sorte d'instinct primaire lui fit jeter un coup d'œil sur sa droite. Elle devait avoir l'air d'une conduite d'égout, l'énorme bouche ouverte du fusil contre sa tempe, dans le centième de seconde qui précéda l'explosion de la poudre et de la flamme projetant la cartouche. Les yeux arrondis comme des soucoupes, l'homme tenta d'atteindre son arme et d'appeler au secours, mais la trentaine de plombs lui éclata la tête. Un magma de débris sanglants couverts de cheveux fut éjecté par la vitre ouverte comme un chat échaudé.

La fille s'était mise à hurler mais d'une voix grave, presque comme un feulement. Ce n'était pas des cris de terreur, mais plutôt d'excitation ; cependant, Driver n'avait pas le temps de les écouter.

Près des toilettes, le policier avait repris le dessus, à genoux sur le dos de son prisonnier tout en échangeant des coups de feu avec Kehoe qui, à plat ventre, stabilisait son colt d'une main tout en tirant sans interruption. Plusieurs balles avaient déjà laissé des impacts sur les parois de béton. Concentré sur Kehoe, le policier en avait oublié Driver, le laissant s'approcher à quelques mètres avant que son fusil le déchiquette. La dernière chose qu'il vit, ce fut Driver qui armait à chaque pas et visait tout ce que la veste de kevlar ne protégeait pas. Le policier fut projeté en arrière, eut deux soubresauts et ne bougea plus.

Quand Driver l'atteignit, il était mort et le type coincé sous lui se trémoussait comme un poisson hors de l'eau dans ses efforts pour se dégager du cadavre. Driver attrapa le policier par sa chemise et le tira sur le côté. L'autre roula sur le flanc et sauta sur ses pieds.

Il était jeune, moins de vingt-cinq ans, avec un visage fin aux traits presque féminins et une banane à la Elvis Presley. Ce ne fut qu'en levant la main pour remettre de l'ordre dans sa précieuse coiffure qu'il s'aperçut que son bras droit était toujours relié à celui du policier... sauf que ce bras-là n'était plus attaché au corps lui-même.

— Putain de merde ! s'exclama-t-il en considérant le membre sectionné qui pendait de son poignet.

Il pâlit et parut sur le point de vomir. Il commença à lever la main droite, se ravisa et s'essuya le front de la gauche. La fille dans la voiture se mit à crier :

— Harry ! Sors-moi de là !

Harry avait un dilemme. Son cœur lui disait d'aller vers la jeune fille, mais son bras restait lié à celui du flic par les menottes. Il fit un pas vers la voiture, résolut de ne pas conserver plus longtemps un appendice en surplus et tomba à genoux près du corps qu'il tâta et fouilla jusqu'à trouver un petit trousseau de clés. Au bout de trois essais, il tomba sur la bonne et se libéra du long bras de la loi. Kehoe et Driver s'étaient rejoints et rechargeaient leurs armes.

— J'arrive, ma chérie, cria Harry dans l'obscurité grandissante.

Kehoe et Driver lui emboîtèrent le pas en hâte, tout en surveillant les environs. Sur la banquette arrière de la voiture de police, les deux amoureux jouaient aux retrouvailles éplorées.

— Je les ai vus à la télé, dit Driver.

— Qu'est-ce qu'ils ont fait ?

Driver le renseigna : le fiancé éconduit qui avait abattu le père de sa promise d'une balle dans la tête, la virée sanglante du couple à travers le Texas et l'Oklahoma, l'extradition vers le Texas. Tout ce qu'il avait entendu dire à Las Vegas.

Kehoe émit un sifflement.

— Le Texas, c'est pas un endroit où tuer des gens, Capitaine. Ces cinglés ont vite fait de vous en coller une.

Sur l'autoroute, un semi-remorque rétrograda bruyamment, comme s'il s'apprêtait à prendre la bretelle de l'aire de repos, puis accéléra de nouveau dans le noir.

— On ferait mieux de se tirer, reprit Kehoe.

Harry avait libéré sa bien-aimée de la voiture et lui assurait que tout irait bien. Heidi Anne était une fille nerveuse, aux lunettes à monture d'écaille et serre-tête assorti. Bien que dépourvue de beauté classique, ses yeux bleus et sa silhouette voluptueuse étaient suffisamment prometteurs pour expliquer qu'on puisse commettre un ou deux meurtres en son honneur. Elle voulut bien admettre que tout irait bien. Driver et Kehoe rejoignaient la Mercedes.

Harry et Heidi Anne accoururent main dans la main et restèrent plantés là comme deux gamins devant une pâtisserie.

— Faut qu'on se tire d'ici, dit Harry. Heidi et moi, on...

— Je vous ai vus à la télé. Je sais qui vous êtes.

— Alors vous savez aussi pourquoi on doit s'en aller.

— Ils ne pardonnent pas facilement, au Texas.

Le jeune acquiesça.

— Alors ?

Driver haussa les épaules.

— Prenez la voiture des flics.

— On fera pas quinze kilomètres avec.

— C'est pas notre problème. Fallait y penser avant de descendre son père.

— Ce vieux con a eu ce qu'il méritait.

— T'en es vraiment sûr, hein ?

— Un peu, ouais.

Derrière lui, Kehoe s'était rapproché d'Heidi Anne, qu'il considérait comme toute prête à déguster.

— Qu'est-ce que tu en dis, Cutter ? On les emmène ou pas ?

— S'ils étaient recherchés ailleurs qu'au Texas, je dirais non, répondit-il en jouant la sincérité. Mais le Texas, tu sais...

— Le code d'honneur entre gangsters, et tout ça ?

— Si on veut.

Driver se mit à rire.

— Je prends ça pour un oui.

En souriant toujours, il plaqua le canon de son calibre douze entre les yeux de Harry Gibbs.

— À ta place, je ferais bien gaffe, mon garçon, chuchota-t-il.

Percevant la tension soudaine, Kehoe s'arracha à la contemplation de la charmante Heidi.

— Un problème, Capitaine ?

— Fouille donc notre jeune ami à ma place, Cutter, s'il te plaît. La dernière fois que j'ai vu ce flic dans la voiture, il avait une arme. On dirait qu'elle a disparu.

Elle fut trouvée dans la chaussure de Harry, un joli petit browning.

— Tu m'excuseras, petit, mais j'ai pas envie de te savoir assis derrière moi avec un neuf millimètres dans ta chaussure.

Le jeune homme fut assez malin pour ne pas répliquer.

— Elle aussi, Cutter. Assure-toi qu'elle n'a rien.

Kehoe grommela que c'était un sale boulot mais qu'il voulait bien le faire. Pour préserver la pudeur d'Heidi Anne, il l'emmena de l'autre côté de la Mercedes. Harry aurait sûrement bien voulu surveiller la manœuvre, mais le canon toujours collé sur son front l'en dissuada. Quatre minutes et quelques gloussements plus tard, Kehoe réapparut avec la bombe de gaz paralysant du policier. Heidi affirma que c'était uniquement pour se protéger. Harry lui dit de la boucler.

# 30

L'employé du parking passa la fiche de location dans son petit scanner portable. Une langue de papier en émergea, qu'il déchira et tendit à l'agent spécial Rosen. Celui-ci plia soigneusement le ticket et le glissa dans son portefeuille.

L'agent spécial Westerman se tenait non loin, son attaché-case dans une main et celui de Rosen dans l'autre. Les avions au décollage rugissaient dans l'air nocturne. En tournant la tête, elle vit s'élever un jet de la Southwest Airlines.

Ils se tenaient au dernier étage, à ciel ouvert, du parking de l'aéroport international de Phoenix. Il y avait de la pluie dans l'air, chacun le sentait, une de ces pluies torrentielles du désert qui noient les *arroyos* en un clin d'œil.

— Merci d'avoir choisi la compagnie Hertz, récita l'employé en refermant le coffre, mais

Rosen et Westerman avaient déjà presque atteint les ascenseurs.

— Alors ? demanda Rosen.

— Nous avons trouvé l'origine des fuites, monsieur.

— Qui est-ce ?

— Une dénommée Iris Cruz, la secrétaire du directeur.

Rosen se souvenait d'elle. L'ascenseur les déposa au rez-de-chaussée, plein de boutiques de cadeaux et de brasseries. Il consulta sa montre.

— Allons prendre un café.

Ils se firent des politesses pour savoir qui irait commander au comptoir du Starbucks puis, quand Westerman revint, s'installèrent.

— Comment sait-on que c'est elle ?

Westerman ne put s'empêcher de rougir en répondant.

— Romero, le directeur, et elle ont eu une petite aventure et elle avait répandu le bruit qu'il allait quitter sa femme pour elle. Mais apparemment, ça ne s'est pas passé comme ça.

Rosen leva un sourcil en sirotant son café. Elle continua :

— Quand elle l'a compris, elle a vendu les infos à « Chasse à l'homme » pour quelque chose comme soixante-dix mille dollars, puis elle a pris un vol Alaskan Airlines pour Guadalajara hier matin.

— Des vacances bien méritées.

— Pas tout à fait, monsieur. Elle a prévu de faire expédier ses meubles.

— En somme, Mme Cruz avait bien préparé son coup.

— Oui monsieur.

— Comme exil doré, on fait mieux.

— Avec soixante-dix mille dollars, on peut tenir pas mal de temps à Guadalajara.

— D'autant que Romero et Asuega se sont fait virer ce matin.

Westerman eut un petit sourire.

— C'est encore pire que ça, monsieur. Romero ne le sait pas encore, mais sa femme a demandé le divorce. Il semblerait qu'avant de partir, Mme Cruz ait envoyé à l'épouse légitime une lettre contenant certains clichés compromettants.

Rosen souffla sur son café.

— Vous avez raison, agent Westerman. C'est encore pire. Croyez-en mon expérience. Quoi d'autre ?

— Nous avons résolu notre petit mystère, monsieur. Les lettres à Driver proviennent de la poste de Prineville, dans l'Oregon. Un employé s'est souvenu de les avoir vues, et elles portaient bien le tampon du bureau. Quantico a fait un test d'ADN sur les timbres, l'a comparé aux échantillons sanguins de Driver. On a affaire à un père, une mère, un frère ou une sœur. Le père étant mort et Driver enfant unique…

Rosen baissa les yeux, le nez dans sa tasse.

— Il ne reste que la mère. C'est bien elle. D'après Quantico, le risque d'erreur est de un sur cinq cents millions.

— Donc ?

— Quelqu'un à Prineville se charge de poster son courrier.

— Ce qui nous mène à… ?

— À conclure que nous avons un nouveau champ d'investigation à explorer si nous voulons déterminer où se rend Driver exactement.

Stimulé par quelques gorgées supplémentaires, Rosen reprit :

— Depuis combien de temps les lettres proviennent-elles de Pineville ?

— Prineville, monsieur. Un instant.

Elle fouilla dans sa serviette, sortit une liasse de documents qu'elle feuilleta entre le pouce et l'index.

— Voilà. Depuis 1997. Auparavant, elle vivait au gré des affectations de Driver. Hawaii, San Diego, Bangor, Washington, Bremerton, Washington, Long Beach, Californie. Où qu'il soit emprisonné, elle s'y installait.

— Vous parlez d'une dévotion !

Westerman acquiesça.

— C'est presque inquiétant.

Comme elle ne le contredit pas, il demanda :

— Pourquoi une dame âgée telle que la mère de Driver aurait-elle recours à un service de courrier anonyme ? Ce n'est pas que ce soit difficile à mettre en place. On s'en sert constamment, pour les témoins sous protection, les agents dans la clandestinité, etc. Mais pourquoi sa mère en aurait-elle eu besoin ?

— Aucune idée, admit Westerman.

— Et qui lui a expliqué comment faire ?

Westerman détestait être prise en défaut, aussi resta-t-elle muette.

— Merde ! s'exclama Rosen en reposant sa tasse si brutalement que le café déborda. En quelle année Corso a-t-il écrit son livre sur Driver ?

Westerman chercha de nouveau dans ses dossiers.

— 1997. Vous pensez que…

Rosen était en train d'éponger le café avec

une serviette en papier.

— Retrouvez Corso, dit-il. Ne l'arrêtez pas, ni rien, trouvez-le. Je parierais n'importe quoi que Corso…

Interrompu par la sonnerie de son pager, il le consulta puis sortit son portable de sa poche intérieure.

— Rosen à l'appareil.

Il écouta quelques instants.

— Vous en êtes certain ?

Il finit par couper la communication et annonça :

— On nous signale l'assassinat de deux policiers originaires du Nevada dans le sud de l'Utah. Ils escortaient les deux adolescents du Texas.

— Gibbs et Spearbeck ?

— C'est ça. Les deux hommes ont été abattus sur une aire de repos, et les suspects se sont volatilisés.

C'était déjà moche, mais elle comprit que ce n'était pas tout. Rosen reprit :

— Les empreintes de Clarence Kehoe ont été trouvées sur le lavabo et la chasse d'eau des toilettes.

Elle en resta coite.

— On en est sûr ?

— À cent pour cent.

Corso s'essuya les lèvres et, se rappelant où il était, s'abstint de jeter sa serviette sur son assiette ; au contraire, il la replia et la déposa à côté de sa tasse de café, bien proprement.

— Il était à quel parfum, votre sorbet ? lui demanda Melanie.

— Clémentine.

— C'est-à-dire ?

— *Darling*. Vous savez, comme dans la chanson *Oh my darling Clementine*…

Elle se mit rire.

— Mais encore ?

— Je n'en sais rien. J'ai demandé ça pour que vous me trouviez sophistiqué.

— Mais vous l'êtes !

— C'est à force de dépenser l'argent des autres.

Elle leva sa tasse pour un toast ironique :

— Aux petites joies de la vie !

— C'est aussi ma façon de tester si quelque chose est vraiment trop cher.

— Comment cela ?

— Quand c'est mon éditeur qui paie et que je trouve quand même le prix excessif.

Elle acquiesça d'un air entendu.

— Je suppose que vous n'avez pas grandi en dégustant des sorbets à la clémentine.

Ce fut au tour de Corso de rire.

— Je viens de Géorgie. Là-bas, les macaronis au fromage, c'était déjà de la grande cuisine. Et vous ?

— Moi, c'était steak et pommes de terre. Le Michigan. Plus on approchait du dimanche, meilleure était la viande. Jamais rien de plus raffiné que ça.

Corso leva le reste de son apéritif.

— On vient de loin, ma jolie.

Elle se fit soudain sérieuse et, sans trinquer, demanda :

— Vous pensez qu'on a bien fait ?

Il haussa les épaules.

— Quelquefois je me le demande.

Ils s'étaient retrouvés pour dîner deux heures après avoir réservé leurs chambres d'hôtel, et le résultat avait été impressionnant. Melanie était apparue vêtue d'une version particulièrement spectaculaire de la fameuse « petite robe noire » ; en outre, soit elle avait fait appel aux maquilleuses de son émission, soit les employées du spa avaient passé pas mal de temps dans sa chambre, mais au final elle était de loin la plus jolie femme d'une salle de restaurant déjà pleine de jolies femmes.

Pour Corso, les choses avaient été moins faciles. Ses vêtements avaient survécu à la mutinerie, une fusillade, une fuite à travers le pays, et ils avaient servi de pyjama durant deux nuits. Oscar, le concierge, avait promis de les faire nettoyer et expédier à Seattle, avant d'envoyer l'un de ses assistants, muni des mensurations de Corso, dans les boutiques de Fashion Square. Une heure et demie et trois mille dollars plus tard, Corso avait enfilé une chemise de soie noire, un blazer en cachemire et un beau pantalon gris convenant bien pour un dîner au Mary Elaine. Prévoyant des occasions moins formelles, Oscar lui avait aussi procuré deux jeans et deux tee-shirts de soie noire. Apparemment, Oscar aussi aimait bien dépenser l'argent des autres.

Devant la tristesse soudaine de Melanie, Corso demanda :

— J'ai dit quelque chose qui vous a contrariée ?

— Non, c'est moi qui suis un peu déprimée ces temps-ci.

— On vous voit partout ! Qu'est-ce qui ne va pas ?

— Ce sont des problèmes personnels.

Le silence s'installa. À l'autre bout de la salle, un couple âgé fort élégant l'avait reconnue. Ils avaient trouvé leur téléphone portable et étaient déjà en train de raconter l'événement à ceux de leurs amis qui n'avaient pas la chance d'en être témoins.

Melanie leva les yeux sur ceux de Corso.

— Vous ne me demandez pas ce qu'il y a ?

— Vous me le direz si vous en avez envie.

Il la regarda pendant qu'elle débattait avec elle-même. Elle lui offrit un pâle sourire et repoussa sa chaise.

— Vous avez raison.

Elle ajouta, en s'obligeant à plus de chaleur :

— Cette soirée a été très agréable. Merci de l'avoir partagée avec moi.

— Merci de m'avoir secouru…

— De rien.

Il chercha le serveur des yeux.

— Je m'en suis occupée, dit-elle.

— L'argent des autres, cette fois encore.

— Vous en connaissez une autre sorte ?

Il lui prit le bras et ils se dirigèrent vers l'élégant hall du restaurant.

— Vous devez être vanné, dit-elle.

— Je viens de passer quelques jours assez intéressants.

Ils se dirent bonsoir et se donnèrent rendez-vous pour le petit déjeuner avec l'aisance superficielle et la courtoisie de deux jeunes gens d'une époque révolue.

En gagnant sa chambre, elle sentit le regard de Corso fixé sur elle. Quand elle se tourna vers lui avant d'entrer, il ne fit pas mine de baisser les yeux. Elle lui adressa un petit signe des doigts. Il sourit, fit demi-tour et disparut de sa vue.

# 31

Elle parlait depuis deux heures. L'histoire de sa vie, pratiquement depuis sa naissance, mais pas forcément dans l'ordre. Heidi n'avait pas vraiment de suite dans les idées. Elle avait tendance à partir dans des digressions si longues et si compliquées que ses interlocuteurs perdaient le fil. À peine avait-elle commencé que Harry avait remonté sa veste sur les oreilles et s'était recroquevillé dans son siège. Kehoe avait tenu une demi-heure avant d'appuyer sa tête contre la vitre et de se mettre à ronfler.

— Et alors, la première fois que j'ai vu Harry, c'était au bowling. Moi, j'y allais le jeudi après-midi avec mes copines du catéchisme. Harry, il travaillait là, au comptoir. Je veux dire, ça n'a pas été le coup de foudre ni rien, et même je peux pas dire que j'aie beaucoup pensé à lui au début. Je le trouvais drôlement snob, avec sa façon de faire le joli cœur avec toutes les nanas. Mais plus tard, j'ai compris qu'il avait un cœur d'or et que derrière son cinéma à la James Dean, il avait vraiment quelque chose. Et puis il m'a donné une boîte de chocolats. Vous savez, une boîte dorée avec le nom des chocolats écrits à l'intérieur du couvercle pour qu'on puise choisir ceux qu'on aime et laisser les autres.

— Lâche-les un peu, chérie, intervint Harry.

— Mais on n'avait pas grand-chose à faire, ni d'endroit où aller. Je veux dire, moi, je vivais avec mon père et Harry chez sa tante. On n'avait pas d'autre choix que se balader en ville, ou aller au cinéma à Redlands de temps en temps, quand quelqu'un pouvait nous emmener. C'est comme ça qu'on s'est dit qu'il fallait trouver un endroit rien qu'à nous. Harry, il connaissait un petit bois entre l'autoroute et la voie de chemin de fer. Il jouait là quand il était môme et personne n'y allait jamais, alors on serait sûrs d'être tranquilles. Il a construit une cabane dans un arbre, vous savez, en hauteur, pour qu'on soit pas embêtés par les bestioles et qu'on soit, vous voyez… tranquilles.

Elle prit une profonde inspiration.

— Je voudrais pas que vous me preniez pour une mauvaise fille, monsieur. Harry a été…

vous savez, le premier. Avant, c'est vrai que j'avais laissé Wesley Miles mettre ses doigts, mais bon, on était en sixième, et quelle histoire ça a fait ! On aurait cru que c'était la fin du monde, à la façon dont les gens ont réagi.

Elle secoua la tête.

— Jamais j'aurais cru, aussi, que Wesley irait tout raconter à sa maman. Enfin bon, quand Harry a été nommé assistant du directeur, il s'est dit que c'était le moment d'aller trouver mon père pour qu'on se marie. Je lui ai dit tout de suite qu'il allait pas l'écouter. Vous comprenez, qui allait s'occuper de lui si je partais ? Qui allait faire la cuisine et le ménage ? Qui…

Une ligne rouge ondulante apparut à l'horizon.

— Qu'est-ce que c'est que ça ? s'exclama Driver.

Heidi se tut aussitôt. Kehoe redressa son siège et se frotta les yeux.

— Un carambolage, peut-être.

On voyait des pulsations de lumières rouges, bleues, jaunes, se refléter sur les nuages sombres accumulés à l'horizon. Bientôt la Mercedes se retrouva coincée derrière une Toyota Corolla cabossée arborant un autocollant à la gloire de Bush et de Cheney. À peine dix véhicules les séparaient de ce qui se passait de l'autre côté de la colline.

— J'aime pas ça, dit Driver.

Kehoe attrapa un atlas en mauvais état qu'ils avaient découvert un peu plus tôt sous un siège, alluma le plafonnier et trouva la page qu'il cherchait.

— On arrive à la jonction de la route 83 d'où on devait reprendre vers le nord. Il n'y a rien autour, Capitaine, à moins de suivre une de ces petites routes secondaires.

Il pointa la carte. Les voitures s'ébranlèrent. Driver les suivit. Des phares surgirent sur la crête et descendirent vers eux. Driver sortit sur la chaussée. Voyant qu'il ne s'écarterait pas, le conducteur du pick-up s'arrêta et Driver s'approcha.

— Qu'est-ce qui se passe ?

L'homme à la casquette verte John Deere se pencha par la vitre.

— Il y a un barrage de police à la jonction de la 83. Ils cherchent un groupe de prisonniers évadés.

— Pas possible, fit Driver.

— Pas la peine de vous énerver. Ça va assez vite.

Driver s'écarta.

— Merci.

— De rien.

Driver remonta en voiture et attacha sa ceinture. Harry, sur le qui-vive, s'était redressé et se tapotait les cheveux.

— Qu'est-ce qu'il a dit ? demanda Kehoe.

— Il y a un barrage. C'est nous qu'ils cherchent.

Un camion plein de balles de foin les croisa. Les voitures devant avaient encore avancé. Le chauffeur qui suivait la Mercedes klaxonna. Kehoe grommela.

Driver braqua à droite autant qu'il put sans risquer de verser dans le fossé, recula et vira de nouveau dans l'autre sens, exécutant un demi-tour à deux centimètres près.

— Y a sûrement quelqu'un qui va leur dire qu'on s'est tirés, dit Kehoe. Ils vont vouloir savoir pourquoi.

— On ne peut rien y faire. Regarde ta carte et dis-moi dès qu'on peut tourner.

Driver garda une allure tranquille tant qu'ils furent en vue, puis écrasa la pédale à fond et la puissante berline dévala la route à deux voies à plus de cent vingt kilomètres-heure. Ils doublèrent le camion de foin. L'autre avait disparu. Il avait probablement tourné dans l'un des innombrables accès aux fermes qu'ils dépassaient en trombe.

— Dans un ou deux kilomètres à gauche, dit Kehoe, il y a une route de liaison, la 229. Elle passe par la montagne et aboutit à une ville qui n'a pas l'air si petite que ça, Drake, à environ trente kilomètres au nord. Ce n'est peut-être pas goudronné jusqu'au bout.

— Tentons notre chance.

— Là ! s'écria Kehoe.

Driver freina à mort. Par miracle, ils ne dérapèrent pas. Il braqua à quatre-vingt-dix degrés puis réaccéléra pour stabiliser la voiture. Dès qu'il eut repris le contrôle, il éteignit les phares.

Ils roulaient sur une route étroite vers deux buttes déchiquetées dressées dans le lointain.

— Gyrophares sur la nationale, annonça Kehoe.

— Dis-moi s'ils tournent par ici, fit Driver sans quitter la route des yeux.

— Ils approchent du tournant, ils approchent... ils sont passés. Ils croient qu'on est allés dans l'autre sens.

Driver ralentit sans rallumer les phares.

— Tôt ou tard ils comprendront. Il faut rejoindre la nationale avant le lever du jour.

La route se rétrécit en montant vers une série de collines. Tous les cinq cents mètres, un refuge gravillonné permettait tout juste à deux véhicules de se croiser. Le haut plateau désertique laissa place au fond d'une ancienne mer intérieure et la route sembla s'enfoncer entre des couches de schiste et de calcaire, avant de s'engager, en montagnes russes, entre d'énormes rochers ronds. Enfin, après avoir négocié une pente particulièrement raide, ils franchirent la crête et descendirent vers la vallée, non sans avoir failli s'écraser contre la paroi du canyon mais la voiture, ayant littéralement décollé, atterrit juste à temps pour virer sur la gauche.

Puis ils entamèrent la descente qui cisaillait le canyon, aux virages si serrés et si abrupts que Driver était obligé de les négocier au pas. Il accéléra ensuite et ralluma les phares.

Des cerfs. Trois cerfs pétrifiés au beau milieu de la route, hypnotisés par l'étincelante lumière des phares. Qui frémirent à peine quand la Mercedes fonça sur eux.

Le volant partit brusquement sur la gauche. Driver s'y accrocha en s'efforçant de garder le contrôle. Le côté droit du pare-brise se fissura et l'airbag conducteur se déploya, repoussant Driver contre le dossier et lui bloquant la vue. Il l'aplatit à grands coups, juste au moment où le phare droit éclatait contre la paroi du canyon. Le choc fut énorme. Harry le vit venir, se protégea la figure et laissa sa ceinture de sécurité faire son office. Mais Heidi, qui ne s'était pas attachée, fut catapultée contre le siège conducteur avec tant de force que son épaule se démit. Elle resta effondrée entre les sièges, roulée en boule et gémissante, cherchant à voir si elle saignait.

Driver leva les yeux sur le capot froissé, le cerf mort, puis l'espèce de bosse dans le pare-brise côté passager, de la taille d'une assiette, toute craquelée autour, comme si on avait voulu à tout prix y faire passer quelque chose de dur et de rond. Et de sanglant.

Il comprit. Il ne fut pas surpris par ce qu'il découvrit à son côté. Kehoe était effondré sur lui-même, les jambes repliées, les épaules agitées de soubresauts, la bouche béante et pleine de sang. Il était difficile de juger dans l'obscurité, mais le profil de Kehoe semblait aplati, presque concave.

Driver tourna la clé de contact. Le moteur démarra. Il passa en marche arrière et accéléra légèrement. Le métal tordu s'arracha de la roche avec un grincement. Il fit reculer la voiture aussi loin qu'il put, mit au point mort et descendit en laissant la portière ouverte.

L'un des phares avait été complètement écrasé, l'autre pointait vers le ciel comme à la recherche d'un satellite. La porte passager était déformée et Driver dut rassembler toutes ses forces pour l'ouvrir, tirant dessus à deux mains. S'il n'avait pas tendu les bras à temps pour le retenir, Kehoe se serait écroulé sur le sol.

Avec précaution, il le prit par les aisselles pour l'allonger sur la route. Il était tellement ensanglanté qu'on ne pouvait déterminer l'ampleur des dégâts. Driver posa doucement la tête de Kehoe et voulut se lever mais celui-ci l'agrippa avec une vigueur surprenante en ouvrant son œil intact. Il était conscient et voulait savoir.

— C'est moche, Cutter. Très moche. Ne bouge pas, je reviens.

Il se dégagea de la main qui le tenait toujours, puis alla ôter les clés du contact pour ouvrir le coffre, où il prit une brassée de serviettes de toilette. Il revint vers Kehoe. Harry se tenait non loin, les mains dans le dos.

— Va donc aider ta copine, lui lança Driver.

Il s'agenouilla près de Kehoe, lui glissa une serviette derrière la tête. Harry n'avait pas bougé.

Driver commença à éponger le sang afin d'évaluer la blessure. Presque aussitôt, la voix de Harry retentit :

— Debout !

Driver leva les yeux sur le colt de Kehoe que Harry pointait droit sur lui. Kehoe l'attrapa de nouveau par le bras, plus fermement. Driver baissa la tête, s'attendant à voir sur ses traits le reflet des dernières forces d'un homme à l'agonie, mais au contraire son œil bleu luisait de la rage féroce propre à Cutter Kehoe. Driver sentit qu'il relâchait son emprise, vit la lueur dans son regard, et sa main glisser vers sa poche. Il comprit et sut quoi faire.

Driver se redressa et recula sans hâte, s'éloignant de Kehoe et de Harry. La manœuvre réussit. Harry le suivit, enjambant Kehoe. Il ne devait guère faire confiance à ses talents et voulait tirer à bout portant.

Heidi venait de descendre de la voiture en maintenant son bras contre elle. Son regard passa de Harry à Driver.

— Harry, mon chou, tu es sûr de…

— La ferme ! cria-t-il en débloquant la sécurité.

Ses lèvres pleines dessinèrent un sourire et il visa Driver.

— Adios, fils de pute.

C'est alors que Kehoe agit. Il fit ce qu'il savait le mieux faire : il taillada le mollet du jeune homme d'un coup précis et profond avec son terrible couteau de chasse, sectionnant à la fois le tendon et l'artère. Harry s'effondra sur place, comme un pantin à qui on a coupé les ficelles. En poussant un cri aigu, il pivota sur son genou et tira sur Kehoe en pleine face. Deux fois, trois fois, avant de s'écrouler sur le bord de la route où il se mit à rouler sur lui-même, fou de douleur.

Driver contourna la voiture pour s'abriter derrière le capot. Il regarda Heidi courir s'agenouiller près de Harry. Le flot de sang qui coulait de sa jambe était éloquent.

— Oh, mon chéri, tu es salement amoché. Il faut arrêter ce sang… mon pauvre chéri…

Elle souleva sa tête pour la serrer contre elle et lui caresser les cheveux. Driver les rejoignit, prit le colt des mains du garçon. Il le soupesa, puis le jeta aussi loin que possible dans les maigres buissons. Quand il baissa les yeux de nouveau, Harry, pâle comme un linge, fixait les grands yeux bleus de Heidi en murmurant des mots inaudibles.

— Tu te vides de ton sang, mon petit. Si tu as quelque chose à dire à ton amie, c'est le moment.

Là-haut dans le ciel nocturne, des nuages sombres couraient vers l'ouest, semblables à des éléphants de cirque à la queue leu leu.

Loin en bas, dans la vallée, clignotaient les lumières d'une ville.

Harry mourut sans un mot. Sa lèvre inférieure trembla dans son effort pour parler, puis il cessa de respirer, allongé là sur la route avec ses cheveux bien coiffés, dans l'opulent giron de Heidi.

— Il ne m'a rien dit ! s'exclama-t-elle sombrement. Après tout ce qu'on a traversé ensemble, ce petit salaud n'a rien eu à me dire. J'arrive pas à le croire. Pas un seul mot !

— Je crois que la plupart des gens meurent sans rien dire. J'ai toujours pensé que ces fameux derniers mots, c'était une invention des autres, après. Histoire de rendre tout ça plus important que ça ne l'est en réalité.

La jeune fille recula, laissant retomber la tête de Harry sur la route avec un bruit de melon cognant du ciment. Elle se releva, s'essuya les mains et regarda Kehoe.

— Désolée, pour votre ami.

Driver haussa les épaules.

— Cutter est parti comme il l'aurait souhaité.

— Harry disait toujours qu'il mourrait dans son lit avec ses bottes aux pieds.

Driver jeta un coup d'œil au corps contorsionné du garçon.

— Il avait à moitié raison.

Puis il enveloppa les restes de la tête de Kehoe dans une serviette propre qu'il noua pour la maintenir en place, ramassa le corps, l'étendit avec soin sur la banquette arrière de la Mercedes et redressa le dossier avant.

— Et lui ? demanda Heidi en montrant du doigt la dépouille de Harry.

Driver se pencha, passa un doigt dans la ceinture du jeune homme qu'il souleva brutalement et disposa de façon à le faire rouler le long de la pente, vers les buissons où il glissa parmi les herbes folles et disparut.

Quand Heidi se tourna vers Driver, il avait son automatique à la main.

— Oh ! Non, monsieur, je vous en supplie... Je peux... Oh, mon Dieu !

— Il se peut que ton heure n'ait pas sonné. Que tu sois un peu plus qu'une ration de protéines... Que tu prennes un nouveau départ à partir de cet instant.

— Vous n'avez qu'à me laisser ici... Je ne sais même pas comment vous vous appelez !

Il visa sa tête. Elle mouilla son slip, ses chaussures, la route.

Il fit claquer la sécurité et remit le revolver dans sa poche.

— Tu peux rester là, tu peux venir, ça m'est

égal. Ce n'est pas à moi d'intervenir dans le cours des choses.

Elle était déjà dans l'habitacle, portière fermée, quand Driver mit la voiture en marche et entama la descente. Ils roulèrent lentement, sans lumières ni radio. Au bout de quinze minutes la route atteignit le fond de la vallée. Tout au bout, ils distinguèrent deux clochers à l'extrémité de la ville.

Driver stoppa. Il tendit le doigt, au-delà de l'aile endommagée.

— Tu vois la barrière, là ?

— Oui.

— Va l'ouvrir.

Elle s'y prit à deux fois pour déplacer le battant et se glisser à l'extérieur. Une fois le portail de bois et de barbelés poussé, Driver y fit aussitôt passer la Mercedes. Elle le regarda se diriger à travers champs vers un plan d'eau de l'autre côté.

C'était un étang creusé de main d'homme par le fermier – plus d'une bonne semaine de travail au bulldozer –, qui grouillait probablement de perches. Il y avait un petit ponton et une échelle qui s'enfonçait dans l'eau. On pouvait sans doute plonger de là, l'été. Un maigre bosquet de saules pleureurs se penchait au-dessus, comme des suppliants.

Driver arrêta la voiture dans la pente de la colline derrière l'étang, baissa à demi les vitres et tira le frein à main. Il sortit les sacs du coffre, les posa par terre puis alla débloquer le frein avant de claquer la portière. La voiture descendit, lentement, puis plus vite, entraînée par son poids.

Elle heurta la surface dans un grand éclaboussement et s'enfonça aisément, tandis que l'eau recouvrait le capot et passait par les vitres. Puis elle s'immobilisa, aux trois quarts immergée, bloquée par quelque obstacle, l'arrière pointé vers le ciel. Driver jura et alla ramasser les sacs. La grosse berline frissonna et recommença à couler, plus doucement, comme si elle voulait profiter de la vue jusqu'au bout, puis, après une éternité, glissa sous l'eau saumâtre et disparut.

— Et maintenant ? demanda Heidi en refermant la barrière.

— Maintenant, on marche.

# 32

— Avous l'honneur, ce matin ? demanda Rosen.

L'agent spécial Westerman pâlit.

— Moi ?

— Il faut saisir les occasions, dit Rosen dans un sourire.

— On ne m'a pas mise au courant.

— Sans importance, on ne leur dit rien.

Elle rit en l'observant du coin de l'œil. Elle ignorait s'il plaisantait et où il voulait en venir. Au cours des deux jours précédents, elle avait eu l'impression qu'il avait des vues sur elle, mais à la réflexion, peut-être interprétait-elle de travers ce qui n'était qu'une relation purement professionnelle. L'un de ses adages favoris étant « dans le doute, fie-toi à ton instinct », elle avait décidé de s'y tenir.

Cependant, la proposition de lui laisser mener la conférence de presse accrut sa suspicion.

La plupart des agents menaient toute leur carrière sans jamais apparaître à la télévision, ni même affronter la presse sur des sujets aussi graves que l'évasion de repris de justice liés aux meurtres de plusieurs officiers de police. Ces types n'étaient pas du genre à s'évanouir dans la nature, dans le midi de la France. Des tordus comme ceux-là risquaient plutôt de se faire arrêter ou descendre en un rien de temps, et ce serait elle, Westerman, dont le nom resterait brillamment associé à l'affaire. Pas de doute, la chance frappait à sa porte et il n'y avait pas à hésiter.

— Qu'est-ce que je dois dire ?

Elle surprit le bref sourire de Rosen. Il lui tendit une feuille de papier et attendit, bras croisés, qu'elle prenne connaissance des trois courts paragraphes.

— C'est tout ?

Rosen fit un pas vers elle et désigna la feuille.

— Présentez-vous, puis énoncez-leur les faits. Deux policiers tués sur une aire de repos de l'Utah. Ils escortaient Harry Gibbs et Heidi Anne Spearbeck. Bla bla bla. Les empreintes de Kehoe ont été relevées sur la scène du crime. On suppose qu'ils ont fui ensemble, probablement pas pour longtemps. Les noms des policiers ne seront dévoilés que lorsque leurs familles auront été prévenues. Les suspects sont armés et extrêmement dangereux.

Il se pencha un peu plus vers elle, la frôla de l'épaule en montrant le deuxième paragraphe.

— Ici, à Salt Lake City, nous travaillons en collaboration avec la police de l'Utah et le bureau local du FBI. Etc. Chasse à l'homme sur tout le territoire. D'après la direction qu'ils suivent depuis leur évasion et les crimes commis en chemin, nous pensons qu'ils tentent de gagner la frontière canadienne. Il est bien connu que le Canada a toujours eu tendance à refuser l'extradition des criminels passibles de la peine de mort.

— C'est vraiment ce que nous pensons ?

— Pas exactement.

— Ce que vous croyez, c'est que Driver cherche à aller chez sa mère.

— Oui, j'en suis certain.

— Pourquoi ?

— Parce que j'ai vu cette femme lors du procès. J'étais délégué du Bureau pour le comté de King. Driver était un employé fédéral, aussi une présence fédérale était-elle requise. Avant même la fin du procès, elle avait comparu pour outrage à magistrat, été expulsée plusieurs fois du tribunal et finalement interdite d'audience. Elle avait balancé un coup de poing à un témoin et craché à la figure d'un journaliste. Les liens du sang sont les plus forts, mais cette dame avait une façon peu ordinaire de soutenir son fils.

Il secoua la tête, cherchant ses mots.

— C'est peut-être en rapport avec le fait que le père les avait abandonnés, mais... il y a un lien entre ces deux-là qui est positivement... malsain.

— Vous voulez parler d'...

— Laissons cela.

Elle fut soulagée. D'autres que lui auraient saisi l'occasion d'en rajouter ; sa retenue fit réfléchir la jeune femme sur la validité de ses soupçons antérieurs.

— Qu'en est-il de Corso ? demanda-t-il.

— Il a quitté Phoenix dans le camping-car de Melanie Harris, vous savez, la présentatrice de cette émission, « Chasse à l'homme ».

Il hocha la tête.

— On a localisé le véhicule à Scottsdale. Ils sont descendus à l'hôtel Le Phénicien. Je devrais recevoir d'autres infos d'ici une demi-heure.

Rosen leva un sourcil.

— Une petite aventure ?

— Ils ont pris deux chambres, et dorment séparément.

Il parut déçu.

— Allons-y.

— Qu'est-il arrivé à votre main ? demanda Melanie.

— C'était trop beau. On bavardait gentiment sans que vous me fassiez votre numéro de journaliste…

— J'ai ça dans le sang, dit-elle en riant. C'est instinctif.

— Mettez votre instinct en veilleuse.

— Je suis assise face au scoop de l'année en train de siroter son café, comment résister ?

— Soyez gentille : résistez.

Elle rit de nouveau. La brise tiède du désert souleva des mèches de ses cheveux aux reflets clairs. Les portes-fenêtres séparant la terrasse de la salle de restaurant s'entrouvrirent, laissant passer le brouhaha des conversations. Corso réprima un froncement de sourcils. L'un des plaisirs que procuraient des établissements comme Le Phénicien, c'était la parfaite synchronisation du personnel avec les besoins de la clientèle : il était là quand on avait besoin de lui et se fondait dans le décor le reste du temps. Le serveur s'était manifesté cinq minutes auparavant, il n'avait pas besoin de revenir si vite.

Ce n'était pas lui, mais Oscar, le concierge. Il était suisse et maîtrisait à merveille le flegme patricien. Ce jour-là, cependant, il sembla quelque peu désemparé. Il salua poliment puis ferma les portes derrière lui.

— Vous avez, heu... des invités, monsieur Corso.

— Des invités ?

— Officiels.

— Du genre qui portent des badges ?

— C'est cela, monsieur. Le FBI.

— Combien sont-ils ?

— Huit ou dix, une dizaine, peut-être plus. On ne voit qu'eux, avec leurs horribles costumes gris. Ils vous attendent tous les deux dans votre chambre, et ils se sont également introduits dans le véhicule de loisir de Mlle Harris.

Son intonation trahissait une désapprobation de ce genre de loisir encore plus virulente que celle des costumes gris.

Corso fit mine de réfléchir.

— En tant que citoyen qui paie ses impôts, je pense qu'il est du devoir de chacun de collaborer avec nos forces de l'ordre, n'est-ce pas, Oscar ?

— Certainement, monsieur.

— Vous avez donc interrogé le personnel et appris que j'étais parti tôt ce matin.

— Oui, monsieur.

— En vous priant de bien vouloir expédier mes quelques effets à mon adresse habituelle, à Seattle.

— Et la jeune dame ?

— Je suis certain que la jeune dame va fort bien se débrouiller, comme à son habitude.

— Très bien, monsieur, fit Oscar avec une courbette. À propos, il serait peut-être bon que vous passiez par les cuisines. Je vais prévenir Fritz, et il n'y aura pas de problème.

— Merci, Oscar. Comme toujours, mon séjour ici aura été parfait.

— Je transmettrai au directeur, monsieur.

Corso attendit que les portes se soient refermées.

— Vous la voulez, votre interview ? Celle que toute l'Amérique attend ? L'homme qui a assisté en personne à l'évasion ! Une parfaite conclusion pour votre petite balade en Arizona.

— Quelque chose me dit qu'elle ne va pas être gratuite.

— Rien n'est gratuit.

— Que voulez-vous en échange ?

— Que vous m'aidiez à partir d'ici.

Elle le regarda comme s'il était devenu fou.

— Vous avez entendu le concierge. Ils m'attendent dans le camping-car.

— Donc, allez-y. Racontez-leur qu'on a dîné ensemble hier soir, puis qu'on s'est dit adieu. Vous n'avez aucune idée de l'endroit où je me trouve en ce moment, pas plus que de ce qu'ils font dans votre camping-car sans mandat de perquisition. Prenez-le de haut et ils fileront en vitesse.

— Ensuite ?

— Ne verrouillez pas la porte. Ils vont être obligés de demander des instructions, et je me glisserai en douce à l'intérieur pendant ce temps.

— Et s'ils nous surprennent ?

— J'aurai droit à une virée en ville, et vous n'aurez qu'à partir sans moi.

— Pourquoi ne pas leur demander simplement ce qu'ils veulent ?

— Ils m'ont maintenu en garde en vue hier toute la journée. C'est nouveau. S'ils en sont à ce genre de procédure, ça ne présage rien de bon.

— Ils vont me suivre.

— Oui, pendant un certain temps. Quand vous serez sur l'autoroute en direction de Los

Angeles, ils vous lâcheront vite fait. Six heures de route en plein désert, ce n'est pas ça qui les intéresse.

— Et ensuite, que se passera-t-il ?

— Je serai tout à vous, jusqu'à L.A.

— Vous répondrez à mes questions ? Sans me balancer les craques que vous réservez d'habitude à la presse ?

Il leva deux doigts joints.

— Parole de scout.

Elle lui attrapa la main.

— Rien ne ressemble moins que vous, monsieur Corso, à un boy-scout.

Il eut un haussement d'épaules, sans retirer sa main de la sienne.

— Qu'en dites-vous ?

Elle n'hésita pas.

— Marché conclu.

Elle lui lâcha la main et Corso se leva.

— On se retrouve dehors.

Melanie but sa dernière goutte de café et se leva à son tour.

— Il va me falloir une vidéo.

— Quand nous serons à Los Angeles, promis.

— Oh, là là ! je n'y crois pas ! L'insaisissable bourreau des cœurs Frank Corso vend son âme à « Chasse à l'homme » ! On va gagner au moins vingt points d'audience.

— Vous n'imaginez pas comme il est décevant de voir mes charmes réduits à une histoire de chiffres.

Elle rit de nouveau.

— Je suis sûre que vous vous en remettrez.

Il jeta vingt dollars sur la table à l'intention du serveur, ouvrit la porte. Melanie passa devant lui et il huma son parfum. Du Chanel. *Coco*, peut-être.

Elle s'éloigna sans un regard, suivie des yeux par tous les clients.

Corso se hâta vers les cuisines. Un individu aux joues roses, en uniforme immaculé, lui indiqua poliment la sortie. Corso lui rendit son salut et suivit ses indications à travers l'animation de la cuisine, longea les chambres froides et se retrouva sur le parking du personnel, derrière le bâtiment principal.

Quand il atteignit l'endroit où ils s'étaient garés la veille, l'effervescence était retombée et Melanie se tenait sur le marchepied, les mains aux hanches. Corso était trop loin pour capter les paroles, mais visiblement les agents se répandaient en excuses. Il observa la scène dissimulé derrière un palmier, patienta jusqu'à ce qu'ils aient contourné le véhicule et disparu.

Il n'hésita pas. Dès qu'ils furent hors de vue, il se faufila rapidement d'arbre en arbre entre les massifs de fleurs tropicales. Melanie le vit approcher et s'écarta. Il bondit à l'intérieur et se dirigea vers le fond, courbé pour ne pas être vu par les vitres. Elle verrouilla la porte. Ils attendirent.

Corso s'assit par terre contre la porte de la salle d'eau. Melanie jeta un coup d'œil par la fenêtre de côté.

— Ils sont dans une Ford bordeaux à quatre rangées d'ici. Il y en a un qui parle dans son col.

— Allons-y.

Elle s'installa au volant.

— Los Angeles, nous voilà !

# 33

À la télévision, un homme en tablier blanc montrait comment placer une dinde dans un petit four qui récupérait la graisse en dessous pendant que la broche tournait.

« Enfournez et oubliez ! » clamait-il chaque fois qu'il ajoutait autre chose dans l'appareil.

Et il exhortait le public à répéter ce leitmotiv en chœur. On n'avait jamais vu quelqu'un d'aussi enthousiaste à l'idée de faire cuire un truc. Le type avait un sourire jusqu'aux oreilles, à croire qu'il avait gagné au loto.

Heidi aurait bien aimé changer de chaîne, en trouver une avec des dessins animés par exemple, mais elle ne savait pas si M. Machinchose s'y intéressait ou non. Pour sûr, il avait les yeux fixés sur l'écran, mais avec lui ça ne voulait pas forcément dire qu'il voyait ce qui s'y passait. Il avait sa propre télévision dans la tête, et c'était elle qu'il contemplait la plupart du temps. Les yeux dans le vague, il partait dans son petit univers personnel et restait assis là à jouer avec ses armes qu'il démontait et remontait sans cesse sans même avoir besoin de regarder ce qu'il faisait. Il agissait de mémoire et au doigté. De quoi avoir la trouille.

Elle avait pourtant fait de son mieux pour attirer son attention. Après avoir lavé ses sous-vêtements et sa robe souillés d'urine dans le lavabo, elle les avait mis à sécher sur le radiateur et depuis paradait dans la chambre d'hôtel vêtue en tout et pour tout d'une serviette à peine plus grande qu'un gant de toilette. Et il ne lui avait pas jeté le moindre coup d'œil. C'était bien le premier mec qu'elle ait rencontré que sa nudité laissait de glace. S'il n'avait pas été aussi cinglé, elle se serait vexée.

Elle en était à envisager d'enlever carrément la serviette, de changer de chaîne, ou plus sûrement les deux à la fois, quand l'émission s'interrompit pour un flash d'information. Une blonde se tenait à l'un de ces pupitres derrière lesquels les gens font des discours, avec une demi-douzaine de types en costume sur l'estrade. La bande-annonce défilait : *Linda Westerman, Agent spécial du FBI.*

Elle racontait que toutes sortes de flics travaillaient de concert comme dans une grande famille, quand des photos s'affichèrent en bas de l'écran. Harry et elle et Kehoe et le Capitaine, à la télévision, plus vrais que nature ! Elle détesta sa photo. On aurait dit qu'elle n'avait pas de lèvre supérieure. Lui n'était guère mieux mais, avec un peu d'imagination, on pouvait le reconnaître. Il s'appelait Timothy Driver, capitaine d'un sous-marin Trident ou quelque chose comme ça, condamné pour meurtre neuf ans auparavant, armé et dangereux. Heidi faillit éclater de rire. Armé et dangereux ? S'ils savaient à quel point !

Driver posa le fusil sur le lit, saisit la télécommande et augmenta le son. Westerman disait que les fugitifs… c'était comme ça qu'on les appelait, des fugitifs, se dirigeaient vers le Canada parce que là-bas ils ne renvoyaient pas les condamnés à mort aux États-Unis. Puis elle demandait à tous les téléspectateurs d'être vigilants et d'appeler le numéro inscrit à l'écran s'ils avaient la moindre information à fournir. Ce fut tout. On la vit descendre de l'estrade et aussitôt après le balourd au grand sourire enfournait un rôti de porc dans le même stupide petit four.

— Je m'en irai quand il fera nuit, annonça Driver.

Heidi frissonna des pieds à la tête et fit semblant de ne pas avoir compris.

— Tous les deux, vous voulez dire ?

— Je dois y aller seul. Je le sens.

— Je vous en prie, dit-elle très vite. Ne me laissez pas. Je ne sais pas me débrouiller, c'est très difficile pour moi.

— On naît seul. On meurt seul.

— Mais pas ici... pas maintenant, d'accord ?

Elle se pencha vers lui, laissa tomber la serviette sur ses genoux. Pour la première fois, Driver leva les yeux vers ses seins. Elle vit sa pomme d'Adam monter et descendre, retint son sourire.

— Ma mère est partie quand j'avais cinq ans. Elle s'appelait Rose, elle était belle. À l'école, ils m'ont envoyée voir un psy. Ils disaient tous que ce n'était pas ma faute. C'était une histoire entre elle et mon père, je n'y pouvais rien.

Elle haussa les épaules.

— Ça doit être vrai pour quelqu'un d'autre, ailleurs.

Elle le regarda enfin dans les yeux – des yeux noirs et froids comme des clous.

— Moi, tu comprends... Je me dis toujours que c'est à cause de quelque chose que j'ai fait, ou que j'aurais dû faire. Si on avait su quoi, si on lui avait rendu la vie un peu plus facile... alors peut-être qu'elle serait restée.

Le regard d'acier de Driver semblait lui transpercer le crâne. Malgré elle, elle continua :

— Tu sais, comme dans cette nouvelle que j'ai lue à l'école, celle de la machine à remonter le temps. Il y a ces chasseurs blancs qui paient une fortune pour faire un safari au dinosaure dans les temps préhistoriques, mais ils doivent faire très attention à ne rien toucher, sinon ça risque de tout faire dérailler après.

Elle s'animait, bougeait les mains en racontant.

— Et puis, quelqu'un marche sur un tout petit papillon sans le faire exprès et alors... quand ils reviennent dans le présent, tout est différent. Le gouvernement, tout... juste à cause d'un papillon de rien du tout qui s'est fait écraser dans le passé.

Il la fixait à présent, de son regard vide et impitoyable.

— Tu vois ce que je veux dire ? insista Heidi. Ce que je veux dire, c'est que tu peux pas m'abandonner comme ça.

— On n'a aucun pouvoir sur la rivière, dit-il à voix basse. Elle coule, avec ou sans vous.

Elle s'en fout. Ce n'est qu'une rivière.

— Je te parle pas de rivière, mais de papillon.

— C'est la même chose. Tout revient à sa source. Certains atteignent l'océan, certains s'échouent en route.

Elle se leva brusquement et frappa du pied. La serviette était tombée par terre. Le sang lui monta aux joues, et elle surprit une ombre de désir sur les traits de Driver. Elle redressa les épaules et fit un pas en avant, si bien que Driver se retrouva pratiquement face à son pubis.

— Tu peux simplement pas me laisser là, geignit-elle d'une voix de petite fille. Je ne sais même pas où on est !

Elle s'approcha encore.

— Je pourrais te rendre les choses plus agréables, murmura-t-elle. Je t'assure, je...

L'espace d'un instant, il parut sur le point de l'enlacer, peut-être de planter un baiser sur sa toison, et elle en tressaillit. Mais il ramassa la serviette.

— Couvre-toi, dit-il.

# 34

Melanie jeta un coup d'œil à son rétroviseur et sourit. Le conducteur de la Ford couleur bordeaux qui la suivait à trois véhicules d'écart depuis leur départ de Scottsdale, une demi-heure plus tôt, venait de mettre son clignotant. Elle vit la voiture s'engager dans la bretelle de sortie et tourner deux fois à gauche pour repartir en sens inverse.

— Vous aviez vu juste. Nos amis les Fédéraux en ont assez de nous tenir compagnie.

Corso, qui avait ôté sa veste de cuir noir, était toujours assis par terre contre la porte des toilettes, une jambe repliée sous lui et l'autre allongée. Il vint s'asseoir à côté d'elle, non sans avoir repoussé le siège au maximum pour étendre ses longues jambes, et attacha sa ceinture.

— Six heures de route à travers le désert ne

font pas partie de leurs obligations professionnelles.

— Ni des miennes, en général. Je rentre toujours en avion après un tournage éloigné.

— Mais pour un bon sujet…

— …Peu importe la pluie, la neige ou le plus noir de la nuit…

Les nuages de la veille s'étaient dispersés et le ciel offrait un bleu pur tel qu'on n'en voit d'habitude que dans le magazine *Arizona Highways*.

— Vous voulez quelque chose ?

— Comme quoi ?

— Un verre d'eau, un soda.

— Non, ça va.

Elle lui rendit son sourire.

— Si vous changez d'avis, n'hésitez pas à vous servir dans le frigo.

— Merci.

— Parlez-moi de ce type, Timothy Driver.

— Lequel ? Celui de mon livre ou celui qu'on traque partout en ce moment ?

Elle réfléchit.

— Celui sur lequel vous avez écrit.

Corso se lança. En un quart d'heure, il dévoila tout ce dont il se souvenait à propos du passé de Driver. Enfin, avec un soupir il ajouta :

— Ce Driver-là était un homme bien qui s'est mis dans un sale pétrin. Après vingt ans de bons et loyaux services envers son pays, il est rentré chez lui un soir et s'est trouvé confronté à une situation qu'il n'aurait jamais crue possible. Quelque chose qui n'est pas mentionné dans les manuels. Le fait que la femme qu'il aimait puisse trahir le serment qu'elle lui avait fait et couche avec un autre dans son propre lit… rien ne l'avait préparé à cela.

— Ça arrive à des tas de gens, et ils ne tuent pas pour autant.

— La plupart ne respectent pas le même code d'honneur que lui. On est en présence d'un homme qui avait deux douzaines d'armes nucléaires à sa disposition. Pour lui, il n'y avait pas pire trahison. C'est peut-être lié au fait que son père les avait abandonnés, lui et sa mère, quand il était gamin. Il se peut que l'adultère de sa femme ait été la goutte d'eau qui a fait déborder le vase.

Après un coup d'œil au rétroviseur, Melanie doubla un camion chargé à ras bord de pièces détachées rouillées.

— Pourquoi voulait-il vous voir ?

Corso se mit à rire.

— Croyez-le ou non, je n'en sais toujours rien. Je suppose qu'il me prenait pour son

Boswell [1] ! Je pense qu'il me voulait comme témoin du grand final qu'il projetait. Il lui arrive de parler d'une manière qui n'a de sens que pour lui-même. À mon avis, c'est à force de réfléchir alors qu'il était en isolement total. Il a essayé de rester sain d'esprit, mais il a échoué.

— Vous pensez donc qu'ils l'ont rendu fou.

— Oui, à moins qu'il ne souffre d'une maladie mentale qui va en s'aggravant, et qui aurait pris le dessus pendant la dernière phase de son incarcération.

— Ça peut aussi être héréditaire. Le père qui s'est tiré, la mère qui, vous l'avez dit, n'est pas très nette non plus… Il est peut-être la dernière génération de dingos ?

— C'est possible.

— Mais vous n'y croyez pas.

— Non.

— C'est le gouvernement que vous blâmez.

— Pas le gouvernement. La Randall Corporation.

---

**1.** ***Ami du poète et essayiste anglais Samul Johnson (XVIII^e^ siècle). Nom passé dans le langage courant pour décrire un biographe fidèle. (N.d.T.)***

— Vous n'approuvez pas leurs méthodes ?

— C'est comme si vous aviez des sales gosses mal élevés et que vous les refiliez aux voisins avant de quitter la ville. On ne fait pas ça. C'est la privatisation qui a tout changé. Tout à coup, les détenus font partie d'un calcul de rentabilité. Ils n'ont plus aucun droit et deviennent des numéros sur un tableau comptable… un tableau où seul compte le chiffre qui figure en bas de colonne.

Elle lui jeta un regard aigu.

— On vous a déjà dit que vous aviez quelque chose de passablement rigoriste ?

— Des quantités de fois.

L'air se mit soudain à vibrer : ils étaient doublés par un groupe de motards en Harley Davidson, cuir, franges et tous les accessoires dernier cri, vingt-cinq engins au moins qui passèrent en rugissant. Vingt ans auparavant, ils auraient probablement formé un commando de fous dangereux, armés et prêts à en découdre. Aujourd'hui, ils pouvaient aussi bien être des urologues en balade.

— Vous pensez qu'ils vont se laisser arrêter ?

— Sûrement pas. Ni Driver, ni Kehoe. Ils ne reviendront pas vivants.

— Vous avez une idée de l'endroit où ils vont ?

— Kehoe cherche à passer la frontière canadienne. Au cas où il serait pris, il se figure que c'est le seul moyen d'éviter l'exécution.

— Et Driver ?

— Tôt ou tard, il ira chez sa mère. Je pense que c'est ce qu'il veut dire quand il parle de remonter à la source.

— Les Fédéraux n'arrivent pas à la trouver. Elle n'habite pas là où ils croyaient.

Au bout d'une minute de silence, Melanie s'aperçut que Corso était perdu dans ses pensées.

— Vous en êtes sûre ? demanda-t-il enfin.

— Ça faisait partie des informations que Marty a achetées à quelqu'un de la prison. Depuis que Driver est à Meza Azul, les lettres de sa mère sont postées d'une petite ville de l'Oregon, mais elle n'y habite pas.

— L'Oregon ?

— Pineville, quelque chose comme ça.

— Prineville. Ça alors !

— Qu'est-ce qui m'échappe, là ?

— En tout cas, maintenant je sais pourquoi les Fédéraux tenaient tellement à me mettre la main dessus à Scottsdale.

— Pourquoi ?

— Ils veulent savoir où vit la mère de Driver.

Melanie leva le pied de l'accélérateur et le gros camping-car commença à ralentir.

— Vous êtes sérieux ?

Il hocha la tête, se renfonça dans le siège et croisa les bras. Elle obliqua et s'arrêta sur le bas-côté de la route, tira le frein à main et se tourna vers Corso.

— Ils croient que vous savez où elle est ?

Il secoua de nouveau la tête en silence. Son expression méfiante alerta Melanie.

— Alors ? Ne jouez pas à ça avec moi, Corso. Vous le savez, oui ou non ?

— Oui.

— Comment se fait-il que vous soyez au courant de ce que tout le monde ignore ?

— Quand il a été envoyé à Meza Azul, Doris, sa mère... la presse la rendait folle. Elle m'a demandé si je connaissais quelqu'un qui l'aiderait à disparaître quelque temps. Je l'ai mise en contact avec un type qui aide les gens à s'évanouir dans la nature. Il lui a fait quitter Seattle, lui a fourni un nouveau domicile, une fausse carte d'identité et une adresse en poste restante pour que personne ne puisse la retrouver.

— Il y a longtemps de cela ?

— Presque sept ans.

— À votre avis, elle est restée au même endroit ?

— Elle se sert de la même boîte postale.

— Je veux y aller ! s'exclama Melanie.

Il leva la main.

— Pas question. Doris est une femme très secrète.

— Vous m'avez promis.

— J'ai promis d'aller à Los Angeles avec vous, c'est tout.

— Non, de faire tout votre possible pour m'aider à dénouer cette histoire !

Il ouvrait la bouche pour protester, mais changea d'avis. Les voitures filaient sur l'autoroute. Un semi-remorque ébranla l'air autour d'eux.

— Je vais avoir besoin d'une carte, dit-il.

— Où va-t-on ?

Il le lui dit.

— Où est-ce ?

— Dans les montagnes.

— C'est loin ?

— On devrait y être avant la tombée de la nuit.

# 35

Linda Westerman ferma son portable d'un coup sec.

— Eh bien ! s'exclama-t-elle avec un sourire forcé. Vous aviez raison.

Rosen sourit.

— Je vous écoute.

— Dès que la première équipe a abandonné la filature, voilà que M. Corso est apparu sur le siège passager ! Ils ont continué pendant environ soixante-dix kilomètres, puis ont pris de l'essence et acheté une carte de Californie. Douze dollars cinquante neuf cents, débités sur la carte de crédit de « Chasse à l'homme ». Melanie Harris a appelé son producteur à L.A. Non, elle n'est pas restée assez longtemps en ligne pour qu'on repère l'endroit.

— Dommage.

— Une heure et cent trente kilomètres plus tard, ils ont quitté l'autoroute à la sortie 115, celle de Mountainview, direction les Sierras. Je ne sais pas où ils vont, mais sûrement pas à Los Angeles.

— Bien.

— On a placé un transpondeur électronique sur le camping-car et deux équipes assurent la surveillance. Deux autres s'occupent du producteur qui, il y a une heure, se dirigeait vers l'aéroport de L.A.

— C'est bien regrettable qu'on n'ait pas mis un micro à l'intérieur du véhicule.

— Elle est revenue avant qu'ils l'installent.

Rosen hocha la tête.

— Dites aux gars de garder leurs distances. Ils ne doivent pas se faire repérer. Avec l'équipement électronique du camping-car, pas la peine de le serrer de trop près.

Elle assura à Rosen qu'elle transmettrait aux agents en place.

— Comment l'aviez-vous deviné ? demanda-t-elle. Par l'une de ces intuitions ésotériques dont les agents ont le secret après trente ans passés chez les Fédéraux ?

Il se mit à rire.

— Je ne savais pas. J'ai lancé ça à tout hasard. Quelquefois ça marche, d'autres fois non. Mieux vaut être veinard que doué.

— Et maintenant ?

— On attend.

— Je garde mon calme, dit-elle en se mettant à tourner dans la pièce.

— Vous avez déjeuné ? demanda Rosen.

Elle répondit que non, sans cesser de marcher. Quand elle passa à sa hauteur, il la retint par le coude.

— Venez. Allons dépenser les fonds du Bureau.

Elle le dévisagea, ouvrit la bouche, se ravisa, réfléchit et dit enfin :

— Agent Rosen...

— Appelez-moi Ron.

— Ce n'est pas sans doute ni diplomatique ni même très poli, mais il faut que je vous demande quelque chose.

— Quoi donc ?

— Toute cette semaine, depuis que nous sommes sur cette affaire de Meza Azul, j'ai eu l'impression que... que vous me draguiez.

Sur le point de se remettre à arpenter le tapis, elle s'en empêcha.

— C'est peut-être moi qui invente, repritelle, qui me méprends. Si c'est le cas, je vous prie de m'excuser. Mais je ne me sentirai pas à l'aise tant que nous n'en aurons pas discuté.

Rosen enfonça les mains dans ses poches de pantalon et prépara sa réponse. Enfin, il dit :

— J'aimerais vous dire que tout cela n'est qu'un effet de votre imagination, agent Westerman. J'aimerais bien, mais… ce serait faux.

Il riva ses yeux à ceux de la jeune femme.

— Je vous ai vraiment draguée, d'une façon tout à fait infantile. Je veux que vous le sachiez : je n'en attendais rien. Nous savons tous les deux que c'est hors de question.

Elle acquiesça.

— Je sais que ça peut vous paraître idiot, mais je voulais peut-être savoir si je pouvais encore séduire une femme. Une jeune femme comme vous. J'espère que vous ne m'en voudrez pas de vous avoir… embarrassée.

— Vous ne m'avez pas embarrassée, assura-t-elle.

— J'essaie de me persuader que j'ai survécu à mon récent divorce sans trop de dommages, reprit-il en faisant la grimace. Il me faudra sans doute réviser cette opinion.

Elle voulut parler, mais il la coupa :

— Je comprendrais fort bien que vous en parliez à mon supérieur. Ma conduite a été…

Cette fois, elle l'interrompit :

— Je n'ai rien à rapporter. Vous vous êtes toujours conduit en professionnel et en gentleman. Simplement, je ne voulais pas laisser cette impression que j'avais s'interposer entre nous, ni personnellement ni professionnellement.

Il laissa passer un silence.

— Merci, dit-il enfin, les yeux baissés.

— Le déjeuner, ça tient toujours ?

Il sourit.

— Bien sûr !

— Allumez le plafonnier, s'il vous plaît, demanda Melanie après avoir cherché en vain la commande sur le tableau de bord et autour du volant.

La route devant eux était sombre, étroite, bordée de pins et de sapins aux robustes branches dénudées par les vents violents venus de la montagne. Les talus étaient plantés de piquets à l'extrémité orange, afin de délimiter la voie carrossable quand tout alentour était enseveli sous deux mètres de neige.

— Je ferais mieux de regarder où on va, dit-elle, sinon on va finir dans le fossé.

Elle conduisait attentivement, les deux mains sur le volant, concentrée.

Corso posa la carte sur ses genoux et examina le plafond. Il ne tarda pas à localiser le petit interrupteur contrôlant l'allumage de la cabine, le poussa au maximum et approcha la carte de ses yeux.

— Quelle ville vient-on de traverser ?

— Winthrop... si on peut appeler ça une ville.

— Ouais... Sachez que Elk Creek est encore plus petit. La dernière fois que j'y suis allé, il n'y avait qu'un seul bâtiment : magasin, station-service et poste, tous réunis.

— Quand était-ce ?

— Juste avant la sortie du livre. Je rédigeais la préface et j'ai pensé que la mère de Driver souhaitait peut-être ajouter quelque chose.

— Elle le voulait ?

— Elle voulait surtout que je dégage vite fait.

Il pointa le doigt dans l'obscurité.

— Là, vous avez vu le panneau ?

Une pancarte bleu et blanc, flèche vers la gauche, indiquait : *Elk Creek : cinq kilomètres*.

Melanie négocia le virage et se trouva face à deux voies, l'une à droite et l'autre à gauche. De chaque côté, les arbres formaient une voûte de cathédrale, et l'on distinguait de loin en loin des échappées sur des pics enneigés. Penchée sur le volant, elle scrutait la route. Elle mit les pleins phares, mais les arbres n'en parurent que plus touffus, et elle repassa en codes.

Ils roulèrent en silence. Un faible halo de lumière apparut à quelque distance, puis deux pompes à essence et une enseigne rouge et blanche annonçant *Cascade Café*. Des branches effleurèrent le toit du camping-car quand elle se rangea entre le magasin et la station-service. Un néon dans une fenêtre vantait la bière Coors Lite et un simple panneau de bois indiquait *Elk Creek Store*.

— On dirait bien que ça s'est construit depuis mon dernier passage, dit Corso.

— On n'arrête pas le progrès.

Les phares du camping-car illuminaient une Chevrolet Blazer rouge garée derrière des buissons à côté d'un camion-citerne argenté. Plus loin il y avait un pick-up Ford aux pneus si énormes qu'il fallait bien un treuil pour accéder au siège conducteur. Avant que Melanie ait eu le temps d'éteindre, un petit homme à l'épaisse chevelure blanche descendit du Blazer et se hâta vers eux.

— Voilà Marty, dit-elle à Corso. On pourrait en profiter pour faire le plein.

Corso mit la pompe en marche puis rejoignit Melanie et Marty.

— Où est l'équipe ? demanda-t-elle.

— Devant toi. Je n'ai pas réussi à faire venir les gars. Ils étaient déjà bien au-delà de leur temps réglementaire. Entre les heures supplémentaires et le prix du billet d'avion, on est largement dans le rouge. J'ai apporté la caméra légère, ça donnera un effet genre *Blair Witch*. Ça, c'est la mauvaise nouvelle. Tu veux la bonne ?

— Je n'attends que ça.

— On va faire la une. La chaîne va interrompre le journal national par une édition spéciale.

Elle s'aperçut tout à coup de la présence de Frank adossé au camping-car.

— Marty, tu te souviens sans doute de Frank Corso.

— Bien sûr, répondit-il en tendant la main.

Pendant qu'ils échangeaient des politesses, Melanie entendit le déclic de la pompe à essence. Puis Marty retourna à sa voiture de location et Corso alla payer. À la caisse, un immense garçon dégingandé en casquette de base-ball rouge, assis sur un tabouret métallique, regardait sur une télévision perchée en hauteur Oprah Winfrey presque lovée contre Tom Cruise, lequel semblait moyennement amusé.

— Il est à vous, le pick-up là dehors ? demanda Corso.

— Pour sûr.

— Je croyais qu'il n'y avait que les mecs petits qui possédaient ce genre de super-gros engins.

Le garçon se mit à rire.

— Je l'ai acheté à un certain Tom Payton qui prétend mesurer un mètre soixante-dix, mais il est loin du compte !

— J'avais raison, alors ! dit Corso, et ils rirent ensemble.

— Dedans, j'ai assez de place et il roule drôlement bien sur la neige.

— Vous mesurez combien ?

— Deux mètres. Et vous ?

— Un mètre quatre-vingt-dix-huit.

— Le monde n'est pas fait pour les grands comme nous, se plaignit le garçon.

— C'est vrai. Vous auriez une carte de la région ?

Après avoir fourragé sous le comptoir, le jeune homme se redressa avec ce qu'il demandait.

— C'est l'un de nos artistes locaux qui l'a dessinée pour les touristes. Il y a surtout les sentiers de randonnées et les aires de pique-nique. Ça fera cinquante-sept dollars cinquante-six avec l'essence. Le camping-car est à vous ?

— Non, à une amie.

— On n'a besoin de rien, avec ça, sauf de stations-service !

Corso lui tendit sa carte de crédit.

— Merci pour la carte.

— Pas de quoi.

Le ciel hésitait entre le bleu et le noir, uniforme, à peine entamé ici et là par la lueur d'une étoile. Les bois étaient, comme dit le poète, « sombres et profonds ».

Elle rêvait d'ascenseurs. D'ascenseurs démodés avec liftiers et cabines ornées de volutes en cuivre. Elle regardait la flèche en bronze indiquant les étages au-dessus de la porte, pointée vers le haut ; elle percevait le léger choc de l'arrêt juste avant que résonne la jolie petite sonnerie, *ding*, annonçant l'arrivée dans un monde nouveau, plein de merveilles. *Ding, ding, ding*...

Elle se redressa dans son lit et, l'espace d'un instant, eut une petite idée de la raison pour laquelle elle avait choisi une sonnerie de portable semblable à celle d'un ascenseur à l'ancienne. Mais elle n'eut pas le temps de s'y attarder. Son réveil indiquait 6 : 43. Elle s'était allongée après le déjeuner, espérant se reposer un peu avant de repartir à l'action, mais la pâle lumière qui filtrait à travers les rideaux confirma qu'elle avait dormi tout l'après-midi. Elle attrapa son téléphone.

— Westerman, à l'appareil.

— On les a perdus, fit une voix masculine.

Elle se raidit, passa la main dans ses cheveux emmêlés.

— Comment est-ce possible ? On avait mis un transpondeur sur le…

— Ces montagnes sont vastes, et elles font barrage.

— Où êtes-vous en ce moment ?

— Dans un coin appelé Sierra Summit.

— Faites la route en sens inverse.

— Quoi ?

— Quelle était la dernière ville que vous avez traversée ?

— Winthrop.

Elle perçut le froissement de la carte qu'il manipulait.

— C'est à trente kilomètres.

— Allez-y. Si vous ne les retrouvez pas, restez là. Si vous les trouvez, rappelez-moi.

Sans attendre la réponse, elle coupa la communication et appela sur la ligne intérieure de l'hôtel.

— Passez-moi la chambre de Ronald Rosen.

# 36

— C'est ici, dit Corso en repliant la carte, le chemin juste là.

Il désignait une allée dépourvue d'indication qui partait vers l'ouest, à la diagonale de la route.

Melanie engagea le camping-car sur les cinquante premiers mètres gravillonnés puis s'arrêta, éteignit les phares et fit pivoter son siège vers l'arrière.

— Prêt ?

— Pas tout à fait, répondit Marty.

Il était en train d'ajuster le harnais qui lui permettrait de porter la caméra.

— Ces interviews-surprise… mieux être préparé à cent pour cent. Pas question de refaire la prise, *tac tac tac* on filme, et merci madame. Si tu veux te repoudrer le nez, Melanie, c'est maintenant ou jamais.

Elle sauta sur l'occasion, sortit sa trousse de

maquillage à rayures rouges et blanches de la boîte à gants et l'ouvrit sur ses genoux.

— Voilà comment on va procéder, reprit Marty. Si on la fait sortir sur le perron et que je filme, elle va nous claquer la porte au nez et rentrer chez elle.

Melanie acquiesça.

— Le secret, c'est la patience. Restez tranquilles, la curiosité va la pousser à sortir. Quand quelqu'un s'amène dans votre allée, vous commencez par regarder par la fenêtre, puis par passer la tête à la porte. Il faut un certain temps avant d'enfiler une veste et d'aller voir qui est là.

— Et si elle refuse de nous parler ?

— On la filmera en train de refuser de nous parler.

— Et si elle pique une crise ?

— Idem, sauf que ce sera nous qui battrons en retraite.

Marty posa la caméra sur la table et se dirigea vers un tableau de contrôle inclus dans la paroi, derrière le siège conducteur. Il appuya sur des boutons et des diodes rouges et vertes s'allumèrent. Il continua jusqu'à ce que tout soit vert.

— Les systèmes satellites aiment bien qu'on soit sur le toit du monde. On pourrait diffuser jusqu'à New York, d'ici.

Il jeta un coup d'œil à Melanie et ajouta, mi-figue, mi-raisin :

— Je suis content que tu te serves de cet engin, finalement.

Elle rit en rangeant sa trousse dans la boîte à gants et se tourna vers Corso :

— De quoi j'ai l'air ?

— D'une fort jolie femme. La Belle des ondes hertziennes.

— Oh, redites-moi ça, monsieur Corso !

L'espièglerie de son intonation attira l'attention de Marty.

— Ça suffit, vous deux ! Ce n'est vraiment pas le moment. On a toute une équipe qui nous attend au studio et on est en train de claquer de l'argent comme des marins en bordée.

Il passa le harnais de la caméra autour de ses épaules, l'objectif à hauteur de poitrine. Il la mit en marche et vérifia l'image sur un petit écran, juste sous son menton. Puis il sortit diverses pièces de l'un des étuis, assembla sans tarder le trépied qu'il vissa à la caméra. Satisfait, il revint au panneau de contrôle et désigna une diode orange qui clignotait au centre avec insistance.

— Ils nous attendent. Allons-y.

Melanie prit une inspiration et alluma les

phares. Des branches frôlèrent le toit du camping-car qui remontait l'allée. Après un tournant, la maison fut en vue. C'était un chalet de bois de cèdre tel qu'on en vend au bord des autoroutes, dans l'Ouest, installé dans une large clairière face à une colline. Un joli endroit.

Melanie coupa le contact, mit le frein à main. Sur le perron, une lumière s'alluma. Marty lui tendit le micro et elle dit : « Ici " Chasse à l'homme " ». Marty contrôla les indicateurs de son et fit le signe que tout allait bien.

Au bout d'une minute, la porte du chalet s'ouvrit et une femme sortit sur le porche, les bras serrés autour d'elle contre le froid nocturne. Corso ne la reconnut que lorsqu'elle eut descendu les marches pour s'avancer dans la lumière des phares.

C'était bien Doris Green. Un peu plus mince qu'autrefois, peut-être, et il ne l'avait jamais vue les cheveux dénoués, mais il n'y avait pas de doute.

— C'est elle, dit-il.

— Attendez, souffla Marty.

Ne pouvant voir à travers le pare-brise teinté, Doris Green dépassa le cône de lumière et se dirigea vers la portière du conducteur.

— Maintenant ! chuchota Marty.

Melanie sauta à terre d'un côté, le micro serré contre elle pour ne pas effrayer sa proie, et Marty de l'autre.

— Madame Green, je suis Melanie Harris. Nous avons couvert l'histoire de votre fils et nous espérons que…

L'attention de Doris Green fut détournée par la luminosité subite de la caméra et elle leva le bras pour s'en protéger.

— Vous croyez qu'il est ici ? Vous croyez mon fils assez stupide pour venir ici ?

— Non, madame, lui assura Melanie, nous voulions simplement…

Doris pointa le doigt sur elle.

— Je vous ai vue, vous, à la télévision.

— Oui.

Le regard de Doris passa de Melanie à Marty comme si elle voulait s'assurer qu'ils n'étaient pas le fruit de son imagination.

— Allez-vous-en, dit-elle enfin. Remballez votre maudite caméra, remontez dans votre camping-car et fichez le camp ! Il n'y a rien pour vous ici. Tirez-vous !

Imperturbable, Melanie avança d'un pas en tendant le micro.

— Madame Green, nous aurions aimé…

Doris Green repoussa le micro à la figure de Melanie et se mit à crier en agitant les bras.

— Une histoire ! Tout ce que vous aimeriez, c'est une histoire. Je vais vous en raconter une, moi. Celle d'un homme qui avait trop le sens de l'honneur pour cette société. Un homme qui a fait son devoir, qui a servi son pays et pour quoi ? Pour qu'une putain, une sale putain...

Elle écumait, écarlate, titubante. Elle leva le bras pour s'essuyer la bouche sur sa manche. Un peu de salive s'accrochait à sa lèvre supérieure quand les premiers symptômes apparurent sur son visage. Un regard étonné. Moins de douleur que de confusion, comme si elle avait oublié ce qu'elle voulait dire ensuite. Elle porta une main à sa poitrine, puis l'autre, comme pour empêcher quelque chose de s'en échapper. Puis il sembla qu'un géant l'attrapait par les épaules pour la projeter en arrière et elle s'effondra d'un coup, l'air stupéfait, avant de hoqueter une dernière fois et de se figer, les yeux clos et la bouche grande ouverte.

— Madame Green, madame Green..., appela Melanie.

Elle fit un pas, incrédule, et regarda la femme étendue puis tomba à genoux. Elle leva les yeux sur Marty.

— Elle a eu un infarctus, ou quelque chose comme ça, cria-t-elle. Ô mon Dieu, je crois qu'elle est morte ! Qu'est-ce qu'il faut faire, qu'est-ce qu'il faut faire ?

Les larmes ruisselèrent sur son visage. Corso sauta à terre et se précipita vers la femme allongée parmi les feuilles et les fougères, les membres raidis et le teint couleur de cendre.

Marty avait laissé tourner la caméra sur son trépied et tentait d'effectuer les premiers massages cardiaques de secours. Il jeta un coup d'œil à Corso sans relâcher le rythme.

— Il y a un téléphone satellite dans l'un des étuis de caméras. Appelez le 911.

Corso pivota et courut le chercher.

# 37

Driver, assis au bord du lit, regardait la télévision sans le son. Il se préparait à partir. Heidi le voyait à sa façon de démonter ses précieux fusils et d'en envelopper les morceaux dans des serviettes de toilette.

— S'il vous plaît, geignit-elle. Ne me laissez pas toute seule ici.

Il leva sur elle ses yeux noirs aux paupières tombantes.

— Approche.

Elle vint s'agenouiller devant lui comme une suppliante, en s'appuyant lourdement contre sa jambe dans l'espoir que la pression de ses seins provoquerait une réaction. Peine perdue. Il la regarda.

— Quelqu'un t'a vue tuer ?

— Quoi ?

— Quand tu étais avec Harry, est-ce qu'on t'a vue tuer quelqu'un ?

Il tira fermeture Éclair du sac posé à son côté.

— Je n'ai jamais...

Il lui coupa la parole.

— Je m'en fous que tu aies tué ou non, ma petite. Je veux juste savoir si quelqu'un t'a vue en train de descendre un type, ou même de le viser, n'importe quoi qui laisserait entendre que tu as agi de ton propre gré.

Elle réfléchit, essayant de deviner s'il préférait qu'elle ait déjà tué ou pas.

— La seule personne que j'ai descendue, c'est cette vieille femme dans le drugstore. Et le seul témoin, c'était son mari, mais Harry lui a tiré dessus plusieurs fois.

— Alors, voilà ce que tu vas faire.

Elle était perdue dans ses pensées.

— Tu m'écoutes ?

— Oui.

— La chambre est payée jusqu'à demain midi. Tu t'offres une bonne nuit de sommeil. Dans la matinée, tu appelles la réception et tu dis que tu veux voir les flics. Que tu as été kidnappée, et dès que tu t'es rendu compte que j'étais parti, tu as prévenu la police. Compris ?

Elle battit des cils et hocha la tête.

— C'est très important que tu passes ce

coup de fil. Il ne faut pas que tu te fasses arrêter, tu dois te rendre. Tu comprends ce que je te dis ?

Elle répondit oui, et commença à caresser la jambe de Driver du plat de la main.

— Tu racontes cette histoire et tu t'y tiens. Peu importe ce qu'on te dira, même un avocat, tu répètes la même chose. Tu as été kidnappée depuis le début. Harry a assassiné ton père et t'a emmenée malgré tes cris et tes coups de pied. Il a commis tous les meurtres, tu y as assisté contre ta volonté. Après la mort de Harry, Kehoe et moi t'avons gardée captive. Dis-leur où trouver le corps de Kehoe et celui de Harry. Plus tu collaboreras de cette façon, mieux ça vaudra pour toi.

Elle cessa de tripoter sa braguette pour demander :

— Vous croyez qu'ils vont gober ça ?

— Ils n'apprécieront pas du tout ta version. Pas mal de flics se sont fait descendre, ils vont vouloir à tout prix épingler un coupable. Mais… si tu répètes encore et toujours la même chose, ça va attirer l'attention des associations de féministes, de victimes et d'autres dont on n'a jamais entendu parler ni l'un ni l'autre. Les hommes de loi vont sortir du bois et s'entre-tuer pour avoir le droit de te défendre. Toi, si tu tiens tête aux flics et si tu ne démords pas de ton histoire, personne n'osera te condamner pour quoi que ce soit, ni au Texas ni ailleurs.

Au moment où il se tut, elle avait réussi à ouvrir sa braguette pour extirper le sexe de Driver des confins de son caleçon. Il lui attrapa le poignet et essaya de repousser sa main, puis il sembla s'en désintéresser et reprit la télécommande sur le lit. Aussitôt, elle recommença sa quête.

Le volume du son de la télévision monta. « Nous avons couvert l'histoire de votre fils et nous espérons que… » Heidi prit le sexe de Driver dans sa bouche. Le son monta encore. « Je vous ai vue, vous, à la télévision », cria la première voix.

Les efforts de Heidi commencèrent à payer. Bien que l'attention de Driver fût distraite par l'écran, les lois naturelles de l'anatomie et de la physique prenaient le dessus. Encouragée, Heidi s'activa en rythme. « Allez-vous-en ! Remballez votre maudite caméra, remontez dans votre camping-car et fichez le camp ! Il n'y a rien pour vous ici. Tirez-vous ! »

Puis Heidi sentit que quelque chose n'allait plus du tout. La voix tremblait de terreur. « Je crois qu'elle est morte ! Qu'est-ce qu'il faut faire, qu'est-ce qu'il faut faire ? » Malgré les efforts de Heidi pour le retenir, Driver s'arracha à son étreinte et à sa bouche avec un petit claquement mouillé, et aussitôt après, elle sentit du métal froid pressé contre ses lèvres, puis un choc contre ses dents tandis que le canon pénétrait dans sa bouche. Elle leva les yeux sur lui. Les hommes aimaient bien quand on faisait ça. Mais l'expression de Driver la terrifia. Il pleurait tout en débloquant la sécurité de son arme. Elle ferma les yeux.

Melanie dut s'y reprendre à trois fois pour composer le numéro. Elle porta le récepteur à son oreille à deux mains. Brian répondit à la troisième sonnerie, la voix ensommeillée. Elle jeta un coup d'œil à son réveil : 3 : 15, deux heures de plus dans le Michigan.

— Brian, c'est moi.

— Allô ?

— C'est moi !

Il y eut un choc et un grognement. Il venait de laisser tomber le téléphone sur le plancher. Elle attendait qu'il l'ait récupéré quand une voix de femme se fit entendre en arrière-plan, aussi nette qu'en plein jour. Sauf qu'on était en pleine nuit.

— Qui est-ce, Brian ? demanda la voix d'un ton endormi.

Melanie perçut de nouveau le souffle de Brian.

— Allô ?

Elle coupa la communication et reposa l'appareil. Elle prit plusieurs inspirations, se frotta le nez de son avant-bras, certaine qu'elle allait se mettre à pleurer… mais rien ne vint. Elle s'allongea sur le lit et contempla le plafonnier bon marché du motel. Elle remonta ses jambes contre elle, sur le couvre-lit, ferma les yeux, et les événements des dernières heures défilèrent dans sa tête comme les images en accéléré d'un mauvais film.

Il avait fallu presque une heure à l'ambulance pour arriver chez Doris Green, suivie de la police du comté cinq minutes plus tard. Marty et Corso n'avaient pas cessé de se relayer pour pratiquer la respiration artificielle avant d'être obligés d'abandonner. Ils avaient cru pouvoir la faire revenir à la vie même après que ses lèvres étaient devenues bleues et froides, mais à l'arrivée des premiers secours ils avaient dû se résoudre à arrêter. Il n'y avait plus rien à faire. Marty était tellement épuisé qu'il pouvait à peine lever les bras, et Corso l'avait aidé à remonter dans le camping-car.

Une fois l'énervement retombé et le corps de Doris Green emporté loin de ses montagnes, ils avaient rebroussé chemin jusqu'à Jenner Peak, un petit bourg suffisamment proche de la station de ski de Mountain West pour abriter quelques motels bon marché, dont deux restaient ouverts toute l'année. Depuis dix heures et demie, Corso, Marty et Melanie s'étaient calfeutrés dans les chambres 3, 4 et 7 du Ski Chalet Motor Inn.

Trop frigorifiée et trop déprimée pour dormir, elle avait passé la nuit à arpenter sa chambre. Maintenant… maintenant, il y avait autre chose. Quelque chose qu'elle n'avait pas éprouvé depuis longtemps, depuis la mort de sa petite fille. La sensation d'être déconnectée, seule au monde parmi le bruit et l'agitation étrange des gens et de tout le reste.

Comment en était-elle arrivée à tant de cynisme ? Même son coup de téléphone à Brian ne réussissait pas à la faire pleurer. La réponse lui vint aussitôt : ce qu'ils avaient encore à perdre avait été perdu depuis longtemps, jeté face contre terre dans ce caniveau gelé de Grand Rapids en même temps que leurs espoirs et leurs rêves.

C'était comme si sa vie, depuis cet instant, n'avait été qu'un simulacre, un bateau qui prend l’eau et se moque de rester à flot.

De nouveau, elle s’efforça de pleurer et, de nouveau, en fut incapable.

# 38

Corso était tout à fait réveillé quand on frappa à sa porte. Il avait bien somnolé une fois ou deux, mais sans trouver le moindre repos. C'était curieux, parce que d'habitude, les aléas de la vie et de la mort l'affectaient peu. Sans doute pas assez, il s'en était souvent fait la réflexion quand il se donnait la peine d'y penser et de se demander si son impassibilité face aux tragédies n'était pas la preuve de son impuissance à éprouver des sentiments. Quand les autres étaient anéantis par un événement et tout juste bons à s'interroger sur le sens de la vie, Corso avait toujours été apte à respirer un bon coup et continuer comme avant. Dans ses accès d'auto-indulgence, il attribuait son insensibilité à toutes les horreurs dont il avait été témoin en tant que reporter, mais, au fond de lui-même, il savait qu'il réagissait ainsi depuis toujours. Il se revoyait à neuf ans, à l'enterrement de sa grand-mère, détaché et les yeux secs au milieu des sanglots et des mains tordues de désespoir, s'interrogeant pour savoir s'il devait se joindre aux manifestations de chagrin et sachant déjà avec certitude que c'était pour lui une chose impossible.

Il se leva et, pieds nus, alla jusqu'à la porte.

— Oui ?

— C'est Melanie.

— Melanie qui ?

— Oh, arrêtez ça.

— Une seconde.

Il enfila son jean, mais sa chemise était accrochée dans la penderie de l'autre côté de la chambre, trop loin, étant donné qu'il était quatre heures du matin. Ce fut donc torse nu qu'il ouvrit.

Melanie Harris. En manteau de cachemire noir maintenu serré contre sa gorge, pieds nus elle aussi, frissonnant dans le vent. Corso fit un pas de côté et l'invita d'un geste à entrer.

— Comme c'était allumé…, dit-elle en franchissant le seuil.

— Je n'ai pas réussi à m'endormir, avoua-t-il.

Elle s'assit au bord du lit en regardant autour d'elle.

— J'ai déjà vu cette chambre quelque part.

Corso se mit à rire.

— Oui… J'ai bien envie de la réserver pour mes prochaines vacances d'hiver.

Il décrocha la chaise en plastique de sa patère et la posa près du lit, puis alla enfiler sa chemise sans se donner la peine de la boutonner. Il revint au pied du lit où Melanie avait pris ses aises, penchée en arrière, en appui sur ses bras.

— Alors… Que puis-je faire pour vous à cette heure indue de la nuit ?

— En fait, c'est déjà le matin.

— À cette heure indue du matin ? reprit-il dans un sourire.

Elle détourna les yeux, gênée. Après un silence, elle dit :

— Je ne voulais pas rester seule. Je n'arrêtais pas de voir le visage de cette femme.

D'un hochement de tête, Corso indiqua qu'il comprenait. Il s'assit sur la chaise, se passa les mains sur la figure.

— Je ne vais pas l'oublier de si tôt non plus, admit-il.

— Je ne peux pas m'empêcher de penser que nous sommes responsables de sa mort.

Il secoua la tête.

— Vous nous donnez trop d'importance. On

y est peut-être pour quelque chose, mais en aucun cas nous ne pouvons en être tenus pour responsables. De mon point de vue, chacun est responsable de lui-même. Chacun forge sa propre relation à l'univers et saisit l'occasion quand elle se présente. La chance joue un grand rôle dans tout ça. Driver disait ce genre de choses un jour, à propos des poissons : certains sont destinés à remonter jusqu'à leur lieu de naissance pour y pondre à leur tour, d'autres sont destinés à tomber entre les griffes d'un ours ou d'un aigle, d'autres encore n'auront pas la force de finir le voyage. Ils pourriront dans l'eau et nourriront les algues.

— Je ne veux pas pourrir dans l'eau.

— Personne ne le veut.

Un nouveau silence s'installa, pas désagréable.

— Vous avez regardé la télé ? demanda enfin Corso.

Elle secoua la tête.

— Je n'en ai pas eu le courage.

— On nous voit partout, et même au dircct de 18 heures.

— Ça ne me paraît plus si important.

— J'ai réfléchi.

— Et ?

— Il y a des moments comme ça où faudrait

y réfléchir à deux fois avant de souhaiter un truc.

Elle se laissa glisser sur le dos.

— Ou ne pas réfléchir du tout. Mais on…

Elle chassa son idée de la main et se couvrit les yeux. Corso l'entendit prendre sa respiration, puis le grondement d'un camion qui grimpait péniblement la côte couvrit tous les autres sons. Quand il se fut éloigné, il ne resta plus que le vent et les pleurs de Melanie. Corso demeura assis tranquillement à contempler les brûlures de cigarette sur les accoudoirs de la chaise. Les larmes mal retenues de la jeune femme venaient par crises, larmes de colère et de chagrin échappées de ses yeux comme des réfugiés hésitant à fuir.

Il attendit une pause pour demander :

— Je peux faire quelque chose ?

Elle secoua la tête puis, d'une voix qu'il ne lui connaissait pas, elle dit :

— J'ai peut-être besoin d'un câlin.

— Venez ici.

Il la prit dans ses bras et, de soulagement, Melanie put enfin se laisser aller. Elle était secouée de sanglots et ses larmes coulaient sur la poitrine nue de Corso, qui la tenait serrée en attendant que l'orage se calme. Elle devait avoir emmagasiné un bon stock de pleurs, car ce fut long. La jeune femme s'arrêta plus par fatigue que par manque de larmes ; et lorsqu'elle cessa de trembler, Corso s'aperçut qu'il n'avait jamais serré quelqu'un dans ses bras aussi longtemps. Il chuchota à son oreille :

— Vous savez, je…

— Non…

Elle se dégagea légèrement et l'embrassa, un baiser aux intentions fort claires. Il la repoussa et la tint à bout de bras.

— Vous êtes sûre ?

Elle l'embrassa de nouveau, et ils en furent tous deux sûrs.

— Je vous croyais mariée.

Elle s'approcha plus près, passa les mains sous sa chemise pour lui caresser le dos en l'attirant contre elle.

— Nous avons quitté le droit chemin… Bons pour nourrir les algues…

Avant qu'il puisse répondre, elle avait déboutonné son manteau. Ils étaient au point de non-retour. Elle ne portait rien dessous, et en découvrant son corps nu les mots restèrent dans la gorge de Corso. Il sentit son sang affluer dans ses veines ; certaines choses ne changeraient jamais.

Ray Lofton faisait ce trajet tous les samedis matin, qu'il pleuve ou qu'il fasse beau. Il se trouvait tout en bas de l'échelle hiérarchique, c'était donc à lui qu'incombait de travailler le week-end. Les bons jours, il était de retour au bureau en trois heures, mais s'il neigeait, il devait mettre les chaînes et il lui fallait alors la journée. Cette année, l'été indien s'était attardé et le soleil avait brillé tard sur les alpages, jusqu'en octobre, lui facilitant bien la vie. Il travaillait pour une société chargée de nettoyer le versant ouest de la montagne. Une fois par semaine, il se mettait au volant d'un camion-benne archaïque, grimpait au sommet et redescendait en collectant les ordures tout au long du chemin.

Lors de son embauche, Mary, chargée de l'organisation du travail, lui avait dit de procéder ainsi mais Ray, jamais très enclin à obéir aux ordres, s'était dit qu'il pouvait tout aussi bien ramasser ce qui traînait dès le départ. Or, il avait vite découvert que le vieux camion ne pouvait atteindre le col que vide, aussi avait-il été obligé de descendre tout décharger puis de remonter jusqu'en haut. Il n'était rentré qu'à la nuit tombée et s'était fait traiter d'andouille par absolument tous les autres employés.

La pente était beaucoup plus raide qu'il n'y paraissait. Ray passa en troisième et le camion rugit de désapprobation, le pare-brise se mit à vibrer à la façon d'un tambourin. Le passager de Ray y posa la main comme pour l'empêcher de se désintégrer.

— Vous en faites pas ! cria Ray par-dessus le vacarme. Il va y arriver ! Il y arrive toujours.

L'autre eut un sourire empreint de doute et s'accrocha encore plus fermement. Ray aimait bien bavarder, c'est pourquoi il prenait souvent des autostoppeurs à son bord. Juste pour avoir quelqu'un avec qui parler. Mais ce gars-là, il était aussi avare de ses mots que d'autres de leur argent. S'il avait su, Ray ne l'aurait pas fait monter.

Il avait eu pitié de lui, sur la route en pleine nuit, à lever le pouce là où personne ne passait jamais à cette époque de l'année. L'autre ne lui avait même pas dit son nom. Il s'était contenté de balancer ses sacs à ses pieds en remerciant Ray et n'avait plus ouvert la bouche depuis, le regard fixé sur le pare-brise.

Ce ne fut donc pas une grosse perte quand, à mi-côte, le type s'était penché brusquement en avant, scrutant la route comme si elle était pleine de filles à poil, et avait dit :

— Stop.

Ray, perdu dans ses pensées, n'avait pas réagi tout de suite.

— Quoi ?

— Stop.

Ray avait bifurqué vers le parking désert du Sierra Motor Inn. Deux douzaines de chalets étaient disséminés dans un petit bois de pins, fermés pour l'hiver.

Ray, le pied sur le frein, s'était tourné vers son passager.

— Vous ne m'aviez pas dit où vous alliez. Je ne pensais pas que c'était à Jenner Peak.

Il était trop tard, le gars avait déjà sauté à bas du camion avec ses sacs.

— Merci, dit-il avant de fermer la portière.

Dans le rétroviseur, Ray l'avait regardé traverser la route avec un sac noir dans chaque main vers le Ski Chalet Motor Inn et disparaître derrière un gros camping-car. Il s'en était désintéressé, avait levé le pied du frein, s'était assuré que la voie était libre et avait poussé le moteur du vieil engin à fond, déclenchant un tintamarre de maracas.

# 39

Le premier coup à la porte fut frappé d'un seul doigt, presque timidement. Corso grommela et se tourna sur le côté. Il n'y eut pas d'autre coup. Il garda les yeux fermés, essayant de se persuader que le bruit faisait partie de son rêve. Mais cela recommença, plus fort cette fois, du plat de la main. Il ouvrit un œil. Melanie fut réveillée aussi, nue et lovée contre lui comme de la vigne vierge, à moitié hors des draps, appuyée sur un coude et tout ensommeillée.

— Ne réponds pas, chuchota-t-elle.

Corso se remit sur le dos. On recommença à tambouriner contre la porte avec insistance.

— Oui ?

— C'est Marty.

Corso enlaça Melanie et l'attira tout contre lui. Elle lui posa un baiser sur l'oreille.

— On ne peut pas le laisser dehors.

— Une minute ! cria Corso.

Il l'embrassa sur le front, la bouche.

— Tu veux que je le fasse entrer ?

— Tu as une meilleure idée ?

— Te cacher dans la salle de bains, peut-être.

Elle réfléchit.

— Ça fait un peu démodé, non ? Et puis Marty ne dira rien.

Corso sourit, se leva, fouilla à la recherche de son jean et de sa chemise dans les couvertures en vrac au pied du lit, les enfila et alla entrouvrir la porte. Marty avait l'air d'un dieu vengeur. Son visage lisse d'Hollywoodien bronzé semblait avoir récupéré toutes les rides soigneusement effacées par la chirurgie esthétique ; elles étaient si profondes qu'on aurait pu y dissimuler des pièces de vingt-cinq cents. Il portait la même chemise rayée que la veille, tachée de boue et de salive et qui avait perdu un bouton en route.

— Qu'est-ce qu'il y a ? demanda Corso.

— Je ne trouve pas Melanie ! J'ai essayé le…

— Elle va bien.

La voix de la jeune femme s'éleva derrière lui :

— Laisse-le entrer.

Marty hésita, puis franchit le seuil avec un regard amusé allant de Corso à Melanie.

— Eh bien, que se passe-t-il ici ?

Elle parut gênée.

— Ne commence pas, Marty. Tu es mal placé pour juger. Je te signale, ajouta-t-elle à l'intention de Corso, qu'il trompe même sa maîtresse.

Marty prit un air offusqué.

— Un homme dans ma position a besoin de réconfort.

Corso le toisa avec incrédulité.

— Vous avez *deux* maîtresses ?

— Stephanie – ma femme – a tout découvert à propos de Janice. Du coup, ce n'était plus drôle. Bon, et vous, alors ?

Melanie changea de sujet :

— Qu'est-ce que ça a donné hier soir ?

— Nos espérances ont été quelque peu dépassées, pas vrai ?

— Frank dit que c'est passé partout.

— Frank aussi, apparemment !

— Arrête, Marty ! s'écria-t-elle en s'efforçant d'avoir l'air fâché sans y parvenir.

— Cent cinquante-sept chaînes ont diffusé la vidéo sur tout le territoire. On reçoit des quantités d'appels et d'e-mails, un sur deux scandalisé.

— Que disent les producteurs ?

— Officiellement ils prennent leurs distances avec nous, officieusement ils jubilent.

— Évidemment.

— J'ai une réunion avec Larry à six heures, ce soir, à propos du budget. Tu sauras ramener la caravane ?

— C'est un camping-car, Marty.

— Tu te sens capable de le ramener ? Sinon je peux…

— Je suis arrivée jusqu'ici, je saurai rentrer avec, oui.

— OK. Je saute dans la douche et je rentre. Si tu as besoin de quoi que ce soit, passe-moi un coup de fil. Tu sais, ma chérie, tu as bonne mine ce matin.

— Ferme-la, Marty, et va te doucher.

Il se mit à rire, leur dit au revoir et s'en alla.

— On va prendre un petit-déjeuner ? demanda Corso. Le café d'en face doit être ouvert maintenant.

Melanie s'assit et s'observa dans la glace avec une grimace dégoûtée.

— Si ça ne t'ennuie pas de m'attendre une heure ou deux…

— Je pourrais aussi aller le chercher et l'apporter ici.

Elle lui jeta un regard coquin.
— Une fois restaurés, crois-tu que nous…
— Oui, sans aucun doute. Que voudrais-tu ?
— Pour le petit déjeuner ?
— Commençons par là.
Il retrouva ses chaussures, enfila sa veste, glissa la clé dans sa poche et sortit.
Le café Timberman se trouvait à environ deux cents mètres plus bas dans la rue. La pendule au-dessus du comptoir indiquait 8 h 10 lorsque Corso prit place sur un tabouret.
— J'arrive tout de suite ! cria quelqu'un de la cuisine.
Corso regarda autour de lui. C'était un café de campagne typique, avec une demi-douzaine de tables aux nappes imprimées, dix tabourets le long du comptoir, les toilettes dans le fond et un petit autocollant rigolo scotché sur la caisse : *Les prix sont nés ici mais ils ont grandi ailleurs*.
Un homme d'une soixantaine d'années, blafard et aussi maigre que le cure-dents qu'il tenait à la commissure des lèvres, glissa la tête par les portes battantes.
— Qu'est-ce que je vous sers ?
Corso passa sa commande.
— Ça va prendre un peu plus de temps que

d'habitude, ma serveuse a la grippe. Ça lui arrive souvent le samedi matin…

— Où est-ce que je peux trouver un journal ?

— À cette époque de l'année, nulle part.

En attendant d'être servi, Corso se mit à réfléchir aux plaisirs d'une compagnie féminine. Cette nuit, sa main ne l'avait pas fait souffrir du tout… Il se prenait pour une personne réfléchie, un professionnel qui envisageait les choses, généralement, de manière rationnelle… mais tout cela avait toujours volé en éclats quand il s'était retrouvé devant une femme dénudée. Des siècles d'admonestations sociales et religieuses passaient à la trappe en un instant quand le besoin, vital et toujours aussi vivace, de répandre ses gènes se faisait sentir ; et Corso lui-même n'était plus qu'une version mieux attifée et mieux rasée que ses frustes ancêtres.

Un sourire errait sur ses lèvres quand la clochette de la porte tinta. Il n'eut pas le temps de se retourner qu'une voix connue le fit revenir sur terre.

— Vous voilà bien loin du Phénicien, monsieur Corso. Il aurait sans doute mieux valu que vous y soyez resté, pourtant.

Corso vérifia par-dessus son épaule. C'était

bien l'agent Rosen, avec l'agent Westerman à sa suite, tous deux impeccables. Corso se détourna pour se concentrer sur les odeurs alléchantes du pain grillé et du bacon grésillant.

Les deux agents prirent place sur les tabourets de part et d'autre de lui.

— Il aurait sans doute été préférable que vous jouiez franc jeu avec nous, reprit Rosen.

— J'ai été franc avec vous.

— Vous saviez où était sa mère.

— Vous ne me l'avez pas demandé.

— Vous saviez que c'était là que se rendait Driver.

— Vous aussi. Vous l'avez eu ?

Leur silence fut éloquent.

— Rétrospectivement, il semble que ce petit détail n'ait pas eu grande utilité, alors ? dit Corso.

— Nul ne peut savoir ce qui se serait passé si vous et cette Melanie Harris nous aviez laissé faire notre travail.

— Elle faisait le sien.

— Le droit à l'information et tutti quanti, intervint Westerman.

— Exactement, et ne l'oubliez pas.

Le cuisinier revint, les mains pleines de sacs en plastique contenant des boîtes en polystyrène qu'il posa devant Corso et vérifia la commande, terminant par :

— Et deux cafés, un au lait et sucré, l'autre noir. Seize dollars et douze cents.

Corso posa un billet de vingt dollars, ramassa les sacs et se dirigea vers la sortie, suivi par Rosen et Westerman.

— On dirait bien un petit déjeuner pour deux, commenta Westerman.

Corso jeta un coup d'œil à Rosen.

— Rien ne lui échappe, hein ?

Il pivota pour pousser la porte avec son dos et, une fois dehors, allongea le pas. Il aurait été difficile à toute personne plus petite que lui de le suivre, mais sa tactique se révéla inutile. Rosen et Westerman ne l'avaient pas accompagné plus loin que la Lincoln bleu nuit garée sur le parking.

Il en était à la moitié du chemin vers le motel quand ils le doublèrent en direction du sommet de la colline, à une vitesse régulière de vingt kilomètres-heure. Son attention étant attirée par la voiture, ce ne fut qu'au seuil de la chambre qu'il remarqua quelque chose d'anormal, sans pouvoir tout d'abord définir ce qui l'inquiétait. Mais en balayant du regard le parking du motel pour la deuxième fois il comprit ce qui clochait. Son cœur fit un bond dans sa poitrine.

Il cligna des yeux, pensant qu'il se trompait, mais c'était évident. La voiture de location de Marty était toujours garée devant la réception du motel. Mais le camping-car n'y était plus.

# 40

Debout sur le pare-chocs avant, Ray Lofton éventait le radiateur fumant avec son chapeau. Il avait posé à côté de lui le bidon de plastique contenant vingt litres d'eau qu'il gardait en réserve à l'arrière du camion pour ce genre d'occasion, mais, en ce moment du moins, le radiateur était bien trop chaud ; il ne pouvait prendre le risque de dévisser le bouchon.

Il avait commis l'erreur une fois déjà. Il avait perdu patience et essayé de l'ouvrir avec un pan de sa chemise pour toute protection. La vapeur avait jailli comme si le mont Saint Helens entrait en éruption et l'avait salement ébouillanté, l'obligeant à passer un mois entier enduit d'onguent. Au boulot, on l'avait surnommé Ray le Graisseux. Des cons, tous autant qu'ils étaient.

Aujourd'hui, le problème venait de la vieille benne qui avait perdu son élan quand Ray l'avait arrêtée pour laisser descendre M. Silence à Jenner Peak. D'habitude, il lui faisait prendre sa vitesse de croisière dans la plaine et grimpait sans souci jusqu'au col. Tant qu'on le maintenait à cinquante à l'heure en troisième, le vieil engin avançait allégrement, mais là, à cause du stop en milieu de montée, il n'était pas parvenu à retrouver suffisamment de puissance pour quitter la seconde. Si bien que Ray avait roulé la dernière demi-heure à trente, surveillant la jauge qui montait peu à peu vers le rouge jusqu'à ce qu'il n'ait plus d'autre choix que s'arrêter à la sortie d'un virage et couper le contact.

Il sauta du pare-chocs et renfonça son chapeau sur sa tête. C'était mal parti. Il en avait pour une heure au moins avant de pouvoir redémarrer ; en outre, il fallait qu'il fasse halte au diable vauvert, à l'hôtel White Lake. Plusieurs réceptions de mariage s'y étaient tenues au cours des deux week-ends précédents et ils avaient besoin du passage de la benne. L'hôtel était à une bonne heure de route aller-retour ; le temps qu'il en revienne, la nuit serait tombée depuis longtemps. Il balança un coup de pied dans un caillou qui passa sous le garde-fou et roula le long de la pente. C'est alors qu'il découvrit la vue et en resta bouche bée.

Le vent d'est avait empêché la pollution de Los Angeles de s'infiltrer entre les canyons. L'atmosphère était pure et nette. De sa place, Ray pouvait contempler les crêtes sud de la sierra Nevada, telle une épine dorsale noueuse qui courait sur presque toute la longueur de l'État. Il était facile d'imaginer le télescopage des plaques tectoniques nord-américaine et pacifique, envoyant la seconde loin dans l'océan de magma en fusion des entrailles de la terre, et soulevant l'autre avant de la faire verser vers l'ouest. Ray sourit et s'assit sur la barrière. Comment se mettre en colère par une aussi belle journée ?

Corso posa les sacs sur le trottoir près de la porte, l'arôme du café lui monta aux narines. Il sortit la clé de sa poche d'une main tremblante et ouvrit à la volée en se tenant sur le côté pour jeter un coup d'œil dans la chambre.

Tout paraissait à peu près comme il l'avait laissé. Sauf que Melanie n'était plus là. Il entra avec précaution, cherchant des signes de hâte ou de tentative désespérée. La chambre embaumait encore son parfum et ses produits de beauté. Son manteau gisait par terre, donc, où qu'elle soit allée, elle y était allée toute nue.

Il poussa la porte de la salle de bains. Déserte. Il ne savait pas s'il devait en être soulagé ou terrifié.

Soudain, il se sentit stupide et mélodramatique, à se tenir là à l'arrêt comme un chien de chasse. Peut-être... Oui, peut-être avait-elle... Mais non, quoi qu'il imagine, rien ne tenait. La peur le saisit de nouveau.

Il sortit en courant et se hâta vers la chambre de Marty et la réception du motel. La porte du numéro 7 était entrouverte et on entendait couler la douche. Il entra et appela deux fois, en vain. Il traversa la chambre à grands pas et poussa la porte de la salle de bains. L'eau coulait à flots mais la cabine était vide. Corso ferma le robinet. Le carrelage était inondé d'eau savonneuse.

En hâte, il retraversa la chambre et eut un autre frisson en constatant que sur la petite table près de la fenêtre se trouvaient toujours le portable de Marty, une poignée de monnaie, les clés de la chambre et de la voiture de location. Sa veste était jetée sur la chaise, sa chemise et son pantalon sur le dossier. Corso avait le tournis, à force d'envisager des scénarios plausibles sans y parvenir. Il prit le portable et les clés de voiture, les mit dans sa poche qu'il fouilla à la recherche de la carte de visite qu'il y avait glissée la veille.

Il la trouva finalement dans la poche arrière de son jean, prit le portable et commença à composer le numéro, mais il n'y avait pas de réseau. En jurant, il récupéra la monnaie sur la table et courut à la cabine téléphonique, coinça le récepteur entre son épaule et son oreille et appela. Une voix électronique lui apprit que la communication coûterait un dollar quatre-vingt-quinze cents pour trois minutes. Il posa la monnaie sur l'étagère métallique et tria deux dollars en pièces de vingt-cinq cents.

Il allait mettre la première pièce dans la fente quand une tache blanche dans les herbes attira son attention. Il rempocha la pièce et raccrocha. D'un pas lourd, presque au ralenti, il franchit quelques mètres puis s'arrêta, regarda de haut pendant un instant et tomba sur un genou. C'était deux serviettes de toilette blanches, râpées et rugueuses comme si elles sortaient d'une blanchisserie industrielle. Il en ramassa une, la porta à son visage et renifla en grimaçant. Pas de doute, elle sentait la sueur... et la graisse.

Il attrapa l'autre et se releva. Dix secondes plus tard, de retour à la cabine téléphonique, il insérait les pièces dans le taxiphone aussi vite que possible.

# 41

Martin Wells n'était vêtu que de ses chaussures. Adossé à la porte des toilettes, les jambes étroitement ramenées contre sa poitrine, il se taisait et gardait la tête baissée entre ses genoux, dans l'espoir d'éviter un nouveau coup de crosse, tel celui qui avait arraché un morceau sanglant de son cuir chevelu et réduit ses velléités de résistance à moins que zéro.

La nudité est un état qui ne ressemble à aucun autre. Plus honnête, plus authentique. Un état qui oblige à se voir tel qu'on est, à plonger dans les eaux profondes de l'estime de soi en espérant de toutes ses forces y trouver le fleuve de la Fermeté auquel on a toujours cru, et non pas le cloaque du Doute.

Recroquevillé là, dans l'obscurité du camping-car, Marty se rendit compte qu'il appréhendait plus d'être surpris dans sa nudité que d'être tué. À soixante-trois ans, les producteurs de télévision ne sont pas destinés à être vus nus en public. Il ne trouvait guère de réconfort à se dire qu'après tout il faisait du sport trois fois par semaine et était dans une bien meilleure forme physique que la plupart de ses collègues. On lui avait collé un fusil en pleine figure et on l'avait violemment frappé aux genoux ; ses bijoux de famille avaient envie de courir se mettre à l'abri.

Le sang qui gouttait de sa plaie au crâne tombait avec régularité sur sa cuisse. L'odeur de savon se mêlait à celle, âcre, de l'adrénaline, créant un mélange incongru de peur et de propreté.

D'ordinaire, Marty était pudique. À son club, il gardait toujours sa serviette en place, convaincu que c'était une question de classe et de bon goût, et non quelque appréhension concernant ses défauts physiques. Pas comme ce Gary Levin, toujours en train de parader en balançant ses attributs à la figure des autres… ce genre de type le dégoûtait.

Marty frissonna dans le froid. Il lança un coup d'œil entre ses genoux mais ne vit pas son tortionnaire, seulement le dos nu de Melanie, dont les muscles se contractaient légèrement pendant qu'elle tournait le volant.

# 42

Rosen maintint la serviette à bout de bras, comme si c'était une crotte qu'on venait de lui mettre dans la main.

— Voyons si j'ai bien compris, dit-il. Vous êtes en train de me dire que ces serviettes de toilette sont la preuve irréfutable que Timothy Driver est venu jusqu'ici kidnapper votre petite amie et son producteur, et qu'il les détient en otage quelque part. C'est bien ça ?

— Oui, c'est bien ça.

Rosen lui brandit la serviette en pleine figure.

— Qu'est-ce qui ne tourne pas rond chez vous, Corso ? Vous avez perdu l'esprit, mon vieux. Vous nous avez fait monter ici pour ça ? Je croyais que Driver était là !

— J'ai dit qu'il était venu.

— Qu'est-ce qui vous le fait croire ?

— Le camping-car a disparu.

Rosen et Westerman éclatèrent de rire en même temps.

— Vos charmes n'étaient peut-être pas aussi irrésistibles que vous l'imaginiez, Roméo, dit Westerman avec un rictus. Harris et Wells vous ont simplement laissé tomber pour rentrer au royaume du rêve, Hollywood. Ça ne vous est pas venu à l'idée ?

— Et ils seraient partis tout nus ?

— Ils avaient sûrement des vêtements de rechange dans le camping-car. Ceux qui sont restés dans la chambre sont en piteux état.

— Il a aussi laissé son portable et la voiture de location.

Rosen haussa les épaules.

— Rien qui ne puisse être remboursé ou remplacé. Ils étaient pressés, pressés de fiche le camp avant votre retour.

— Driver était ici, je vous le répète.

Rosen fit un bruit obscène.

— Foutaises. Tout ce qu'il vous reste à faire, monsieur Corso, c'est rentrer chez vous et reprendre vos activités là où vous les avez abandonnées. De cette façon, vous nous laisserez nous occuper de M. Driver et de ses amis, et vous cesserez de faire le pitre par la même occasion.

Il tourna les talons et s'éloigna. Westerman s'attarda un instant.

— Faites comme il a dit.

Puis elle rejoignit son chef dans la voiture. Corso s'efforça de respirer à grands coups pour juguler sa colère. Il regarda Rosen s'installer à la place passager tandis que Westerman prenait le volant. Les tâches étaient partagées équitablement. Fini le machisme, au FBI.

Rosen attacha sa ceinture et se tourna vers son adjointe :

— Appelez les équipes postées aux extrémités de la route et dites-leur de nous signaler l'arrivée de ce camping-car.

— S'ils vont à Los Angeles, ils doivent se diriger vers l'ouest.

Rosen regarda sa montre.

— Il faut compter quarante-cinq minutes à partir d'ici pour atteindre le pied du versant ouest. À moins qu'ils se soient arrêtés quelque part, ils devraient être en vue dans quinze minutes environ. Dites-leur de me prévenir.

Westerman attrapa son téléphone.

— Appelez l'équipe qui a le transpondeur et envoyez-la sur le flanc ouest. Voyez s'ils reçoivent le signal. Dès qu'il quittera la montagne, il émettra fort et clair. Je veux la localisation de ce satané engin, et tout de suite !

Un moment après, Corso vit Westerman descendre de voiture et, tout en écartant le téléphone de son oreille de temps à autre, faire les cent pas de-ci, de-là, cherchant le réseau comme un chien en quête d'un endroit où lever la patte. Elle finit par établir une connexion près du phare droit de la Lincoln, d'où elle passa trois coups de fil fort animés.

Corso attendit qu'elle soit remontée en voiture et dès que celle-ci se mit en route, il revint vers le motel. Il dépassa la chambre de Melanie et la sienne pour filer droit dans celle de Marty. Il saisit les clés du véhicule de location sur la table, éteignit la lumière et ferma la porte derrière lui.

Ce fut seulement sur la nationale qu'il eut un éclair de lucidité… une révélation si éclatante qu'il dut s'arrêter.

Il venait de s'apercevoir qu'il n'avait pas la moindre idée de l'endroit où il allait ni de ce qu'il pourrait bien faire ensuite.

Ray Lofton avait atteint la Terre promise. Il était arrivé tout en haut de la montagne, il avait ramassé les ordures et avait rebroussé chemin. La vieille benne avait eu bien du mal à aller jusqu'au bout. L'aiguille était passée dans le rouge juste quand il atteignait le sommet, mais ensuite, tout serait en descente.

Il secoua une dernière fois le conteneur du Elk Creek avant d'abaisser le levier pour le reposer doucement à terre et le faire rouler dans sa petite alcôve parmi les buissons de mûres. De retour à la benne, il coupa le contact. Puisqu'il était là, autant aller boire un coup avec Kenny. Avec le détour qui l'attendait jusqu'au White Lake, la matinée était fichue de toute façon. Il claqua la portière et se dirigea vers le magasin.

— Salut, mon grand ! cria-t-il en passant la porte.

— Tiens, Ray... Il me semblait bien t'avoir entendu passer. Tu as vu les nouvelles ?

Ray contourna le comptoir et se planta devant la télévision qui diffusait un spot de publicité pour les serviettes hygiéniques Stay Fresh Maxi Pad.

— T'as entendu parler de ces types en cavale qui ont descendu des flics dans le Nevada ?

— Ouais, ouais. Ceux qui ont aidé les deux autres à échapper à la police ?

— C'est ça, mon pote. Y vient juste d'y avoir un flash spécial, et voilà qu'ils passent la photo du type qu'ils avaient kidnappé quelques jours avant mais qui s'est tiré...

— Et alors ?

— C'est celui qui est entré ici la nuit dernière.

— Pas possible ?

Kenny fit le signe de croix sur sa poitrine.

— Je le jure devant Dieu. Il se tenait là, à mon comptoir. On a discuté de ce que ça fait d'être grand, et tout ça.

— Qu'est-ce qu'il voulait ?

— De l'essence et une carte. Regarde la télé ! Ils en reparlent.

Au bas de l'écran… les photos de Driver, de Kehoe, de Harry et de Heidi. La voix off donnait les habituelles consignes de sécurité concernant des malfaiteurs dangereux et armés. Puis une photographie de Corso.

— C'est lui, dit Kenny. C'est ce gars-là. Il ne porte plus de queue-de-cheval, mais je suis sûr que c'est lui.

La figure de Ray reflétant la plus totale stupéfaction, il tendit le doigt vers l'écran.

— Attends, reviens en arrière.

— C'est en direct, vieux, je peux pas faire défiler.

— Le premier type…

— Oui ?

Le programme matinal habituel avait repris. Ray se frotta les commissures des lèvres.

— Je l'ai rencontré.

— Déconne pas, Ray.

— Non, je te jure. Il s'est rasé le crâne et il a une petite barbe, mais c'est le même que j'ai pris en stop ce matin. Une espèce de malade qui n'a pas arrêté de marmonner tout seul tout le long du chemin.

Kenny fit mine de l'envoyer promener.

— Tu te fiches de moi, Ray. T'es jaloux parce que j'ai vu quelque chose et pas toi.

— Mais non, je t'assure, c'est vrai...

— T'as toujours été comme ça, Ray. Si quelqu'un dit qu'il a un babouin à la maison, tu jures que tu en as un aussi.

— T'es pas sympa, mon vieux.

La porte s'ouvrit, Kenny se pencha pour accueillir son client.

Corso s'avança. La figure de Kenny s'illumina comme si c'était Noël.

— Mon vieux... vous ne croirez jamais ce que cet idiot était en train de me raconter. Soidisant que...

# 43

Melanie se tenait droite et raide sur le siège conducteur, espérant qu'un camionneur en les croisant s'apercevrait de sa nudité et préviendrait les autorités. Et puis il y avait, évidemment, le problème de savoir de quoi elle avait l'air toute nue. C'était déjà assez pénible d'avoir été kidnappée sans le moindre vêtement pour ne pas, en plus, offrir le spectacle d'un tas de chairs molles et avachies. Non, pas question. Sans compter que son épilation à la brésilienne aurait bien eu besoin d'être retouchée ; son pubis ressemblait à un champ de canne à sucre après une tornade. Elle avait un rendez-vous de prévu pour le jeudi suivant, dans la matinée, elle ne savait plus exactement à quelle heure. Est-ce qu'on lui enverrait la note même si elle était morte ?

Brian avait bien aimé ce genre d'épilation au début, puis il en était venu à considérer cette fantaisie comme typiquement californienne et lui avait réservé le dédain qu'il affectait pour tout ce qui touchait de trop près Hollywood.

Au début, elle l'avait fait pour plaisanter, quelques semaines après s'être fait tatouer son eye-liner. Elle s'était dit : « Pourquoi pas ? C'est bientôt la Saint-Valentin, ça lui fera une jolie surprise. » Au temps pour elle. Mais elle s'était aperçue qu'elle-même appréciait ; non seulement elle se sentait plus nette, mais de plus il lui semblait retrouver un peu de la virginité qu'elle avait perdue depuis bien longtemps. Comme si elle redevenait une jeune fille – si tant est que ce soit possible.

Elle jeta un rapide coup d'œil à Driver. Il consultait la carte que Corso avait achetée la veille dans le petit magasin. Son revolver était pointé directement sur le sein droit de Melanie et elle en eut le sang aux joues. Elle était là, complètement nue, à moins d'un mètre de lui, et il ne lui prêtait pas la moindre attention. Elle en remercia le ciel de nouveau, au moins il y avait des chances qu'elle ne soit pas violée. Il allait peut-être les tuer, mais elle n'aurait pas à souffrir cette horrible indignité.

Elle fixa la route du regard et recommença à prier.

# 44

— Regarde ! s'écria Kenny. C'est lui, c'est le type dont je te parlais.

— Salut ! dit Ray. On vient juste de vous voir à la télé, sauf que vous aviez les cheveux longs sur la photo. Paraît que vous avez été pris en otage par ces mecs que tout le monde recherche ? Drôle de balade, hein ?

Corso admit qu'en effet cela avait été une « drôle de balade », et ajouta :

— Il vous reste une carte de la région ?

Kenny secoua la tête.

— Je vous ai vendu la dernière. Je n'ai que celle dont je me sers pour en commander d'autres. Vous savez ce que Ray a tenté de me faire croire ?

— Quoi donc ?

— Qu'il a amené l'un de ces types en haut du col ce matin.

Corso se raidit et demanda le plus calmement possible :

— Lequel ?

— Un grand mec avec le crâne rasé.

— Il transportait quelque chose ?

Corso retint son souffle.

— Deux grands sacs de sport noirs, avec le petit logo Nike sur le côté.

Corso sentit ses genoux le trahir et posa la main sur le comptoir pour garder son équilibre.

— Oh, mon Dieu…

— Ça va ? demanda Ray.

— J'espérais encore m'être trompé…

Il regagna la porte à grands pas, sortit le portable de Marty de sa poche, attendit impatiemment qu'il se connecte au réseau, puis composa le numéro de Rosen. Occupé. S'était-il trompé ? Il recommença. Toujours occupé.

— Merde !

Il rentra dans le magasin.

— Vous appelez les flics ? demanda Ray.

— Si vous aviez un camping-car à cacher dans les environs, où iriez-vous ?

— Vous voulez dire ici, dans les montagnes ? demanda Kenny.

— Et pourquoi on ferait ça ? s'enquit Ray.

Corso réfléchit à haute voix.

— Le camping-car est aussi un relais satellite. On peut émettre à partir de là. Peut-être veut-il diffuser quelque chose… l'histoire qu'il tient tant à divulguer, avant de se faire sauter en beauté. J'essaie juste de deviner. Je ne sais rien de ses motivations, mais c'est une supposition comme une autre.

— Où est-ce qu'il a récupéré un camping-car ? Quand je l'ai laissé en haut du col, il était à pied.

— Il l'a volé à des amis à moi. Il les a aussi kidnappés, et je suppose qu'il a l'intention de les tuer.

— C'est le type qui a descendu les flics ?

— Celui-là même. C'est pourquoi il faut le retrouver. Maintenant, tout de suite.

Kenny fit un geste de la main.

— Le meilleur endroit pour planquer quelque chose d'aussi gros, ce serait… vous savez, à part la cour d'une maison ou un truc comme ça, ce serait du côté de l'ancienne route de montagne.

— Quelle ancienne route ?

— La 180, qui fait au moins six zigzags avant d'arriver au sommet et de descendre de l'autre côté, précisa Ray.

— Elle coupe la nouvelle nationale une douzaine de fois sur chaque versant.

— Sauf qu'ils essaient de bloquer les accès, bien sûr, ajouta Ray.

— Qui ?

Kenny haussa les épaules.

— Les services forestiers, les Ponts et Chaussées. C'est comme le jeu du chat et de la souris. Ils la ferment, les gens d'ici la rouvrent. La plupart du temps, elle reste ouverte, parce qu'on est bien plus nombreux qu'eux !

— Il a la carte que vous m'avez vendue hier soir.

— Alors il va falloir vérifier quelles barrières sont ouvertes pour savoir par où ils sont passés.

— À condition qu'ils soient restés dans la montagne, remarqua Kenny.

Corso secoua la tête.

— S'ils étaient descendus, le FBI les aurait interceptés. Et dans ce cas, ce serait sur toutes les chaînes.

Il montra l'écran où un présentateur massait l'avant-bras d'une femme obèse en robe à fleurs et ajouta :

— Les Fédéraux ne manquent pas une occasion de se faire bien voir. Pas une.

— On connaît tous l'ancienne route, dans le coin. C'est là qu'on va chasser le cerf et l'élan pendant la saison.

— Et là où on emmenait les filles, quand on était encore au lycée, ajouta Kenny.

— Il y a deux choses que tout le monde possède, par ici : une motoneige et un 4 × 4. Les deux sont parfaits pour la vieille route.

— Merci pour les renseignements, dit Corso.

Il posa la main sur la poignée de la porte.

— Vous n'allez pas les retrouver tout seul, dit Kenny.

Un lourd silence descendit sur la pièce.

— Je vous montrerais bien où chercher, mais il faut que je finisse ma tournée d'abord, sinon… mon patron me loupera pas et je serai bon pour aller voir ailleurs si j'y suis, dit enfin Ray.

— Il va les tuer…, dit Corso. Aussi sûr que Dieu a créé les pommes vertes, il va les tuer !

Il se précipita dehors. Il avait déjà mis le pied dans la voiture quand Kenny apparut.

— Je vais vous montrer où c'est. Donnez-moi juste une minute pour fermer la boutique. Et on ferait mieux de prendre mon pick-up.

Il désigna l'engin aux énormes roues.

Corso claqua sa portière et reprit le portable.

Occupé.

L'oreille de Rosen commençait à transpirer.

— D'accord… d'accord… merci.

Il raccrocha et se passa les mains sur le visage.

— Rien.

— Ah bon ? demanda Westerman, surprise. Pas le moindre indice ?

Rosen plissa les lèvres et y posa son index tendu. C'était l'un de ses maniérismes qu'elle ne parvenait pas encore à déchiffrer du premier coup. Il signifiait tantôt : « Silence. Je réfléchis », et tantôt que c'était à elle de proposer une alternative. Cette fois-ci, elle espérait fort que la première interprétation était la bonne car la seule chose qu'elle aurait eu à dire aurait, à coup sûr, contrarié Rosen à la puissance dix.

Cela la tarabustait depuis presque une heure. Rien de concret, plutôt un sentiment que Corso lui avait laissé. Mis à part sa propension à se comporter comme un adolescent rebelle, il l'avait fortement impressionnée. Il était non seulement extrêmement séduisant, mais de plus très malin. Sans doute assez dur, peut-être même impitoyable… mais diablement intelligent. Et s'il avait eu raison ? Si Driver avait réellement kidnappé une vedette de la télévision et son producteur au nez et à la barbe du FBI… dans ce vieux camping-car équipé d'un mouchard qu'on ne parvenait pas à localiser parce que personne n'avait pris en compte le facteur « montagnes » dans le système de surveillance ?

Par chance, le geste de Rosen signifiait à ce moment-là « Silence, je réfléchis ».

— Bon, commença-t-il, reprenons. De toute évidence, le camping-car et ses occupants se trouvent toujours quelque part dans les environs.

Il compta sur ses doigts.

— Un : selon les équipes postées sur la route 196 au pied des deux versants de Jenner Peak, il n'est pas passé par là. Deux : la surveillance électronique ne détecte rien. Le camping-car n'est pas localisable. Trois : Mme Harris et M. Wells n'ont pas pris contact avec leurs collègues de Los Angeles, ce qui est tout à fait inhabituel.

Il s'interrompit et jeta un coup d'œil à la jeune femme. Tendu, il commença une phrase mais se tut.

— Conclusion ? dit-elle.

Rosen soupira.

— Conclusion… on devrait peut-être envisager l'éventualité… la possibilité que M.

Corso ait eu raison, et que Driver soit réellement dans les parages.

— On l'envisage dans quelle mesure ?

— Commençons par envoyer tous les gars qu'on a sur le terrain à la recherche de ce camping-car. Ensuite, mettez-moi en relation avec le service des Eaux et Forêts.

# 45

— Sors ta caméra, ordonna Driver.

Marty releva la tête.

— Moi ? Vous voulez dire…

— La caméra, tout de suite.

Comme Marty ne bougeait pas, Driver fit un pas vers lui. Melanie tendit le bras pour l'arrêter.

— Ne lui faites pas de mal, plaida-t-elle.

— Il a de la chance que j'aie besoin de lui, répliqua Driver en se dégageant.

Marty s'était redressé. Avec impatience, Driver le regarda sortir une mallette métallique d'un placard et la poser sur la table.

— Ouvre.

Marty tâtonna avec les fermoirs puis réussit à les ouvrir. Driver le poussa de côté et baissa les yeux sur le contenu de la valise. Il en sortit le téléphone satellite qu'il tendit à Marty.

— Appelle ta chaîne de télé. Dis-leur que tu

as besoin d'une demi-heure d'antenne.

Il regarda la pendulette au tableau de bord et ajouta :

— Dans une heure. De 14 heures à 14 h 30.

Marty commença à bafouiller :

— Ils ne pourront pas simplement…

Driver abattit la crosse de son arme sur les orteils de Marty, qui s'effondra sur le sol et se mit à rouler sur lui-même en se tenant le pied avec un cri aigu. Driver se pencha sur lui :

— Tu obéis, mon bonhomme. Tu dis à tes copains que si je n'obtiens pas cette diffusion, je liquide *l'un de vous*, à la télé, en gros plan ! Tout le monde en sera témoin.

Il lui donna un coup de pied.

— Et quand j'en aurai fini avec le premier, ce sera au tour de l'autre. Compris ?

Marty hocha la tête et se redressa sur les genoux. Il composa le numéro et attendit trois sonneries avant que l'on décroche.

— Passez-moi Ellen Huls. C'est Martin Wells.

Il perdit vite patience et gronda :

— Phyllis, c'est urgent. Passez-moi Ellen immédiatement !

Après un silence tendu, il reprit, exténué et tremblant :

— Ellen, c'est Marty. Non, non, non. Écoute-moi… Je sais, Ellen. Il est là, à côté de moi. Oui, il nous tient tous les deux, Melanie et moi. Oui. Écoute-moi. Il dit qu'il va nous descendre l'un après l'autre si on ne lui accorde pas une demi-heure d'antenne.

Il écouta de nouveau. Quand il reprit la parole, ce fut d'un ton presque plaintif.

— Appelle qui il faudra, Ellen. Il ne plaisante pas. C'est celui qui… Meza Azul, oui, c'est ça.

Driver arracha le téléphone des mains de Marty.

— Écoutez-moi, qui que vous soyez. Je veux qu'on me rappelle sur cette ligne dans moins de trente minutes en me garantissant une demi-heure de diffusion. Si je ne l'ai pas, je vais faire à ces deux-là des trucs que vous n'imaginez même pas. Pigé ?

Il n'attendit pas la réponse, raccrocha et laissa tomber l'appareil sur le bureau, attrapa Marty par les cheveux et le souleva.

— Prépare le satellite.

Marty obéit en boitant bas. Il ouvrit le panneau de commande de l'antenne et baissa le levier. Le gémissement des vérins hydrauliques résonna et la parabole se mit en place.

Westerman remit son portable dans sa poche.

— Alors ? demanda Rosen.

Elle haussa les épaules avec une grimace peinée.

— Rien qui puisse nous aider ici.

— C'est-à-dire ?

— La police de Drake, au Nevada, a trouvé un cadavre dans un fossé ce matin. Les empreintes sont celles de Harry Delano Gibbs.

— Ils en sont sûrs ?

— Son dossier avait été diffusé, c'est pourquoi ils nous ont appelés dès qu'ils ont eu le résultat.

— Quoi d'autre ?

— Devinez ce qu'on a trouvé chez Doris Green ?

— Dites-moi.

— Des passeports, des certificats de naissance, des permis de conduire délivrés en Californie, des cartes de Sécurité sociale. Deux ou trois pour chacun, Doris et Driver. Et le plus bizarrc, ajouta-t-elle en levant un doigt, c'est que tout est authentique. Ils ont vérifié, les papiers sont tous valides. Qui peut fournir des documents comme ça ?

— La même personne, je suppose, qui s'occupait du courrier de Mme Green.

— M. Corso connaît des gens bien intéressants.

— En effet. Il reste combien de temps ?

Westerman consulta sa montre.

— Environ six minutes.

Rosen s'appuya au pare-chocs de la Lincoln en soupirant. Si le bureau de Los Angeles disait vrai et si l'antenne locale de la chaîne ABC avait bien reçu un ultimatum de Driver... Il ferma les yeux en se massant l'arête du nez.

— Qu'est-ce qu'ils attendent ? demanda Westerman. Tout ce qu'ils ont à faire, c'est lui accorder sa demi-heure.

— La chaîne a eu son content de mauvaise presse, récemment. La première fois pour la diffusion du meurtre du gardien de la prison, et de nouveau hier soir pour la mort en direct de la mère de Driver. La commission de surveillance de l'audiovisuel vient de leur coller une amende : cent mille dollars pour *chacune* de leurs vingt-trois filiales... Ça fait beaucoup d'argent. Ils ont la trouille de ce qui peut se passer maintenant et ils ne feront rien sans l'aval de la direction.

Westerman en resta bouche bée.

— Ce type menace de tuer deux des leurs et ils attendent un aval ?

— Ouais. De ceux-là mêmes qui ont montré

le sein nu de Janet Jackson.

— Il faut faire quelque chose.

Rosen secoua la tête, l'air écœuré.

— Nous faisons tout ce que nous pouvons, agent Westerman. Une quarantaine de nos hommes sont en train de fouiller chaque sentier de cette foutue montagne et quarante gardes forestiers passent les bois au crible. S'ils se cachent là-bas, on les trouvera.

Westerman sentit son téléphone vibrer et prit la communication.

— On a le camping-car, dit l'agent spécial Timmons.

— Où ?

Rosen allait monter en voiture, elle l'arrêta.

— Ils l'ont trouvé.

Elle lui dit où.

— Contactez les équipes les plus proches et dites-leur de nous rejoindre au départ de la nationale.

— Je demande l'aide des gardes forestiers ?

— Non, on va se débrouiller nous-mêmes.

# 46

Au-dessus de Rosen, accroupi dans les buissons, le puzzle bleu et blanc du ciel courait à toute vitesse vers l'est et un vent presque imperceptible froissait la cime des arbres. À une soixantaine de mètres de lui était garé un gros camping-car marron et blanc dans un sombre silence. Tout près de Rosen, l'agent spécial Randy Timmons lui chuchota à l'oreille :

— Le terrain appartient à un couple nommé Dick et Donna Kelly. D'après les voisins, ils ont l'intention d'y construire une maison pour leur retraite l'été prochain. Ils ont passé pas mal de temps ces derniers mois à défricher et à faire viabiliser. Ils sont rentrés chez eux, dans le comté d'Orange, il y a deux semaines. Ils logent au motel quand ils viennent et ne possèdent pas de camping-car.

Rosen le remercia et, d'un mouvement du

bras, fit signe à ses hommes de se rapprocher de lui le plus près possible. Avec lui et Westerman, ils étaient dix.

— Bon. D'après les indications de Corso, Driver est armé d'un fusil à pompe Mossberg et d'une carabine semi-automatique… une nouvelle version de M16, sans doute un M16 A2.

Il regarda à tour de rôle les agents serrés autour de lui pour être certain qu'ils l'écoutaient attentivement.

— Inutile de vous préciser qu'il s'agit d'une formidable puissance de tir… surtout entre les mains d'un type possédant l'entraînement et le passé de Driver. Nous ne faisons pas le poids. Pour être à puissance équivalente il nous aurait fallu un commando d'assaut, mais on ne peut pas se permettre d'attendre deux heures qu'il arrive. Et Driver détient au moins deux otages là-dedans.

Il désigna deux des agents.

— Timmerman, Santos… vous et vos hommes, prenez position face aux portes avant et arrière du camping-car. Faites un grand tour par les bois et restez hors de vue. Revenez de l'autre côté de la colline et placez-vous le plus près mais le plus à l'abri possible. Trouvez-vous une protection en dur, parce que, avec les armes qu'il détient, il risquerait de vous avoir, à travers quelque chose de trop léger. Faites attention.

Les quatre hommes acquiescèrent avec gravité.

— Adams, vous et votre partenaire, approchez-vous au plus près de l'arrière du véhicule. Buttros et Speck, vous venez avec Westerman et moi.

Il jeta un regard circulaire.

— Tout le monde a pigé ?

Ils affirmèrent que oui.

— Soyez prudents, répéta Rosen tandis qu'ils s'éloignaient rapidement.

Il respira un grand coup, ramassa le porte-voix électronique et entama la descente. Ses mocassins n'étaient pas conçus pour des pentes couvertes de feuilles mortes et il devait se servir de sa main libre pour agripper buissons et rochers afin de ne pas glisser tout le long de la descente. Les trois autres n'étaient pas mieux lotis.

Ils progressaient lentement, pas à pas. Puis Rosen plaça Buttros et Speck devant le véhicule tandis que lui et Westerman continuaient jusqu'à se trouver à équidistance des deux groupes.

Elle appela les autres équipes par radio.

— Tout le monde est prêt.

Rosen sortit son arme de service, un Colt 9 mm automatique. Huit balles dans le chargeur, une dans la chambre. Westerman l'imita.

Tous les rideaux étaient tirés et l'on ne pouvait rien distinguer, sauf des portions de plafond. Alors qu'il commençait à se demander si le camping-car n'était pas vide, il le vit osciller légèrement sur ses amortisseurs et une lumière s'alluma. Rosen en eut la chair de poule.

Il approcha le porte-voix de ses lèvres et l'alluma.

— Ici le FBI. Mettez vos mains sur la tête et sortez du véhicule.

Une pause.

— Ici le FBI. Mettez vos mains sur la tête et sortez du véhicule.

Rien ne se passa.

Rosen prit la radio et demanda aux agents postés à l'arrière d'approcher. Une minute, et les deux hommes étaient collés contre la carrosserie, jetant des coups d'œil furtifs alentour.

— Ici le FBI. Mettez vos mains…

La porte s'entrouvrit.

— Doucement…, fit Rosen dans la radio. Doucement.

Il reprit le porte-voix.

— Mettez les mains sur la tête et sortez du véhicule !

Ils sortirent. Un homme et une femme. Les otages. Melanie Harris et Martin Wells... Driver les avait relâchés ?

— Couchez-vous ! Gardez les mains sur la tête et couchez-vous !

Ils s'exécutèrent lentement.

Westerman clignait des yeux en s'efforçant de reconnaître Melanie Harris, mais le vent faisait tourbillonner les cheveux de la femme autour de son visage et rendait impossible toute identification.

Rosen parlait doucement dans la radio, et tout à coup tout le monde fut en vue. Deux équipes couvraient les portes, une autre se rua sur les prisonniers, les menotta et les remit sur leurs pieds avant de les entraîner à l'abri des arbres.

— Ce n'est pas Driver, dit Westerman.

— Il ne sortira pas vivant, répondit Rosen.

— Alors, maintenant ?

— Assurons-nous qu'il ne puisse aller nulle part. Tirez dans les pneus, dit-il dans la radio.

Les salves commencèrent doucement, puis s'intensifièrent. Il fallut une quarantaine de rafales avant que les pneus soient complètement à plat.

La radio émit un appel.

— Oui ?

— Le gars, ici… vous savez, l'otage ? dit Timmons. Il dit qu'il s'appelle Richard S. Kelly et qu'il aimerait bien que vous arrêtiez de canarder son nouveau camping-car.

— Ouais, j'aimerais bien ! fit une voix en arrière-plan.

# 47

Ce n'est pas qu'il ait été un grand amoureux des arbres, au début. Non, Bob Temple, garde forestier de son état, n'avait pas commencé sa carrière par idéalisme, et une décennie passée en forêt n'avait fait que confirmer ce dont il se doutait déjà : l'argent gouvernait le monde et pratiquement personne ne se souciait des ressources de la planète, naturelles et autres.

Le côté positif, c'est qu'à force de fréquenter les bois il avait saisi l'interconnexion qui existe entre les choses, la façon dont une modification chez la plus infime créature peut avoir des répercussions imprévisibles du haut en bas d'un système si complexe et si varié que les humains n'en sont que de simples spectateurs. Pour lui, l'idée que les hommes étaient sur le point de causer la perte de la planète était ridicule. Si on en arrivait là, Mère Nature serait capable de se débarrasser de nous comme d'un noyau de cerise. Il en était certain. Et c'est ainsi qu'avec une minuscule brèche dans sa routine quotidienne, Bob Temple allait tisser un invisible réseau de connexions... des connexions que jamais il n'aurait pu prévoir.

Deux heures plus tôt, pendant son petit déjeuner, il s'était attardé plus longtemps qu'à l'ordinaire à discuter politique avec Walt Moller, l'un de ses passe-temps préférés. Ils n'étaient que tous les deux, et il avait perdu la notion de l'heure. Quand il avait enfin consulté sa montre, il était en retard de quarante minutes sur son horaire et avait avalé trois fois plus de café que d'habitude.

À présent, c'était prévisible, il avait besoin de se soulager. Il quitta la nationale à Blue Creek, arrêta son pick-up derrière un tas de gravier laissé par le service de la voierie, descendit sa fermeture Éclair et poussa un long « Aaaah ! » de satisfaction en se délestant de l'excès de café. C'est à ce moment qu'il remarqua les traces de pneus. De larges traces qui s'éloignaient en direction de l'ancienne route dissimulée par des buissons et des mauvaises herbes. Il les suivit à pied, marchant sur la piste du mystérieux véhicule. La pluie récente avait laissé des flaques dans les creux, et le dessin des roues était nettement visible dans la boue. Des feuilles éparses et des rameaux de chêne jonchaient le sol. Bob leva les yeux : les branches basses avaient été sectionnées. L'engin qui était passé par là devait mesurer au moins trois mètres de haut. Un camping-car ou quelque chose dans le genre, supposa-t-il.

Si on avait simplement fait sauter le cadenas ou décroché la chaîne, il ne se serait probablement pas attardé mais se serait contenté de faire son travail de la journée. Les gens du coin considéraient qu'ils étaient chez eux par ici et ils allaient et venaient à leur guise. Mais ce qu'il voyait là n'était pas de leur fait. Ils n'agissaient pas de façon sournoise : ils arrimaient ce qui se trouvait en travers de leur chemin à leur pare-chocs et l'arrachaient, tout simplement. Tôt ou tard, Bob repérait les dégâts, appelait une équipe pour réparer, et le cycle recommençait. Mais là, on s'était donné la peine de masquer l'intrusion en remettant tout en place avec un bout de cintre métallique, et il en fut intrigué.

Ce fut donc avec un intérêt doublé de curiosité que Bob Temple fit tomber l'épaisse chaîne rouillée sur le sol et pénétra avec son pick-up de service sur la chaussée fissurée de l'ancienne route des Angels Mountains, ainsi que l'avaient appelée les mineurs cent cinquante ans auparavant.

L'intrus était passé par là depuis peu de temps. Pendant les cinq cents premiers mètres, en traversant une petite clairière, Bob remarqua que les traces de pneus étaient encore visibles sur les pavés. Cependant, à mesure que la route grimpait, elle se couvrait d'une épaisse couche de feuilles mortes qui les dissimulaient. Bob passa en seconde. La montée se faisait plus rude. Les gens du coin nommaient cette section « la route de l'Observatoire », en référence à celui qui surveillait les risques d'incendie de juin à septembre. C'était l'une des trois portions de l'ancienne voie régulièrement entretenues par les Eaux et Forêts et la seule sur laquelle un gros camping-car avait la possibilité de faire demi-tour.

Il ralentit en atteignant le faîte. Les arbres se raréfièrent, puis disparurent tout à fait sur le sommet nu. C'est là que l'observatoire construit sur pilotis se tenait en sentinelle, dominant tout le versant est de la sierra jusqu'au mont Whitney et, au-delà, au désert Mojave. Près de la tour de guet était stationné un gros camping-car marron et blanc, équipé d'une parabole tournée vers le ciel.

Bob accéléra un petit coup tout en baissant

sa vitre. Loin au-dessus de la tour, une buse planait, inclinant ses immenses ailes d'un côté puis de l'autre, s'élevant un instant et plongeant l'instant suivant selon les caprices du vent.

Il s'attendait à entendre de la musique, preuve que ces idiots avaient grimpé jusque-là pour boire et faire la fête. Mais tout était silencieux. La buse là-haut montait en spirale les courants ascendants. Bob arrêta son pick-up devant le camping-car et en descendit. Par précaution, il fit avancer son siège pour attraper son revolver et son holster. Quand il avait débuté dans le métier, être armé aurait été impensable, mais le monde était devenu de plus en plus mauvais, et désormais les gardes forestiers constituaient eux aussi une représentation de l'autorité en uniforme. Il accrocha le holster à sa ceinture et approcha.

Les deux côtés de la route descendaient en pente raide. Avant l'édification de la tour de guet, ce sommet avait été l'un des points de vue les plus spectaculaires de la vieille route, l'endroit où les touristes pouvaient faire halte, après une série de dangereux virages, et prendre des photos. On y avait même installé quelques-unes de ces longues-vues qui fonctionnent à l'aide de pièces, mais les autochtones n'avaient cessé de les endommager, et elles avaient été ôtées.

Bob se haussa sur la pointe des pieds et tapota la vitre passager. La route s'y reflétait et il ne distinguait pas ce qui se passait à l'intérieur. Il frappa de nouveau, puis contourna le véhicule par l'avant.

Elle était là, assise au volant, les yeux étroitement fermés. Il avança lentement, et alors qu'il se rapprochait de la fenêtre conducteur, la femme leva brusquement les paupières. Son regard reflétait une telle terreur qu'il porta aussitôt la main à son arme, mais c'était déjà trop tard. Avant qu'il ait eu le temps de la saisir, un coup de poing dévastateur le fit vaciller de côté ; il sentit son nez exploser, ses dents tomber sur sa langue, le sang lui affluer à la tête, et sans qu'il ait pu reprendre ses sens, un autre coup l'atteignit à la tempe. Il s'écroula à genoux en crachant du sang. Le troisième coup lui brisa presque la nuque.

Il tomba à terre en position fœtale et ne bougea plus.

Kenny considéra les deux blocs de béton qui fermaient l'accès de l'ancienne route 180 et remonta dans son camion.

— Personne n'y a touché récemment. Pas depuis l'hiver dernier en tout cas.

Il claqua la portière et passa la marche arrière.

— Pas la peine d'aller voir près de la maison Tolbert ni du café.

— Il faut tout vérifier, dit Corso, la mine sombre.

— Il leur aurait fallu au moins une tractopelle, dit Kenny en faisant une embardée sur le gravier avant de rejoindre la route. La voirie a démoli cinq cents mètres de route au bulldozer et a laissé les gravats en plein milieu. Même avec mon 4 × 4 j'ai du mal à passer.

Il mit la troisième et accéléra.

— En plus, la végétation a tout envahi, faut faire drôlement attention à ne pas se rompre le cou. Aucune chance qu'un gros véhicule puisse circuler là-bas.

Ils avaient décidé de vérifier du pied du versant ouest jusqu'au sommet. Les deux premiers accès étaient ouverts depuis l'hiver précédent, d'après Kenny, mais ils n'avaient pas d'autre choix que vérifier. Le premier tronçon courait sur cinq cents mètres à travers les fourrés puis disparaissait dans une pente raide. Ils distinguaient bien la route une trentaine de mètres plus bas, mais à moins d'avoir des ailes, il n'y avait aucun moyen de la rejoindre.

Le second tronçon était en bien meilleur état. Ils avaient parcouru environ sept kilomètres avant de se retrouver bloqués par un éboulement. Des traces de pneus dans la poussière montraient que certains avaient fait passer motos ou quads aux abords mais, de nouveau, rien de la taille d'un camping-car n'avait progressé au-delà. Il avait fallu vingt minutes à Kenny pour regagner leur point de départ en marche arrière.

— Et maintenant ? demanda Corso alors qu'ils reprenaient leur ascension.

— Burnt Meadows. Là, ce sera ouvert, aucun doute.

# 48

Bob Temple ouvrit les yeux et cilla. Il avait le nez complètement bouché, l'impression d'avoir plein de soupe dans la bouche. Il cracha et le goût métallique sur sa langue lui fit comprendre que c'était celui du sang. Il avait une dent fichée dans la lèvre supérieure, laquelle avait enflé et pris l'apparence et la couleur d'une aubergine. Il essaya de regarder autour de lui mais, incapable de bouger la tête, se demanda s'il n'était pas paralysé.

Il tenta de remuer... impossible. Ses mains restèrent immobiles. Il baissa les yeux et vit qu'elles reposaient sur le volant. Il était à l'intérieur de son camion. Ses mains étaient grises et luisantes, comme celles de l'homme-lézard... Puis il comprit : c'était du scotch marron. Elles étaient scotchées au volant. D'ailleurs, pratiquement toutes les parties de son corps étaient scotchées à quelque chose : ses chevilles l'une à l'autre et à quelque chose sous le siège. Idem pour sa tête, collée au dossier. Et son torse, sa taille. Il ne pouvait absolument rien remuer, tout était attaché.

Il cracha de nouveau et tenta de se souvenir. Le camping-car. La femme et son expression terrifiée. La peur dans ses yeux. Il se souvint du craquement d'une branche et de son mouvement de tête juste au moment du coup de poing. Après, tout était flou. Il essaya de se pencher en avant et banda tous ses muscles. Ses liens firent un léger bruit métallique, se relâchèrent un peu, puis le ramenèrent brutalement en place. D'après le bruit, il devina qu'on avait tailladé le siège pour le relier directement aux ressorts de l'assise. Son crâne l'élançait, comme si on lui enfonçait des clous dans le front. Deux sanglots lui échappèrent, mais il se reprit.

Il tenta de crier, d'appeler au secours, cependant, sa bouche martyrisée ne put former de syllabcs, sculcment un long hurlement de loup ou de chien errant.

Bob Temple hurla tout ce qu'il pouvait.

Ray Lofton appuya sur la commande du compacteur. La vieille benne gémit et grogna sous l'effort. Il se pencha pour regarder dedans et râla intérieurement. L'hôtel White Lake avait largement sous-estimé la quantité d'ordures à évacuer ; le temps qu'il en finisse ici, il pourrait à peine s'arrêter aux autres points prévus sur le chemin du retour. S'il avait su qu'il y en avait autant, il aurait pris l'une des nouvelles bennes qu'il n'aurait pas eu besoin de materner jusqu'en haut du col et il en aurait terminé, à présent. Il serait installé sur son canapé devant un match de foot à siroter sa troisième bière. Parti comme c'était, il allait devoir descendre pour décharger et remonter à mi-pente. Il appuya sur le levier jusqu'à ce que le camion en tremble.

Plusieurs réceptions de mariage, ils avaient dit. Quelle blague ! Comment cela avait-il pu générer autant de déchets ? Incroyable. Et les bouteilles. Il ne s'était pas encore attaqué aux bouteilles. Il devait y en avoir des centaines… peut-être des milliers, de toutes les couleurs et les formes imaginables. Bière, alcool, assez de champagne pour faire flotter un canoë. Sacrées réceptions. Quelqu'un de célèbre peut-être, une vedette de cinéma, une rock star ? Ces gens-là, ils se mariaient comme d'autres changent de chaussettes.

Il fit rouler le container jusqu'à l'armée de bouteilles vides et commença à y transférer le contenu des petites poubelles, une à une. Il devait y en avoir au moins une vingtaine, remplies à ras bord et lourdes comme du plomb. Il en avait mal au dos.

Il régla le système hydraulique pour soulever le container. Le compartiment à verre se trouvait à l'avant, au-dessus de la cabine côté passager. Il manœuvra avec précaution, au cas où il serait trop plein, mais malgré tous ses efforts les bouteilles arrivèrent en avalanche et s'écrasèrent dans un bruit d'enfer. Il retint son souffle. Vu la journée qu'il avait passée, il s'attendait à ce qu'elles débordent et qu'il soit obligé de perdre une heure à ramasser du verre cassé.

Il eut de la chance. Tout tenait. Encore deux arrêts et il serait bon pour rentrer chez lui. Il savourait d'avance sa première gorgée de bière fraîche.

# 49

— Vers le haut ou vers le bas ? demanda Kenny. Qu'est-ce que vous en dites ?

— Qu'est-ce que vous entendez par « vers le bas » ?

— Blue Creek Road amène jusqu'au fond du canyon. C'est là que les Eaux et Forêts prélèvent des échantillons. Ils ont une baraque là-bas. Ils analysent l'eau potable pour savoir s'il y a des traces de pollution venant du sol, c'est pour ça que la route est ouverte.

— Et vers le haut ?

— Il y a le point de surveillance des incendies de forêt des Angels Mountains. L'accès est aussi ouvert en été.

— Essayons par là, dit Corso.

Kenny remit le pick-up en route.

— Faut faire attention ici, depuis le haut du

virage on n'a aucune visibilité.

Il avança prudemment, puis accéléra. De l'autre côté s'élevaient trois énormes monticules de gravier.

— À quoi servent ces tas de cailloux ?

— Toujours les Ponts et Chaussées. Ici, on est à peu près à mi-chemin du sommet. Ils les laissent ici et les répandent quand ils en ont besoin.

Ils tressautèrent sur la chaussée et passèrent derrière les monticules. Deux poteaux de ciment encadraient l'entrée du sentier.

— Grand ouvert..., commenta Kenny. Ce n'est pas le cas d'habitude. On dirait bien qu'on n'est pas les premiers à monter par ici, ces derniers temps.

Corso sentit ses cheveux se hérisser sur sa nuque.

— Allons-y.

Ils traversèrent une prairie et pénétrèrent dans la forêt. Au contraire des précédents sentiers qu'ils avaient suivis, celui-ci voyait de temps à autre passer un coupe-haies. Ils contournèrent le versant de la montagne en silence pendant une dizaine de minutes, puis Kenny annonça :

— Il va y avoir quelques virages.

L'atmosphère sembla légère et moins oppressante. Kenny baissa sa vitre et Corso fit de même. L'air humide sentait la terre. Les talus étaient couverts d'une épaisse mousse verte et des petites fleurs jaunes dressaient la tête entre les rochers. Du côté de Kenny, la pente plongeait hors de vue. Les arbres se rabougrissaient à mesure que l'on montait, le versant ne devenait plus que rocs, l'illusion de verdure était due aux lichens et aux mousses qui avaient réussi à s'implanter dans les coins et les recoins des rochers.

Le 4 × 4 freina et s'immobilisa. Kenny embraya et se pencha à mi-corps par la vitre baissée. Le pick-up recula jusqu'au virage précédent pour s'arrêter sur une ligne droite, où Kenny put caler le pneu arrière contre le talus, puis il coupa le moteur.

— Qu'est-ce qu'il y a ? demanda Corso.

— Il est là-haut. J'ai vu l'avant d'un gros machin marron et blanc.

Corso hocha la tête et sauta à terre. Ils entamèrent la montée. Les bottes de cow-boy de Kenny cliquetaient sur la chaussée. Corso s'efforçait de respirer avec régularité tout en se disant qu'il était arrivé au bout de son plan : il n'avait pas la moindre idée de ce qu'il allait faire quand ils auraient rejoint le camping-car. Il retint Kenny par la chemise.

— Il y a un fusil, dans le pick-up ?

Kenny le regarda comme s'il était devenu fou.

— C'est pas la saison de la chasse, vieux.

— On doit être très prudents, chuchota Corso. Ce type là-bas est super-dangereux. S'il nous voit, on est morts.

Corso prit la tête et ils couvrirent les cinquante derniers mètres avec mille précautions. Arrivé au tournant, Corso s'appuya au talus et jeta un coup d'œil au-delà. Kenny avait raison, le camping-car était là, au milieu d'une clairière. Le poste d'incendie se dressait au-dessus comme un oiseau de mer géant. Un pick-up vert était arrêté au milieu de la route, à vingt mètres du camping-car.

Corso fut tiré en arrière par la main de Kenny, qui chuchota :

— C'est celui de Bob Temple, le garde forestier. On dirait qu'il est juste assis là, à attendre quelque chose…

Corso regarda de nouveau. Kenny avait raison, quelqu'un se trouvait à la place du conducteur.

— On ferait mieux d'appeler la cavalerie, dit Corso en prenant le téléphone de Marty.

Mais il n'y avait pas de réseau. Il tenta quand même de joindre Rosen, en vain. Il tendit à

Kenny la carte de visite de Rosen et le portable de Marty.

— Prenez votre pick-up jusqu'à ce que vous trouviez un endroit d'où appeler ce numéro. Dites que vous savez où est le camping-car. Si vous n'arrivez pas à le joindre, faites le 911.

— Vous êtes sûr ?

— Oui. Faites vite.

— Ça va me prendre un temps fou pour redescendre.

— Allez-y.

C'est alors que le bruit s'éleva. On aurait dit le mugissement d'un orignal, ou d'une vache. La brise sembla le faire virevolter autour d'eux, comme s'il venait de partout à la fois.

— Dépêchez-vous ! dit Corso.

Kenny s'apprêtait à rejoindre son pick-up quand le mugissement retentit de nouveau — un cri de terreur et d'agonie. Kenny s'arrêta mais Corso tendit la main vers lui.

— Allez-y !

Kenny obtempéra.

# 50

Corso perçut tout d'abord une voix enrouée, puis le bruit de la porte ouverte à la volée contre le flanc du camping-car et il se précipita à quatre pattes vers le talus, à la recherche d'une cachette derrière les rochers, s'efforçant de garder prise sur la pente glissante sans perdre de vue la route et les véhicules.

Il venait juste de se faufiler dans une crevasse moussue entre deux rochers quand Marty Wells apparut. Il était chaussé, mais nu, et avançait en boitillant, une caméra de télévision sanglée sur la poitrine. Une plaie à la tête avait laissé une traînée sanglante sur son visage. Cette vision de Marty Wells dans la forêt était une forme de témoignage de l'évolution de la race humaine depuis le temps des chasseurs-cueilleurs, songea Corso. Quant à la direction exacte que prenait cette évolution, ce n'était qu'une question d'interprétation.

Driver et Melanie sortirent ensemble du camping-car. Elle aussi était nue, sans même ses chaussures. Driver portait sa carabine en travers des épaules, comme un militaire. Il avait saisi Melanie par les cheveux et l'entraînait sans se soucier de ses cris de chiot rétif. Elle tentait de résister en freinant avec ses talons, mais Driver était bien trop fort pour elle.

Arrivé devant le pick-up, il la jeta contre le talus. Elle glissa et tomba assise dans la boue. Driver pointa le doigt sur elle.

— Tu bouges pas de là, sinon je m'en prends à lui.

Il désigna Marty d'un signe de tête et ajouta :

— Je le liquide, je te retrouve et je te tue. Compris ?

Sans attendre de réponse, il poussa Marty vers la route du plat de la main.

— Prêt ?

— Je dois refaire la mise au point, dit Marty d'une petite voix d'enfant.

Corso observa Driver qui sortait le micro de sa poche. Il le brancha d'un coup de pouce, puis attendit impatiemment.

— Allons-y.

Marty régla quelques boutons et releva la tête.

— Je n'ai pas de fréquence spécifique.

— Prends-en une intermédiaire qu'un maximum de stations pourront capter.

Marty procéda à divers ajustements et dit :

— Essayez le micro.

— Test, test, fit Driver dans l'appareil.

Marty hocha la tête. Il était prêt.

Driver se plaça à l'avant du pick-up et porta le micro à ses lèvres.

— Ici le capitaine Timothy Driver de l'US Army. À la retraite, ajouta-t-il avec un bref sourire. Étant donné que KYOK, la filiale d'ABC à Los Angeles, n'a pas daigné se plier à mon ultimatum concernant mon temps d'antenne, je n'ai pas d'autre choix que de mettre mes menaces à exécution.

Il se pencha et prit quelque chose sur le capot. Un portefeuille. Il l'ouvrit et se mit à lire.

— Il s'agit d'un certain Robert Hayes Temple de…

Après l'adresse et le code postal, il reprit :

— M. Temple a eu l'extrême malchance d'interférer avec le cours naturel des choses. Cette incapacité à suivre l'ordre…

Il fixa la caméra :

— Comme toujours, la nature ne pardonne pas la moindre erreur.

Il coupa le micro et se dirigea vers le coffre. Marty ne cessa de le filmer tandis qu'il abaissait la ridelle et tâtonnait à l'intérieur, puis revenait sur ses pas. Il tenait le micro dans une main et un bidon d'essence dans l'autre.

— Ô mon Dieu ! sanglota Melanie. Vous n'allez pas… espèce de salaud !

Elle se jeta vers lui, folle de rage, les seins tressautants et les ongles en avant comme des serres, mais Driver eut le temps de poser le bidon sur le capot et le micro dans sa poche pour la cueillir en plein plexus. Elle s'effondra en hoquetant, le souffle coupé, et roula sur le sol, comme victime d'une crise d'apoplexie.

Driver reprit le bidon et ouvrit la porte du pick-up. Marty commença à pleurer et à trembler. Bob Temple comprit ce qui allait se passer. Sans un mot, Driver répandit l'essence sur lui et toute la cabine. Puis, satisfait, il plaça le bidon sur le siège passager. Temple émit un long gémissement quand Driver sortit de sa poche une fusée de détresse.

Il reprit le micro.

— Vous avez trente minutes pour me donner l'antenne, sinon Melanie Harris et…

Il jeta un regard à Marty, qui compléta d'une

voix pratiquement inaudible sous la plainte terrifiée qui sortait du pick-up :

— Martin Wells.

— Si vous persistez à ignorer ma demande, Martin Wells et Melanie Harris seront les prochains à subir les conséquences de votre bêtise.

Il s'adressa à Marty :

— Montre donc à nos spectateurs la charmante Mme Harris.

Marty, en larmes, baissa la caméra quinze secondes sur Melanie.

Dans la cabine, Temple se démenait comme un damné. Driver s'approcha en souriant. Sans un mot, il cassa la fusée en deux et observa les flammèches rouges qui en jaillissaient, puis les jeta dans le pick-up et ferma la porte d'un coup de pied.

L'intérieur explosa dans une boule de feu orange qui s'échappa par les vitres et secoua violemment le véhicule. Marty hurlait. Driver avait attrapé Melanie par les cheveux et la tirait jusqu'à l'endroit d'où elle avait déboulé.

Dans la cabine, les flammes avaient commencé à faire fondre l'adhésif et libéré l'une des mains de Temple, qui l'agitait comme un drapeau.

Corso fit appel à toute sa volonté pour ne

pas bouger et rester caché derrière les rochers alors que les hurlements de mort de Temple résonnaient dans la montagne. Et puis… le pick-up se mit à bouger. En se débattant, Temple avait dû débloquer le frein à main ou le levier de vitesse, et le véhicule se mit à reculer, de plus en plus vite, avant de heurter le talus avec une embardée qui le fit glisser par-dessus bord, une roue après l'autre.

Tout d'abord, il dévala la pente presque verticale sur ses roues, mais un rocher l'envoya faire une série de tonneaux. Dès le deuxième, les flammes se trouvèrent en contact avec le réservoir et le véhicule tout entier explosa comme une pièce d'artillerie en projetant des morceaux embrasés sur tout le versant.

La carcasse fumante finit par retomber sur ses roues et s'immobiliser soixante mètres plus bas, face à l'ouest. Les restes de Bob Temple ligotés au siège demeurèrent inertes et silencieux. L'air empestait le plastique brûlé.

# 51

— Comment avez-vous obtenu ce numéro ? demanda Rosen.

Il écouta, de plus en plus excédé.

— De la part de qui ? Corso, Frank Corso ?

Il secoua la tête d'un air dégoûté.

— Ah, vous ne connaissez pas son prénom. Et vous êtes ? Kenneth Grabowski, d'accord. Vous avez un message de M. Corso… Angels Mountains… non, non. Excusez-moi, mais j'ai eu ma dose de stupidités pour la journée. Nous avons des problèmes plus urgents à traiter, monsieur Grabowski. Des vies sont en jeu. J'espère que vous ne m'en voudrez pas.

Il raccrocha.

Il était à cran, avec une migraine à mettre un rhinocéros à genoux. L'affaire Kelly était un désastre, un cauchemar pour les relations publiques. L'avocat du couple allait fondre sur le FBI comme un charognard. Une sale affaire.

Pas au point de le faire muter à Albuquerque, mais pas loin.

Depuis la bavure de Ruby Ridge, le Bureau était hyper-sensibilisé aux erreurs de jugement. S'être trompé de camping-car était presque risible et tirer dans les pneus sans doute pas la meilleure idée qu'il ait eue. Il s'en sortirait avec un mauvais rapport dans son dossier.

Mais le pire, c'est qu'il n'avait toujours pas le moindre indice quant à l'endroit où se trouvait Driver en ce moment. Il en frissonna.

Il était perdu dans ses pensées quand une Ford Taurus du FBI freina au ras de ses pieds. Il allait s'en prendre au conducteur lorsque l'agent spécial Santos jaillit de la voiture, les bras chargés de matériel.

— Il faut que vous voyiez ça, patron, dit-il en déposant bruyamment son chargement sur le capot.

Il commença à pousser des boutons. Il avait connecté son téléphone satellite à son ordinateur portable.

— C'est passé sur Internet il y a six ou sept minutes.

Le soleil rendait l'écran difficile à discerner et Rosen mit sa main en visière, mais cela ne suffit pas. Santos ôta sa veste et la drapa autour du portable.

— Voilà, vous verrez mieux.

Rosen se pencha et passa la tête sous la veste, comme un photographe d'autrefois.

Avec écœurement, il regarda Driver lancer un nouvel ultimatum, mais ce fut avec horreur qu'il le vit sortir le jerrycan du coffre. « Ô mon Dieu ! » souffla-t-il tandis que Driver brisait la fusée. Puis il demeura silencieux, mais, à la fin, eut un recul comme pour esquiver un coup.

Santos repassa la vidéo et ce fut au tour de Westerman de s'abriter sous la veste. Rosen la vit se raidir, et la retint quand ses jambes fléchirent. Elle s'appuya des deux mains sur le capot de la voiture en respirant profondément. Elle avait l'air d'être sur le point de vomir.

Un pick-up vert s'arrêta en hâte derrière la voiture. Un homme de petite taille, enrobé, au visage rond, en sortit :

— On nous signale de la fumée près du point de surveillance des Angels Mountains.

— Où ?

— Les Angels Mountains.

Rosen sortit son téléphone et vérifia le dernier numéro, qu'il rappela.

— Monsieur Grabowski. Bien, oui... Retrouvez-nous sur la nationale. Dans moins de cinq minutes. Oui, oui, d'accord.

Il courut vers la Lincoln.

— Santos, suivez-moi. Appelez l'équipe la plus proche. Récupérez deux voitures de renfort en chemin.

Westerman était toujours aussi blême quand elle se mit au volant.

— C'était...

— Pied au plancher, l'interrompit Rosen. Roulez à fond.

# 52

Corso les vit arriver. La grosse Lincoln gravissait la route étroite, suivie, à quelque distance, par deux Ford beiges. Il se hissa le long de la pente pour être prêt à sauter sur la chaussée. Deux minutes plus tard, il faisait signe à la Lincoln de s'arrêter juste avant le dernier virage, à une trentaine de mètres au-dessus de la carcasse fumante du pick-up de service de Bob Temple. Rosen sortit d'un côté et Westerman de l'autre. Ils approchèrent du talus et observèrent le carnage. Quand les Ford les rejoignirent, Rosen fit signe aux occupants de rester à l'intérieur.

Une fumée noire et malodorante s'accrochait aux aspérités du canyon.

— Deux chaînes de télévision publiques de Los Angeles ont diffusé les images en direct, dit Rosen. Elles passent sur Internet depuis les vingt dernières minutes.

— Quelle façon de partir ! murmura Corso. En direct et en couleur.

— Sans blague.

— J'aimerais bien sortir ses restes de ce pick-up, reprit Rosen, mais on doit s'occuper de Driver avant de faire monter une équipe ici.

— Où est le camping-car ? demanda Westerman.

Corso désigna le haut de la route.

— Juste au coin. Driver n'a pas bougé. Il est assis là en attendant la fin de son ultimatum.

Rosen dit d'un ton lugubre :

— Il paraît que la chaîne ne va pas lui accorder ce qu'il demande.

Corso en resta bouche bée.

— Vous déconnez ?

— Ils craignent les implications légales.

— Ironie du sort, pas vrai ? ajouta Westerman avec un rire amer. Des paparazzi inquiets pour leur image…

Corso leur fit signe de le suivre jusqu'au dernier tournant. L'un derrière l'autre, ils regardèrent ce qui se passait.

— Voilà. La seule échappatoire possible, c'est par ici. Driver tient le haut du terrain. Aucun moyen de couvrir les portes sans passer par son champ de tir.

— Il va falloir essayer malgré tout, dit Rosen.

Il retourna vers les agents qui attendaient. Après une brève mise au point, les quatre hommes s'entraidèrent pour grimper la pente raide et couverte de mousse au-dessus de la route, puis disparurent en contournant le terre-plein où se trouvait le camping-car.

Rosen essaya de téléphoner, mais, comme Corso avant lui, il s'aperçut qu'il n'y avait aucun réseau. Il remonta vers lui et Westerman.

— Vous croyez qu'il va négocier ? demanda Rosen.

— Aucune chance. Ça voudrait dire que ce n'est pas lui qui a mené la danse.

— À votre avis, il a un plan pour s'en sortir ? demanda à son tour Westerman.

— Je ne pense pas qu'il ait l'intention de s'en sortir. Il veut diffuser son message au monde entier, puis disparaître en apothéose.

Une explosion de verre brisé fut suivie de trois coups de feu, une pause, trois autres, et de nouveau du verre brisé, plus près cette fois. Un coup d'œil derrière le tournant confirma que Driver venait de casser les fenêtres latérales et arrière du camping-car. Des moustiquaires en loques et des pans de rideau pendaient à l'extérieur. Le canon de la carabine apparut et des détonations déchirèrent l'air.

Non loin des voitures, l'agent Santos se laissa glisser le long de la pente et atterrit sur la route, son costume taché de terre et de mousse. Le revolver à la main, il remonta en courant vers Rosen.

— Buttros a été salement touché.

— Où ?

— À la tête. Il était couché sur le sol. Le type l'a atteint au sommet du crâne.

À sa voix hachée, on sentait qu'il n'était pas loin de perdre son sang-froid.

Rosen lui posa la main sur l'épaule.

— Écoutez-moi, Santos. Je sais qu'il est votre partenaire et que c'est dur, mais on doit absolument garder notre calme. Je demanderai de l'aide dès que possible, mais pour l'instant y a-t-il un moyen d'évacuer Buttros sans risquer qu'un autre soit blessé ?

— C'est déjà fait. On a réussi à le tirer hors d'atteinte. Timmons et Lange le transportent...

Au même moment, les deux hommes apparurent en soutenant Buttros, effondré entre eux comme un sac de grain. Santos se précipita pour les aider et ils hissèrent le blessé par-dessus le bas-côté pour l'allonger sur la route baignée de soleil. Santos lui prit le pouls et leva ses yeux humides.

— Son pouls est assez bon. Il lui faut du secours rapidement.

Rosen acquiesça.

— Vous et Lange, prenez la voiture. Dépêchez-vous.

— Vous voulez qu'on vous envoie du renfort ?

— Pas tout de suite.

Les trois agents transportèrent leur collègue dans la voiture la plus éloignée, l'installèrent avec précaution sur le siège arrière et se mirent en route.

Rosen rejoignit Timmons.

— Ramenez Martini ici. Soyez prudent, je ne veux pas d'autre blessé.

Timmons disparut à son tour. Rosen alla chercher un porte-voix dans le coffre de sa voiture. Corso et Westerman s'écartèrent quand il revint.

— Ici le FBI..., commença-t-il.

Un seul coup de feu fut tiré, semblable à une légère détonation, et le porte-voix se désintégra. Une pluie de débris de plastique et de métal retomba aux alentours. Rosen s'appuya au talus. Sa lèvre inférieure était fendue et pissait le sang sur son costume. Un morceau de plastique blanc était fiché dans sa joue, dangereusement près de son œil.

Il tâta la plaie, laissa tomber le reste du porte-voix et sortit un mouchoir blanc de sa poche. Il se tamponna la lèvre, sans beaucoup de résultat. Westerman lui prit le mouchoir des mains et s'en servit pour retirer le bout de plastique de sa joue. Il grimaça quand elle appuya quelques secondes sur la blessure avant de s'occuper de sa lèvre, qu'elle recouvrit du mouchoir avant de dire :

— Serrez entre vos doigts. Plus fort.

Il obéit et le flot de sang cessa.

Timmons et Martini se laissèrent glisser jusqu'à la route et Rosen les appela. Avec un léger coup de la main sur la poitrine de Timmons, il dit :

— Prenez la voiture et trouvez un endroit pour téléphoner. Appelez une brigade d'intervention de la SWAT [1] avec un hélicoptère. Illico presto !

Timmons acquiesça et Rosen ajouta :

— Emmenez Corso.

— Non, dit Corso.

---

**1. « *Special Weapons and Tactics* » : *unité de police spécialisée dans les actions paramilitaires, entraînée aux missions dangereuses.***

— Je ne vous donne pas le choix !

— Si j'étais vous, je me servirais de toute l'aide dont je dispose.

À ce moment, un cri s'éleva, de plus en plus perçant, puis cessa brusquement.

— Allez, fit Rosen à Timmons.

Ce dernier avait presque atteint la voiture quand Martin Wells fut à demi poussé hors de la fenêtre arrière du camping-car. Il avait sans doute les mains attachées dans le dos, et sa figure était couverte de sueur. Le souffle court, il gémissait : « Je vous en supplie, je vous en supplie… »

Timmons avait démarré et roulait comme un fou dans la descente. Les craquements de la transmission se perdirent après le tournant. On n'entendait plus que le vent et les plaintes d'agonie de Marty.

— Quarante minutes, annonça Rosen avec autant d'autorité que de conviction. L'équipe de secours sera là dans quarante minutes.

— Je doute qu'on dispose de quarante minutes, rétorqua Corso.

Rosen se pinçait toujours la lèvre entre le pouce et l'index.

— Je suis ouvert à toute suggestion, dit-il d'un ton sarcastique, malgré sa difficulté à s'exprimer.

— On ne peut pas rester tranquillement assis à attendre de voir ce que Driver va faire. Il faut qu'on agisse.

— Comment ?

Corso haussa les épaules.

— On pourrait peut-être…

De nouveau, les cris de Marty atteignirent un paroxysme. Ses soubresauts et convulsions faisaient balancer le camping-car. Alors qu'il semblait ne pouvoir en endurer plus, ses hurlements retentirent encore plus fort.

C'était plus que Corso ne pouvait supporter. Il écarta Rosen et s'avança au-delà du virage.

— Arrête ça, Driver ! lança-t-il de toutes ses forces.

# 53

Westerman se jeta en avant pour essayer de retenir Corso mais Rosen l'attrapa par le col et la ramena à l'abri derrière le talus protecteur. Les boots de Corso martelèrent la chaussée, puis ses imprécations retentirent dans les bois. Ils froncèrent les sourcils, dans l'attente de la volée de balles qui allait l'interrompre, mais, miraculeusement, rien ne se passa.

— Arrête ça, nom de Dieu ! cria de nouveau Corso en avançant. Mais qu'est-ce qui te prend ? Tu veux vraiment que ça finisse de cette façon ? Tout ça est... nul, Driver, c'est...

Puis des coups de feu claquèrent et Corso sentit les balles siffler à quelques centimètres de sa tête comme un essaim de guêpes en colère. Il attendit un impact qui ne vint pas. Il se trouvait presque à l'arrière du camping-car et percevait les gémissements de Marty à l'intérieur. Il se sentait transpercé par le regard ténébreux de Driver.

— Ça ne peut pas finir comme ça, mon vieux. Je dois être en vie pour raconter pourquoi les choses ont tourné de cette façon.

Soudain, Melanie fut projetée jusqu'à la taille par la fenêtre du véhicule, les cheveux tout emmêlés et bâillonnée par du ruban adhésif, ses seins pendant à l'extérieur.

— C'est l'heure des marionnettes ! cria Driver.

Melanie devint comme folle. Ses hurlements étouffés ternirent l'air, et ses efforts désespérés pour se libérer de ses liens et de ce que Driver lui faisait subir secouaient le gros véhicule ; elle n'était plus que douleur primaire, sa seule échappatoire était de crier.

Corso piqua un sprint et sauta comme un joueur de basket dans l'espoir d'attraper Melanie, mais trop tard. Driver l'avait brutalement tirée en arrière et Corso s'écrasa contre la carrosserie comme un insecte sur un parebrise.

Driver se mit à rire.

— Quel bon public !

Corso se releva et s'épousseta. Il n'y avait personne à la fenêtre arrière, aussi se dirigea-t-il vers la porte côté passager. Il saisit la poignée et la porte s'ouvrit d'elle-même. Il pénétra alors dans le camping-car.

Driver se tenait au milieu, la carabine en travers de sa poitrine nue. Derrière lui, Melanie et Marty étaient recroquevillés sur le sol.

— Tu manques pas de couilles, Corso, je dois le reconnaître, ricana Driver.

— Certains esprits obtus appellent ça désir de mort.

— Ils ont raison ?

— Si on a envie de mourir, il suffit de traverser une autoroute.

Driver hocha la tête.

— Il s'agit de la vie. De choisir comment on veut la vivre et comment on ne le veut pas. La prison t'apprend ça.

— C'est-à-dire ?

— Trouver tes limites.

Corso changea de sujet.

— Où est Cutter ? En route pour le Canada ?

— Cutter est en route pour l'enfer.

— Il n'a pas dû être étonné.

— C'est ce qu'il cherchait.

Corso respira un grand coup et inclina la tête vers les deux corps effondrés à l'arrière.

— Je trouve que c'est bien encombré, chez toi, Driver. Pourquoi tu ne me laisserais pas emmener ces deux-là ? Après, tu pourras jouer la fin de partie à ta guise.

— Et pourquoi je ferais ça ?

— Parce que les laisser là avec toi, c'est hors de mes limites.

— Tu pourrais les rejoindre.

— Non, je ne pense pas.

— Moi non plus.

— Alors, qu'est-ce que tu en dis ?

Driver réfléchit.

— Tu as vu ma mère à la télé, hier soir ?

— Oui.

— Je venais la chercher. Nous allions quitter le pays ensemble.

— C'est pour ça que tu me voulais avec toi, hein ? J'étais la seule personne au monde à savoir où la trouver. Tu ne voulais pas que je puisse le révéler à quiconque. De cette façon, vous auriez pu disparaître ensemble.

— J'ai toujours su que tu étais un petit malin.

— Quant à ce pauvre Driver qui perdait les pédales…

— Ça m'a permis de sortir de ma cellule. Si j'avais eu besoin d'un simple médecin, ils m'auraient envoyé le charcutier de la prison. Pour voir un psy, il fallait qu'ils me fassent sortir.

— On a un nouveau best-seller en vue, avec cette histoire-là.

— Ne te fiche pas de moi, Corso. Je peux te descendre, là, tout de suite.

— Je suis sérieux.

— Moi aussi.

— Alors, qu'est-ce que tu décides, Driver ? Laisse-les partir. Tu veux un otage ? Je serai ton otage.

Driver secoua la tête.

— Ces deux citoyens, là, sont la seule raison pour laquelle ils ne me réduisent pas en miettes. Je suis comme toi, ajouta-t-il avec un sourire, je n'ai pas de désir de mort.

— Je ne partirai pas sans eux.

— Alors tu ne partiras pas.

— D'accord, répliqua Corso d'un ton calme.

Driver prit la carabine et le visa, droit entre les yeux. Corso retint son souffle, ferma les yeux et attendit.

— On n'était pas obligés d'en arriver là, dit Driver.

Corso voulut acquiescer mais les mots restèrent coincés dans sa gorge.

# 54

Corso entrouvrit un œil. La carabine était toujours pointée sur sa figure. La tension avait ranimé Melanie, qui les fixait avec intensité.

Corso prit une profonde inspiration. Les yeux noirs et impassibles de Driver ne révélaient rien. Il déglutit et dit :

— Si tu envisages une action héroïque, tu ferais bien de te dépêcher. Un commando de la SWAT et des hélicoptères sont en route.

Driver abaissa son fusil.

— Tu as vraiment tout fait foirer, Corso.

— Moi ? Mais c'est toi qui m'as embarqué là-dedans ! Tu m'as obligé à venir à Meza Azul alors que je ne demandais rien à personne, tu m'as entraîné dans une randonnée mortelle à travers tout le pays... Je n'avais rien à voir avec tout ça, je n'ai pas cessé de te le répéter. Tout ce que je voulais, c'était en finir.

Tu as une dette envers moi, Driver !

Le regard de celui-ci était toujours dur et inexpressif, ses lèvres minces comme une cicatrice.

— Je te dois quoi ?

— Un billet de sortie.

— Alors, va-t'en.

— Avec eux deux.

Driver jeta un bref coup d'œil vers le fond du camping-car et dit sans conviction :

— Ces deux salauds ont tué ma mère.

Corso balaya ses paroles d'un air dégoûté.

— C'est de la foutaise, tu le sais aussi bien que moi. Ils se trouvaient là quand c'est arrivé, mais ce n'est pas eux qui ont provoqué sa crise cardiaque. Elle avait le cœur malade, c'est la seule raison. Putain, Driver, quand je l'ai rencontrée elle avait déjà subi deux ou trois opérations. Ne te raconte pas d'histoires, mon vieux. Rappelle-toi ce que tu avais dit à propos de Kehoe. Qu'il aimait faire du mal aux autres parce que ça lui faisait du bien à lui. Tu veux devenir comme lui ? Dans ce cas, ça ne regarde que toi et ta conscience.

Driver ne répondit pas mais Corso poursuivit en désignant du doigt Melanie et Marty, toujours effondrés :

— Mais ne te raconte pas qu'ils sont responsables de la mort de ta mère, parce que c'est faux et on le sait tous les deux.

Driver cligna des yeux et se détourna. Corso ne le lâcha pas.

— Ils faisaient juste leur boulot, alimenter la machine. Faire de quelqu'un le héros du jour. La célébrité, c'est devenu l'opium du peuple. La nouvelle drogue. Tout le monde veut devenir célèbre, ne serait-ce qu'un jour ou une heure, ou pour un flash au journal du soir. Tout le monde veut son quart d'heure de gloire. Toi et moi... on a déjà eu le nôtre. Il est temps de passer à autre chose. En avant, et plus haut. Pour le meilleur. Ce n'est pas la faute de ces deux-là si les gens qui les emploient refusent de te laisser passer à la télévision. Ça prouve seulement que leurs patrons se soucient infiniment plus d'eux-mêmes que des gens qui travaillent pour eux.

Un long silence suivit. Enfin, Driver passa devant Corso et se rendit à l'avant du véhicule.

— Emmène-les, dit-il. Emmène-les et foutez le camp en vitesse.

Corso ne perdit pas une seconde. Il souleva le couvercle d'une banquette et sortit deux couvertures du coffre. Il arracha d'un coup sec la bande adhésive de la bouche de Melanie, qui cria et happa une goulée d'air. Marty ne bougeait pas. Corso lui prit le pouls.

Il ôta l'adhésif qui encerclait les chevilles et les poignets de Melanie. Elle se releva en tremblant et réussit à tenir debout, en s'enveloppant étroitement dans la couverture. Elle s'appuya à la cloison pendant que Corso enroulait l'autre autour de Marty et le soulevait comme un enfant.

— Vas-y, dit-il à Melanie.

Elle remontait le couloir, chancelante, tout en évitant soigneusement de regarder Driver, et sortit. Corso se tourna de côté pour franchir la porte avec Marty. Il lança à Driver :

— Bonne chance.

Driver ferma derrière lui.

Melanie glissa et tomba.

— Relève-toi, dit Corso. Je ne peux pas vous porter tous les deux.

Elle parvint à se redresser et avança avec peine. Corso se tourna une dernière fois vers Driver au volant :

— Pour mémoire... au cas où on me le demanderait... qu'est-ce que tu avais à dire ?

Driver parut déconcerté.

— Quoi ?

— Ce temps d'antenne que tu voulais tellement, c'était pour dire quoi ?

Driver haussa les épaules sans conviction.

— Je ne sais pas. J'aurais improvisé au fur et à mesure. Peut-être...

Il se mit à rire, comme pour se moquer de lui-même.

— Je voulais juste partir avec éclat. Que les gens se souviennent que j'avais existé sur cette planète en même temps qu'eux.

— Ils s'en souviendront.

Le camping-car démarra. Le grondement du moteur emplit leurs oreilles tandis qu'ils descendaient vers la route. Corso perçut le changement de vitesse et accéléra le pas. Devant eux, au tournant, Westerman lança un coup d'œil, puis Rosen et Martini.

Westerman se jeta au-devant d'eux et passa le bras autour de la taille de Melanie. Martini offrit son aide à Marty mais Corso le repoussa.

— Il arrive, dit-il tout en se penchant pour déposer Marty au bord de la route.

Il se redressa et secoua ses bras qui tremblaient sous l'effort. Melanie était restée blottie contre Westerman. Corso l'appela et elle le regarda.

— Viens, il ne faut pas rester en plein milieu.

Elle traversa la route comme si elle était en

transes et se mit à son côté. Elle aurait voulu le remercier, dire quelque chose de gentil, d'affectueux... peut-être même plus que cela, mais ses lèvres ne parvenaient pas à former les mots. Elle avait l'impression d'être un arbre en pleine tempête, secoué en tous sens, à la merci de forces incontrôlables.

Corso la souleva de terre et la déposa parmi les rochers sur le bas-côté. Il sauta par-dessus le talus, fit rouler Marty dans ses bras et commença à descendre la pente en criant à Melanie :

— Suis-moi !

Elle descendit en crabe, ne voulant pas lâcher sa couverture. Corso atteignit la même crevasse entre les rochers qui l'avait abrité auparavant. Il allongea Marty sur la mousse épaisse, et remonta aider Melanie.

Le grondement du moteur lui fit lever la tête. Il prit la jeune femme dans ses bras et se hâta de rejoindre Marty.

— Nous sommes en sécurité ici, dit-il.

— Il arrive ? demanda-t-elle, les yeux pleins de terreur.

— Pas jusqu'ici.

Corso dégagea de son visage ses cheveux emmêlés. Son geste la ramena au dernier moment de bonheur dont elle pouvait se souvenir et elle caressa la joue de Corso.

— C'était bon, l'amour avec toi.

Corso vérifia si on avait pu l'entendre. Par chance, Marty était toujours inconscient et les Fédéraux trop occupés à se demander quoi faire ensuite pour prêter attention aux civils.

— On en reparlera plus tard, Melanie. Tu sais, quand les choses seront moins… tu sais… pas aussi…

Le rugissement d'un moteur lui fit de nouveau lever la tête. L'énorme camping-car fonçait dans le virage, éparpillant les agents du FBI comme des feuilles mortes.

# 55

Chacun des agents tira. Une balle percuta le côté droit et aurait touché le passager en pleine face s'il y en avait eu un. Une autre se logea dans la carrosserie. Driver perçut l'impact du métal dans le métal. La troisième plongea dans le pare-brise et la table amovible que Driver maintenait entre ses jambes et qui le protégeait jusqu'au menton, à l'exception de ses bras et de ses mains dont il avait besoin pour manœuvrer le volant. La partie effilée de la table, entre ses pieds, ne le gênait pas pour actionner les pédales. C'était un panneau d'aggloméré de deux centimètres d'épaisseur, qui arrêta la balle.

Rosen et Westerman avaient tiré une fois avant de se jeter par-dessus le bas-côté pour se mettre à l'abri. Martini, moins agile, s'était retrouvé plaqué contre le talus quand le camping-car avait surgi du tournant.

Corso se releva et remonta la pente. Quand il arriva au niveau de la route, Martini se roulait sur le dos dans le fossé en serrant sa tête entre ses mains et en gémissant. Rosen, malgré ses mocassins, tentait de gravir la butte. Westerman était assise le dos contre un rocher, grimaçant et les yeux fermés, tenant sa jambe droite à deux mains. Cinquante mètres plus bas, le camping-car tomba nez à nez avec la Lincoln.

Driver accéléra et, grâce à la puissance de l'engin, combinée à la gravité, commença à pousser la Lincoln qui se mit à glisser de biais à bonne vitesse puis, soudain, quitta la chaussée et s'envola en exécutant une sorte de saut périlleux avant de retomber sur le toit, cliquetant et fumant dans la brise fraîche de l'après-midi.

Driver prit le virage et accéléra sur la ligne droite au moment où une Ford Taurus, du beige gouvernemental réglementaire, apparut, pleine à ras bord d'agents du FBI. Driver écrasa le klaxon et appuya à fond sur l'accélérateur.

Le conducteur de la Taurus choisit de fuir en marche arrière. Driver maintint la pression de façon à le faire reculer devant lui sans se montrer plus menaçant que nécessaire. Il savait ce qu'il y avait derrière : le virage sans visibilité.

Il ralentit, ce qui permit à la Ford d'accroître l'intervalle entre elle et le camping-car. Elle vira au large et disparut.

Pied au plancher, Driver braqua aussi largement que possible, bloqua le volant sur la gauche et fit déraper le gros véhicule dans le tournant. Ainsi qu'il l'avait supposé, ils s'étaient lassés de fuir et avaient décidé de faire face. Les jeunes gens sont comme ça, toujours avides de bagarre.

Il les surprit alors qu'ils sortaient de voiture, moitié dehors, moitié dedans. Il positionna le camping-car en plein sur la bande jaune et baissa la tête. Cinq secondes avant l'impact, le pare-brise explosa. Des cris et des hurlements résonnèrent parmi les arbres alentour, une demi-douzaine de balles se fichèrent dans le plateau de la table, un staccato d'armes automatiques s'éleva au-dessus du rugissement du moteur, et *bam !* le camping-car percuta la Taurus comme un train fou, la renversa sur le flanc et la projeta par-dessus bord pour l'envoyer tourbillonner dans le ravin.

L'airbag s'était déployé en privant Driver de toute visibilité. Des balles frappaient la carrosserie. Il rejeta la table de côté, attrapa l'airbag à deux mains et l'arracha complètement du volant.

Quand il y parvint, le camping-car avait plongé dans le talus en creusant un profond sillon dans la terre brune et était presque immobilisé. Driver braqua à droite et emballa le moteur pour regagner la route.

Mais la direction se révéla problématique et le train avant sérieusement endommagé. Pour aller droit, il devait maintenir le volant pratiquement à gauche. Il traînait quelque chose accroché au pare-chocs. Le radiateur fuyait.

Pire, Driver avait pris une balle dans le flanc. Il sentait le sang s'écouler depuis sa taille jusqu'à sa jambe de pantalon. Il gémit sous l'effort que nécessitait le fait de tenir le volant. Sa vision le trahit à deux reprises, tout devint blanc, puis noir, puis de nouveau normal.

Il parcourut sans hâte les kilomètres suivants. Personne ne le pourchassait. Il s'arrêta au sommet de la dernière descente. Deux cents mètres plus bas, deux Ford, pare-chocs contre pare-chocs, bloquaient la route. Il secoua les éclats de verre de ses chaussures, prit plusieurs inspirations et appuya à fond sur l'accélérateur. Le ventilateur se mit à hurler quand le camping-car dévala la pente.

La fusillade commença presque aussitôt. Il se pencha sur le côté, quasiment couché sur le siège passager. Les balles s'écrasaient partout.

L'intérieur se désintégrait autour de lui, réduit en poussière et en éclats de verre par un déluge de tirs.

Le camping-car percuta le barrage en envoyant valser les voitures comme une vache chasse les mouches. Driver se redressa juste à temps pour contourner un tas de gravier, braqua à gauche et retomba sur la route, où il freina en faisant hurler les pneus.

Stupéfait d'être encore en vie, il sourit en détachant sa ceinture de sécurité, puis gémit en se penchant pour attraper sa carabine parmi les débris qui jonchaient le sol. Il leva la poignée. Il allait mettre le pied par terre quand il lui sembla entendre quelqu'un chanter. Il leva les yeux.

# 56

Les garçons l'appelaient Wanda. Wanda Lackanooky. La poupée montée sur ressort collée au tableau de bord dansait une gigue d'enfer. Le petit poste de radio de Ray Lofton était coincé entre Wanda et le pare-brise. Jimmy Buffett « traînait encore une fois à Margaritaville » et Ray s'apprêtait à chanter avec lui.

Son vieux camion-benne descendait pleins gaz comme le train de Santa Fe. « Y a de l'alcool dans le shaker, /Et bientôt j'en aurai assez pour tenir le coup. » La benne, chargée à bloc, plus qu'elle ne l'avait jamais été, était super-lourde et très difficile à manœuvrer. « Un peu comme ma première femme », se dit Ray avec un grand sourire.

De crainte que quelque chose ne gâche ses plans pour la fin de l'après-midi, Ray opta pour la prudence et commença à freiner bien avant d'attaquer le virage raide de Blue Creek. Il le prit aussi large qu'il l'osa avant de s'y lancer, chantant à tue-tête.

Il en était encore aux vocalises quand son pire cauchemar se réalisa : un énorme camping-car stationné en travers de la route, juste à la sortie du tournant. Le refrain mourut dans sa gorge. Il n'avait aucune échappatoire. Dans le bref laps de temps avant l'impact, il parvint à appuyer des deux pieds sur le frein, mais le résultat fut minime et le camion commença à déraper de côté.

Il percuta le camping-car presque de plein fouet, côté conducteur. La cabine fut arrachée du châssis arrière et se mit à glisser sur la route dans une gerbe d'étincelles et de poussière. Ray sut ce qui allait se passer. Il vit le type avec le fusil à moitié sorti et sentit que le camion échappait à son contrôle. Les tonnes de bouteilles dans le container commencèrent à basculer. Il contre-braqua aussi fort qu'il le put, mais en vain. La gravité et la force centrifuge avaient pris le dessus. Avec la grâce d'un porc vautré dans la fange, son camion chavira sur le côté.

Ray perdit sa prise sur le volant et tomba brutalement au fond de la cabine. Sous son épaule, il sentit la chaussée déchiqueter la portière en lambeaux, puis entendit rouler les bouteilles qui culbutèrent, se répandirent et s'écrasèrent sur la route. On aurait dit qu'un millier de carillonneurs ivres sonnaient les cloches tous en même temps.

Puis la benne s'immobilisa et ce fut le silence.

Seule la radio jouait toujours. « On dit que c'est la faute des femmes… mais moi je sais que je suis le seul fichu coupable. »

# 57

La dernière ambulance transportait le corps de Bob Temple, du moins ce qu'il avait été possible d'en retrouver avant la nuit. Corso avait entendu le chef des rangers organiser une équipe de recherche de dix hommes pour le lendemain matin à sept heures, dans l'espoir de retrouver les restes de leur défunt camarade.

Avant cela, les professionnels avaient emmené les survivants. Corso avait appris d'un secouriste qu'ils avaient appelé toutes les ambulances disponibles dans un rayon de cent cinquante kilomètres, mais il en manquait encore deux. Westerman s'était cassé la jambe en sautant depuis la route. Martini avait pris le rétroviseur du camping-car en pleine figure, ce qui lui avait cassé la mâchoire et creusé un sillon sanglant en travers du front. Tous deux avaient partagé une ambulance, de même que deux agents moins grièvement blessés dont la voiture avait basculé par-dessus le talus.

Melanie et Marty étaient partis séparément pour l'aéroport de Caldwell, d'où un avion sanitaire devait les ramener à Los Angeles.

Quand deux dépanneuses géantes avaient réussi à remettre le camion-benne de Ray sur ses roues, ce qui restait de Driver aurait pu être n'importe quoi... un cerf, ou un chien, enfin quelque chose de chair et de sang. Driver et la carcasse aplatie de la cabine du camping-car avaient descendu la montagne sur le plateau d'un camion à destination du laboratoire de la police scientifique de Glendora, où un personnel hautement qualifié allait pouvoir les étudier et les disséquer à loisir.

Rosen avait refusé de partir avant que chacun de ses agents ait été recensé et soigné. Sa lèvre avait été traitée avec deux injections de novocaïne et dix-huit points de suture.

Corso était assis sur le marchepied du pick-up de Kenny, le seul véhicule, finalement, à être encore en état de marche quand la fumée s'était dissipée. Kenny avait posé sa grosse main sur l'épaule de son ami.

— Je vois pas pourquoi tu fais cette tête-là, mon vieux Ray. On se serait cru dans Rambo ! Cette espèce de salopard s'amène et fiche tout en l'air et toi... toi tout seul, tu mets fin à son règne de terreur !

Ray Lofton semblait en douter.

— Je l'ai vu, Kenny. Il avait une sorte de carabine à la main, il allait poser le pied par terre... Tu sais, j'avais jamais... fait de mal à personne avant... tu vois ce que je veux dire. J'aurais jamais imaginé...

Ray se mit à pleurer et Kenny le prit dans ses bras.

Rosen se planta devant Corso.

— J'ai une voiture. Vous rentrez à Los Angeles ?

Corso réfléchit. S'il n'avait pas été aussi fatigué, il se serait mis à rire. Quelle semaine de folie ! Une traînée de cadavres de l'Arizona jusqu'en Californie, des existences anonymes bouleversées à jamais. À la une des médias de tout le territoire, meurtres, destructions, kidnappings et Dieu sait quoi encore... et tout cela se résumait à la même éternelle question. Quoi qu'on en dise. Les victoires étaient faites pour êtrc savourées, les défaites pour être supportées, mais seulement si on les partageait avec quelqu'un. Comme dans la chanson : « À la fin, l'amour que tu auras reçu sera égal à celui que tu auras donné. »

Mais lui, il préférait croire que seule la solitude procurait un peu de dignité. Comme si le silence était nécessaire aux pensées profondes et que les seules vraies joies naissaient de soi-même. Plus il avançait en âge, plus il devenait une anomalie statistique. Pour lui, les meilleurs moments de la vie se passaient dans le silence, assis, seul, dans l'herbe fraîche.

— Alors ? demanda Rosen.

— Je rentre à Seattle, répondit-il après une brève hésitation. Il faut que je m'occupe de mon bateau.

# 58

— Ç'a été terrible ! dit Heidi. Ce Harry Gibbs a tué mon papa, chez nous, dans le salon. Il a marché droit sur lui et lui a tiré une balle en pleine tête.

Les larmes se mirent à couler de ses grands yeux bleus.

— Il m'a droguée et violée encore et encore. Il était après moi nuit et jour, comme une bête.

Elle se tut un instant pour se ressaisir.

— Il me gardait enfermée, attachée à lui tout le temps. J'ai rien à voir avec tous ces meurtres. C'est lui qui a tué. Si j'avais essayé de l'arrêter, il m'aurait tuée aussi, c'est sûr.

Elle tendit le doigt vers les policiers alignés au fond de la salle.

— Je ne sais pas pourquoi la police ne veut pas me croire. Pourquoi ils disent que j'aurais pu…

Son discours s'interrompit quand une porte s'ouvrit derrière elle pour laisser entrer une femme blonde et forte d'âge moyen. Elle jeta son attaché-case sur la table et chuchota à l'oreille de Heidi, qui hocha la tête.

La femme balaya du regard les journalistes rassemblés avec un dédain à peine déguisé.

— Je suis Lisa McClendon. J'ai été désignée par la Commission contre les violences domestiques pour défendre les intérêts de Mlle Spearbeck jusqu'à l'arrivée de son avocat. Mlle Spearbeck ne répondra à aucune question et ne tiendra plus de conférence de presse tant que Me Cochrane ne sera pas arrivé de Los Angeles.

— Il a été tellement gentil au téléphone, susurra Heidi.

— Ce sera tout, dit Mme McClendon.

Heidi fit au revoir de la main.

*Impression réalisée par*

**SAGRAFIC S.L.**
à Barcelone (Espagne)

pour les **EDITIONS V.D.B.**
84210 La Roque-sur-Pernes

Dépôt légal : septembre 2008